ダロン・アセモグル＆
ジェイムズ・A・ロビンソン
Daron Acemoglu & James A. Robinson
櫻井祐子［訳］

自由の命運

The Narrow Corridor
States, Societies, and the Fate of Liberty

国家、社会、そして狭い回廊

上

早川書房

立ち上がった社会　サフラジェットのエミリー・デイヴィソンの死

ホッブズの『リヴァイアサン』

階級を統制する規範　テミストクレスのオストラキスモス（陶片追放）

階級を抑制する規範　ティヴの占い師

不在のリヴァイアサン　レバノンで積み上がるゴミの山

力への意志がハワイで海軍を築く

足枷のリヴァイアサン　「善政の寓意」

足枷のリヴァイアサンの帰結　「善政の効果」（部分）

足枷のリヴァイアサンのもう一つの帰結　トルティーヤの発明

足枷のリヴァイアサンのボトムアップの法律
サリカ法典

バイユーのタペストリー（部分）

規範の檻を壊す

失敗した実験　経度測定のためにガリレオが発明したセラトーン

楊曰：此皆名無差等，則不可相制也。有天有地而上下有差，明王始立而處國有制。楊曰：制亦謂差等也。久保愛曰：處、處置也。夫兩貴之不能相事，兩賤之不能相使，是天數也。執位齊，而欲惡同，物不能澹則必爭。楊曰：澹讀爲「贍」，既無等級，則皆不知紀極，故物不能足也。啓雄案：崇文局本澹作「贍」。爭則必亂，亂則窮矣。楊曰：窮、物窮竭也。先王惡其亂也，故制禮義以分之，使有貧、富、貴、賤之等，足以相兼臨者，是養天下之本也。書曰『維齊非齊。』楊曰：呂刑。言維齊一者乃在不齊。以諭有差等然後可以爲治也。此之謂也。

馬駭輿，則君子不安輿；庶人駭政，則君子不安位。楊曰：駭政、不安上之政也。馬駭輿，則莫若靜之；庶人駭政，則莫若惠之。楊曰：惠、恩惠也。選賢良，舉篤敬，興孝弟，收孤寡，補貧窮，如是，則庶人安政矣。庶人安政，然後君子安位。傳曰：『君者，舟也；庶人者，水也。水則載舟，水則覆舟。』啓雄案：則、能也。左哀十一年傳載孔子語，「鳥則擇木，木豈能擇鳥。」史記孔子世家作「鳥能擇木，木豈能擇鳥。」是其證。此之謂也。

故君人者，欲安，則莫若平政愛民矣；欲榮，則莫若隆禮敬士矣；欲立功名、

PEOPLE
WATER
WATER
CAN
CARRY
BOAT
WATER
CAN
SINK
BOAT

中国の民に主導権があった時代　『荀子』

自由の命運〔上〕

——国家、社会、そして狭い回廊

THE NARROW CORRIDOR

States, Societies, and the Fate of Liberty

by

Daron Acemoglu and James A. Robinson

Translated by

Yuko Sakurai

First published 2020 in Japan by

Hayakawa Publishing, Inc.

This book is published in Japan by

direct arrangement with

Brockman, Inc.

アルダとアラスへ。言葉では表せないほど感謝している。

ダロン・アセモグル

アドリアンとトゥリオへ。私の過去と君たちの未来に捧ぐ。

ジェイムズ・A・ロビンソン

本書への賛辞

「政治史における最大の逆説のひとつは、人類社会には過去一万年以上にわたり、強力な中央集権国家へと発展する傾向がみられることである。この発展はいずれも、かつて人類社会を構成していた数百人にも満たない集団や種族からはじまっている。そうした国家なしには、数百万人が暮らす社会を機能させるのは不可能だったことだろう。しかし、強力な国家は、その国に暮らす市民の自由と、いかに両立しうるのか？　この根源的なジレンマに対する答えを本書が示してくれる。好奇心を満たすだけでなく、刺激に富む一級の本だ」

――ジャレド・ダイアモンド（『銃・病原菌・鉄』でピュリッツァー賞受賞）

「異彩を放ち、洞察にあふれた本書は、これ以上ないくらい時宜にかなっている。世界中で、国々は国家と社会の緊張関係と格闘している最中だ。左右両派によるポピュリズムが、耳触りはよいが危険な対処法をちらつかせている。対照的にアセモグルとロビンソンは、自由への狭い回廊に至る道は、強力で有能な国家と、同じく強力で市民中心の社会とを結び付けられるかどうかにかかっているとする。どちらか一方ではなく、両方が必要なのだ。これこそが、すべての人々が繁栄へと至る道である。ただし、二人も述べている通り、これは楽な仕事ではない」

――マイケル・バーバー（『いかに国家を運営するか（*How to Run A Government*）』）

「自由は容易にはもたらされない。多くの人々が、機能不全国家に苦しみ、規範と伝統の檻（おり）にとらわれている。この檻は独裁的な族長、紛争仲裁人、宗教指導者、暴君と化した夫などによって生み出されるものだ。専横のリヴァイアサンに抑圧されている人々もいる。非常に独創的で素晴らしいこの著作のなかで、ダロン・アセモグルとジェイムズ・ロビンソンは、私たち読者を時空をまたぐ旅へと連れ出してくれる。リヴァイアサンを監視下に置き、規範の檻を緩めさせるために、社会は不断に、ときに不安定な戦いを続けている。彼らの狭い回廊という概念は、そのことを浮き彫りにする。二人にしか引き出せない非凡な成果だ。名著『国家はなぜ衰退するのか』の再来だ」

――ジャン・ティロール（二〇一四年度ノーベル経済学賞受賞）

「国家と社会はお互いを必要としている。世界の富の詳細な歴史研究を、シンプルな分析枠組みに当てはめることで、アセモグルとロビンソンは、こんにち猖獗（しょうけつ）をきわめている全体主義や無政府社会に対する強力な反論を展開している」

――ポール・コリアー（『最底辺の10億人』ほか）

「本書は、人類史をたどる時空を超えた魅惑的な旅に私たちを誘う。自由に不可欠な構成要素をさがす旅へと。この旅から見えてくるのは、私たち一人一人の双肩に、自由の命運がかかっているということだ。すなわち、私たち自身の市民としての関与、民主主義的な価値を支えることこそが、自由の不可欠な構成要素なのである。こんにち、これほど重要なメッセージはなく、これほど重要な本はない」

「アセモグルとロビンソンによる、傑出して洞察にあふれた新たなる成果。本書は、民主主義的な社会を実現し、維持することの重要さと難しさを示している。さまざまな実例と分析に満ちた興味尽きない本だ」

——ジョージ・アカロフ（二〇〇一年度ノーベル経済学賞受賞）

「私たちの民主主義が、いま直面している問題をいかに見るべきか？　この見事かつ時宜にかなった本は、選択肢となりうる社会統治の形態を考えるために、シンプルで強力な枠組みを提供してくれる。そして、国家と社会のあいだの適切なバランスを保って〝狭い回廊〟の内部に留まり、無政府状態にも独裁体制にも陥らないためには、警戒を怠ってはならないことを、本書の分析は気づかせてくれる」

——ベント・ホルムストローム（二〇一六年度ノーベル経済学賞受賞）

「じつに野心的で示唆に富む本だ。現在の重要テーマを数多く取り上げ、それらを世界中の広範な地域における歴史と事例に巧みに結び付けて分析している」

——ジム・オニール（『次なる経済大国』ほか）

「世界でも指折りの社会科学者二人が、計り知れない洞察と学識に満ちた大著をものした。真の傑作だ。国家と社会のあいだの微妙な均衡についての分厚い歴史研究に基づき、ものを考える人すべてが知っておくべき、ぞっとするような結論が導かれる。すなわち、自由は希少であるばかりか脆弱で、専制政治と無政府状態のあいだに危なげに押し込められているにすぎないことを」

——ジョエル・モキイア（『知識経済の形成』ほか）

「著者たちはアメリカの経済学者だが、二〇年におよぶ比較研究と議論の豊かな成果に基づく本書は、前著『国家はなぜ衰退するのか』の期待にたがわず、専門的で、味気ない数字の羅列とはまさに対極にある。制度分析を武器に、民主主義的な社会を独裁的な社会と、先進国を悲惨な運命にある世界中の貧困国と、それぞれ適切に比較・対照させることで、前者に生きている大いなる幸運を浮き彫りにする。自由は多頭のヒドラであり、頭がひとつしかない専横のリヴァイアサンの前に屈することを、決して許してはならないのだ」

——ポール・カートリッジ（『古代ギリシア人』ほか）

（早川書房編集部訳）

目次

訳注は小さめの〔　〕で示した。

下巻目次

序　章

自由

本書は自由について、また人間社会がどのようにして、なぜ自由を獲得できたか、できなかったのかについての本である。そしてそのことが、とくに繁栄にどのような影響を与えてきたかについての本でもある。私たちの自由の定義は、イギリスの哲学者ジョン・ロックの定義に倣う。ロックは以下があるとき、人間は自由であると論じた。

他人に許可を求めたり、他人の意志に頼ったりすることなしに……みずからの行動を律し、みずからが適当と考えるままに、みずからの所有物と身体を処理することができる……完全な自由。

この意味での自由は、すべての人間の基本的な希求である。ロックは次を強調した。

何人も他人の生命、健康、自由、または財産を害するべきでない。

しかし、自由が歴史上まれであり、こんにちもまれなことは明らかだ。毎年中東やアフリカ、アジア、中米の何百万という人々が故郷を逃れ、その過程で生命や身体を危険にさらしている。人々が逃げるのは、高収入や物質的な快適さを求めるからではない。暴力と恐怖から自分と家族を守ろうとするからなのだ。

古今東西の哲学者は、自由のさまざまな定義を提唱してきた。だが最も基本的なレベルでは、ロックも認めるように、自由は人々が暴力や威嚇、その他の屈辱的な行為から解放された状態を出発点としなければならない。人はみずからの人生について自由な選択を行ない、理不尽な罰や過酷な仕打ちに脅かされずに、その選択を実現する手段をもつことができなくてはならない。

この世のあらゆる悪

二〇一一年一月、シリア・ダマスカス旧市街のハリーカ市場で、バッシャール・アル＝アサドの専横政権に反対する抗議運動が、自然発生的に起こった。ほどなくして南部の都市ダルアーで、子どもたちが見よう見まねで「国民は政権打倒を望む」と壁に書いた。子どもたちは逮捕され、拷問を受けた。釈放を求めて群衆が集まり、二人が警官に殺された。騒動は大規模なデモに発展し、やがて全国へと広がった。多くの人が実際に政権打倒を望んでいた。そしてまもなく内戦が勃発した。国家、軍隊、治安部隊が、国土のほとんどから完全に姿を消した。しかし、シリア人が手に入れたのは自由ではなく、内戦と野放図な暴力だったのだ。

ラタキア県のメディア・オーガナイザー、アダムは、その後起こったことについてこう語った。

> 贈り物をもらったと思っていたら、この世のあらゆる悪が飛び出した。

アレッポの劇作家フセインは、状況をひと言でいい表した。

> あの暗黒集団がシリアに入ってくるなんて、思いもしなかった――いまやあいつらの意のままだ。

これら「暗黒集団」の筆頭が、当時ＩＳＩＳ〔イラクとシリアのイスラム国〕として知られていた、「イスラム・カリフ制国家」の樹立をめざす組織、イスラミック・ステートである。二〇一四年にＩＳＩＳは、シリアの主要都市ラッカを制圧した。国境の向こう側のイラクでは、ファルージャ、ラマディ、そして人口一五〇万人の歴史ある都市モスルが、ＩＳＩＳに占領された。ＩＳＩＳやその他多くの武装集団が、シリアとイラクの政権崩壊によって残された国家なき間隙を、想像を絶する残虐さで埋め尽くした。鞭打ち、斬首、身体切断が日常と化した。自由シリア軍の戦士アブ・フィラスは、シリアの「新しい常態」をこう説明する。

誰かが自然死したなんて、もうずいぶん長い間聞いていない。最初のうちは殺されても一人か二人だったのが、そのうち二〇人になり、五〇人になり、そして死ぬのが当たり前になった。五〇人死んでも、いまじゃ「よかった！　五〇人ですんだ！」と思う。爆弾や銃弾の音がしないと、何かが欠けているような気がして眠れなくなった。

アレッポの理学療法士アミンはこう回想する。

仲間の一人が女友達に電話して「ねえ、電池が切れそうだ。アミンのケイタイを借りてかけ直すよ」といった。しばらくして女友達が彼の様子を聞いてきたから、殺されたよと伝えた。彼女は泣いてしまい、僕は「どうしてそんなことをいうんだ？」とみんなに責められた。だからこう答えた。「だって本当じゃないか。ふつうのことだろ。あいつは死んだんだ」。……ケイタイを開いてアドレス帳を見ると、生き残っているのは一人か二人しかいない。誰かにいわれたよ。「人が死んでも番号を消してしまうな。名前を『殉教者』に変えろ」と。……だから僕のアドレス帳は、殉教者、殉教者、殉教者、殉教者が並んでいる。

シリア国家の崩壊は、とほうもない人道危機をもたらした。内戦前に約一八〇〇万人だった人口のうち、五〇万人ものシリア人が命を落としたとされる。六〇〇万人以上が住む場所を追われて国内の別の場所に移り、五〇〇万人が国外に逃れ、現在難民として暮らしているのだ。

ギルガメシュ問題

シリア国家の崩壊によって厄災が解き放たれたことは、驚くにあたらない。紛争の解決と法の執行、暴力の抑制には国家が必要だと、哲学者や社会科学者ははるか昔から主張してきた。ロックもこう述べている。

法のないところに自由はない。

それでもシリア人は、アサドの独裁政権からいくばくかでも自由を得るために抗議を始めた。アダムは悲しそうに回想する。

皮肉なことに、僕らは腐敗や犯罪、悪、人々の苦しみをなくそうとしてデモに加わった。なのに、ずっと多くの人が苦しむ結果に終わった。

アダムのようなシリア人が格闘している問題は、人間社会につきものの問題であり、今から約四二〇〇年前のシュメールの石板に刻まれた、現存する最古の文書に数えられる『ギルガメシュ叙事詩』のテーマでもある。ギルガメシュは、現在のイラク南部にあたる、いまは干上がっているユーフラテス川支流沿いにあった、おそらく世界最古の都市、ウルクの王である。叙事詩には、交易で繁栄し、住民に公共サービスを提供するめざましい都市を、ギルガメシュがつくりあげたことがうたわれている。

陽が当たると銅(あかがね)とまがうようにつくられた、その城壁を見よ。石造りの階段を上ってみよ……ウルクの城壁に上り、都市を行き来してみよ。その堅牢な礎石を調べ、レンガを吟味せよ。それがどれほど巧みに建てられたかを調べよ。城壁内部の土地を観察し、輝かしい宮殿や神殿、店や市場、家や広場を見つめよ。

しかし、一つ問題があった。

ギルガメシュのような者がどこにいるだろう?……都市は彼のものだった。彼は傲慢(ごうまん)にも頭(こうべ)を高く掲げ、野牛のように市民を威嚇しながら行き来する。彼は王であり、やりたい放題にふるまう。息子をその父親から取り上げて打ちのめす。娘をその母親から取り上げてなぶりものにする……ギルガメシュをあえて止めようとする者は誰もいない。

ギルガメシュは制御不能だった。シリアのアサドに似ていなくもない。絶望した人々は、シュメールの主神である天の神アヌのいる「天に向かって叫び」、訴えた。

天の父よ、ギルガメシュは……すべての束縛を超えてしまいました。民はその暴虐に苦しんでいます……これが、あなたが王にお望みになった支配でしょうか？　羊飼いが自分の羊を痛めつけてよいものでしょうか？

アヌは民の訴えを聞き、創造の女神アルルに命じた。

ギルガメシュの分身をつくれ。彼と同じだけの力と勇気を持ち、その荒ぶる心に立ち向かう男をつくるのだ。ウルクが安息を得られるように、新たな英雄をつくり、二人が互いに釣り合うようにせよ。

このようにアヌは、本書で「ギルガメシュ問題」と呼ぶもの――国家の悪い面ではなく、よい面を引き出すために、その権威と権力を制御すること――への解決策を考案した。アヌの案はドッペルゲンガー〔世界に一人だけいるという、自分にそっくりな人〕的解決策であり、こんにちでいう「チェック&バランス（抑制と均衡）」に近いものだった。分身のエンキドゥになら、ギルガメシュをくい止められると考えたのだ。合衆国の政治制度の生みの親の一人、ジェイムズ・マディソンはきっと同意したことだろう。マディソンはその四〇〇〇年後に、「野望には野望をもって対抗させる」ように憲法を設計すべきだと主張したのだから。

ギルガメシュが自分の分身に初めて遭遇したのは、新しい花嫁を陵辱せんとしていたときだった。エンキドゥが足止めを食らわせ、家の中に入れなかった。二人は戦った。ギルガメシュは最後には勝利したが、無双の専横的な力を戦いで失った。ウルクには自由が芽生えたのだろうか？

残念ながらそうではない。パラシュートのように上から与えられる抑制と均衡は、一般に効果がないし、ウルクでも功を奏さなかった。まもなくギルガメシュとエンキドゥは結託し始めた。叙事詩にはこう記されている。

彼らは抱擁（ほうよう）を交わし、互いに接吻（せっぷん）した。彼らは兄弟のように手を取り合った。彼らは寄り添って歩いた。彼らは真の友になった。

その後二人は力を合わせて、レバノン杉の森の守護神である怪物フンババを殺した。神たちが二人を罰するために差し向けた聖牛も、協力して倒してしまった。自由への展望は、抑制と均衡とともに消え去ったのだ。

ドッペルゲンガーや抑制と均衡が導入された国家から生まれないとしたら、自由はいったいどこから生まれるのだろう？　アサド政権からではない。シリア国家崩壊後の無政府状態（アナーキー）から生まれないのも明らかだ。

私たちの答えは単純だ。自由には国家と法律が必要である。だが、自由は国家やそれを支配するエリート層によって与えられるのではない。自由は一般の人々によって、つまり社会によって獲得されるのだ。国家が二〇一一年以前のシリアでアサドが行なっていた暴虐ぶりのように人々の自由を踏みにじらぬよう、社会は国家を制御して、人々の自由を保護し促進するようにさせなくてはならない。自由を実現するためには、政治に参加し、必要とあれば抗議し、投票によって政権を追放する、結集した社会が必要なのだ。

自由への狭い回廊

本書の主張は、自由が生まれ栄えるためには、国家と社会がともに強くなければならない、というものだ。暴力を抑制し、法を執行し、また人々が自由に選んだ道を追求できるような生活に不可欠な公共サービスを提供するには、強い国家が必要だ。強い国家を制御し、それに足枷(あしかせ)をはめるには、結集した強い社会が必要だ。ドッペルゲンガー的解決策や抑制と均衡では、ギルガメシュ問題を解決することはできない。社会のたえざる警戒がなければ、どんな憲法も保証も、それが書かれた羊皮紙ほどの価値しかもたなくなるからだ。

専横国家がもたらす恐怖や抑圧と、国家の不在がもたらす暴力や無秩序の間に挟まれているのが、自由への狭い回廊である。国家と社会が互いに均衡するのは、この回廊の内部である。均衡といっても、革命によって瞬間的に達成されるものではない。均衡とは、両者のたえまない、日常的なせめぎ合いである。このせめぎ合いは利益をもたらす。回廊の中で、国家と社会はただ競争するだけでなく、協力もする。この協力に助けられて、国家は社会が求めるものを提供する能力を高め、社会は国家の能力を監視するためにますます結集することができるのだ。

これが扉ではなく回廊である理由は、自由の実現が点ではなくプロセスだからだ。国家は回廊内で長旅をして、ようやく暴力を制御し、法律を制定・施行し、市民にサービスを提供し始めることができる。これがプロセスである理由は、国家とエリートが社会によってはめられた足枷を受け入れることを学び、社会の異なる階層が違いを超えて協力し合うことを学ぶ必要があるからだ。

この回廊が狭い理由は、こうしたことが容易ではないからだ。巨大な官僚機構と強力な軍隊、法律を自由に決定する権限をもつ国家を、どうやって手なずけ、制御し続けることができるだろう？　複雑化するこの世界でますます大きな責任を担うことが求められる国家を、どうやって抑え込めるだろう？　社会が相違や分裂から内輪で争うのを阻止し、協力し続けるようにするには、どうしたらいいのか？　こうしたすべてがゼロサム競争に陥らないようにする方法はあるのだろうか？　まったく容易なことではない。だからこそ回廊は狭く、またそこに入る社会やそこから出ていく社会には多大な影響がおよぶのだ。

こうしたことのどれ一つとして、計画的にもたらすことはできない。といっても、計画的に自由を生み出そうとする指導者などそうそういるものではない。国家とエリート層が強力で、社会が弱いとき、指導者は人々に権利や自由を与えたりするだろうか？　たとえ与えたとしても、約束を守り続けると信用できるのか？

自由の起源を知るには、ギルガメシュの時代から現在に至るまでの女性解放の歴史を見ればいい。叙事詩のいう、「すべての女子の処女膜が……王に属する」ような状況から、（限られた地域ではあるが）女性が権利を有する状況にまで、社会はどうやって変化したのだろう？　ひょっとすると、そうした権利は男性によって与えられたのだろうか？　たとえばアラブ首長国連邦（ＵＡＥ）には、二〇一五年に〝シャイフ〟・ムハンマド・ビン・ラーシド・アル・マクトゥーム副大統領兼首相兼ドバイ首長によって設置された、男女均等協議会がある。協議会は「最も男女均等を支援した政府団体賞」「最も男女均等を支援した連邦機関賞」「男女均等イニシアティブ大賞」などの賞を毎年与えて、男女均等への貢献を表彰している。マクトゥーム首長の手から授与された二〇一八年度の賞には、共通点が一つある——受賞者が一人残らず男性だったのだ！　ＵＡＥの解決策の問題点は、それがマクトゥーム首長によって計画され、社会を関与させずに一方的に押しつけられたことにあった。

これとは対照的に、よりよい成果を上げてきたイギリスなどの女性の権利拡大運動では、女性の権利は与えられたのではなく、勝ちとられた。女性たちは社会運動を起こし、サフラジェット〔婦人参政権を求める活動家〕と呼ばれるようになった。サフラジェットは一九〇三年に結成された女性だけの政治団体、婦人社会政治連合から生まれた。女性たちは、男性が「男女均等イニシアティブ大賞」を授けてくれるのを待ったりせず、みずから立ち上がり、直接行動と市民的不服従に訴えた。当時の大蔵大臣でのちに首相となった、デイヴィッド・ロイド・ジョージの夏の別荘に爆弾を仕掛けた。国会議事堂の外の手すりに、自分たちの体を鎖でつないだ。納税を拒否し、投獄されるとハンガーストライキに訴え、強制的に食事を取らされた。

エミリー・デイヴィソンはサフラジェット運動の著名なメンバーだった。一部報道によると、一九一三年六月四日の栄えあるエプソムダービーで、サフラジェットの紫、白、緑色の旗を掲げたデイヴィソンが、国王ジョージ五世の愛馬アンマーの目の前に走り出てはね飛ばされた。馬は転倒し、口絵の写真が示すように、デイヴィソンはその下敷きになった。四日後、デイヴィソンは事故による負傷で死亡した。五年後、女性は議会選挙で投票できるようになった。イギリスで女性が権利を手に入れたのは、一部の（男性）指導者の寛大な許可のおかげではない。権利獲得は、女性が組織化し、力を高めたことの帰結だった。

女性解放の物語は特殊でも例外でもない。自由の実現は、社会が結集し、国家とエリートに立ち向かえるかどうかによってほぼ決まるのだ。

第一章

歴史はどのようにして終わるのか?

迫り来るアナーキー？

一九八九年にフランシス・フクヤマは、すべての国の政治・経済体制が合衆国のそれに収斂（しゅうれん）していくという、「歴史の終わり」を予言した。フクヤマはこれを「経済的・政治的リベラリズムのまぎれもない勝利」と称えた。それからほんの五年後、ロバート・カプランは「迫り来るアナーキー」と題した論文のなかで、まったく違う未来像を描き出した。この無秩序な無法状態と暴力の本質を説明するには、西アフリカから話を始める必要があると、カプランは考えた。

西アフリカは「アナーキーの」象徴になりつつある……疾病、人口過密、いわれのない犯罪、資源不足、難民の移動、国民国家と国境の崩壊の進行、私設軍隊や民間の治安維持会社、国際麻薬カルテルの強大化は、いまや西アフリカのプリズムを通してこそ、最も如実に映し出される。やがて私たちの文明に突きつけられるであろう問題、議論するのもきわめて厭（いと）わしい問題を考えるには、西アフリカを導入口とするのがふさわしい。いまから数十年後に実現するであろう世界の政治状況を描き出すには……西アフリカから始めなくてはならないように思われる。

ユヴァル・ノア・ハラリは、二〇一八年のコラム「なぜテクノロジーは暴虐を利するのか」のなかで、また別の未来予測を示した。人工知能（ＡＩ）における技術進歩は、政府が国民のやりとりや意思疎通、思考の方法を監視、管理し、指図することさえできる、「デジタル専制体制」の台頭をもたらすというのだ。

したがって、歴史は終わるにしても、フクヤマが描いたような方法とはまったく違う終わり方をするのかもしれない。だがどんな方法で？　勝利するのはフクヤマの描く民主主義だろうか、それともアナーキー、あるいはデジタル専制体制なのか？　中国国家がインターネットやメディア、一般の中国人の生活に対する統制を強めていることは、世界がデジタル専制体制に向かっていることの証左なのかもしれないし、あるいは中東やアフリカの最近の動向を考えれば、アナーキーの未来はそれほど荒唐無稽ではないのかもしれない。

だがこうしたすべてについて考えるためには、体系的な方法が必要だ。カプランの提案どおり、アフリカから始めるとしよう。

第一五条国家

西アフリカ沿岸を東に進み続けると、ギニア湾はやがて南に折れて中央アフリカへと向かう。赤道ギニア、ガボンを海から眺め、〔元フランス領〕コンゴ共和国のポワントノワールを過ぎると、コンゴ川の河口にたどり着く。ここがアナーキーの典型と見なされがちな国、コンゴ民主共和国への入り口である。コンゴ人にはこんなジョークがある。この国が一九六〇年にベルギーから独立してから憲法が六度変わったが、どの憲法も第一五条は同じだ。一九世紀のフランス首相シャルル＝モーリス・ド・タレーランは、憲法は「短くて曖昧にするに限る」といったが、第一五条はそのお眼鏡にかなうはずだ。まさに短くて曖昧なのだ。ただ「デブルイエ・ヴ（自分で何とかせよ）」とだけある、と。

憲法といえばふつう、市民と国家の責任や義務、権利を列挙した文書を想像する。国家は市民の紛争を解決し、市民を保護し、個人では適切に提供できない教育や医療、インフラなどの公共サービスを提供することになっている。憲法はふつう、「自分で何とかせよ」などと定めたりしはない。「第一五条」について述べたことはあくまでもジョークだ。そんな条項は、コンゴ憲法には存在しない。だがいかにもありそうだ。コンゴ人は、少なくとも一九六〇年の独立以来、自分たちで何とかやり続けている（それ以前はさらにひどい状況だった）。コンゴ国家は、本来尽くすべき務めのうちどれ一つとしてまともに果たせていないし、国土の広い範囲にわたって不在である。裁判所、道路、診療所、学校は国の大部分から消えかけている。殺人、窃盗、強奪、脅迫は日常茶飯だ。一九九八年から二〇〇三年にかけてのアフリカ大戦の間に、すでに悲惨だったほとんどのコンゴ人の生活は紛れもない地獄と化した。戦争での死者数は五〇〇万人ともいわれる。彼らは殺され、病死し、あるいは餓死した。

平時でさえ、コンゴ国家は本物の憲法の条項を順守できていない。第一六条はこう定めている。

すべて国民は生存し、身体の完全性を保ち、人格を自由に発達させる権利を有するとともに、法律、公的秩序、他者の権利、公衆道徳を尊重しなくてはならない。

だがコンゴ東部のキヴ地方の大部分は、国の鉱物資源を横奪し、一般市民を略奪、攻撃、殺害する反政府組織や軍閥によって、いまも支配されているのだ。

コンゴ憲法の本当の第一五条はどんなものだろう？　それはこう始まる。「公共当局は性暴力を根絶する責任があり……」。だがコンゴは二〇一〇年に国連高官によって、「世界のレイプ首都」と名指しされた国なのだ。

コンゴ人は孤立無援である。自分たちで何とかするしかないのだ。

支配の遍歴

このジョークがあてはまるのはコンゴ人だけではない。ギニア湾を戻っていくと、カプランの陰鬱な未来像を最もよく表していると思われた場所、ナイジェリア最大の商業都市ラゴスにやってくる。カプランはこの都市を、「犯罪、汚染、人口過剰のせいで、第三世界の都市の機能不全を表す格好の例になっている」と評した。

カプランが書いているように、ナイジェリアは一九九四年当時、サニ・アバチャ将軍を大統領とする軍事政権下にあった。アバチャはナイジェリア国民の紛争を公平に解決し、彼らを保護することが自分の務めだなどとは考えなかった。政敵を殺し、国の天然資源を略奪することに余念がなかった。アバチャが横領した資産の総額は、最低でも三五億ドルに上るとされる。

その前年に、ノーベル文学賞受賞作家のウォーレ・ショインカは、〔パリ発ラゴス行きのフライトが、暴動のせいでコトヌーに行き先変更になったため〕隣国ベナンの首都コトヌーから陸路で国境を越えて母国のラゴスに戻った（図1）。ショインカはこう書いている。「コトヌーからナイジェリア国境までの道をひと目見ただけで、事情がわかった。われわれは道沿いに停められた車の長い列に沿って、何マイルも車を走らせた。国境を越えられないか、越える気もない車の列が延々続いていた」。危険を冒して国境を越えた人々は「一時間もしないうちに、車を壊されるか、最初の検問所で通行料として有り金を巻き上げられるかして戻ってきた」。

ショインカはそれでもひるまず、国境を越えてナイジェリア入りし、ラゴスまで連れて行ってくれる人を探したが、「オガ・ウォーレ、エコ・オ・ダ・オ（マスター・ウォーレ、ラゴスはいまダメ

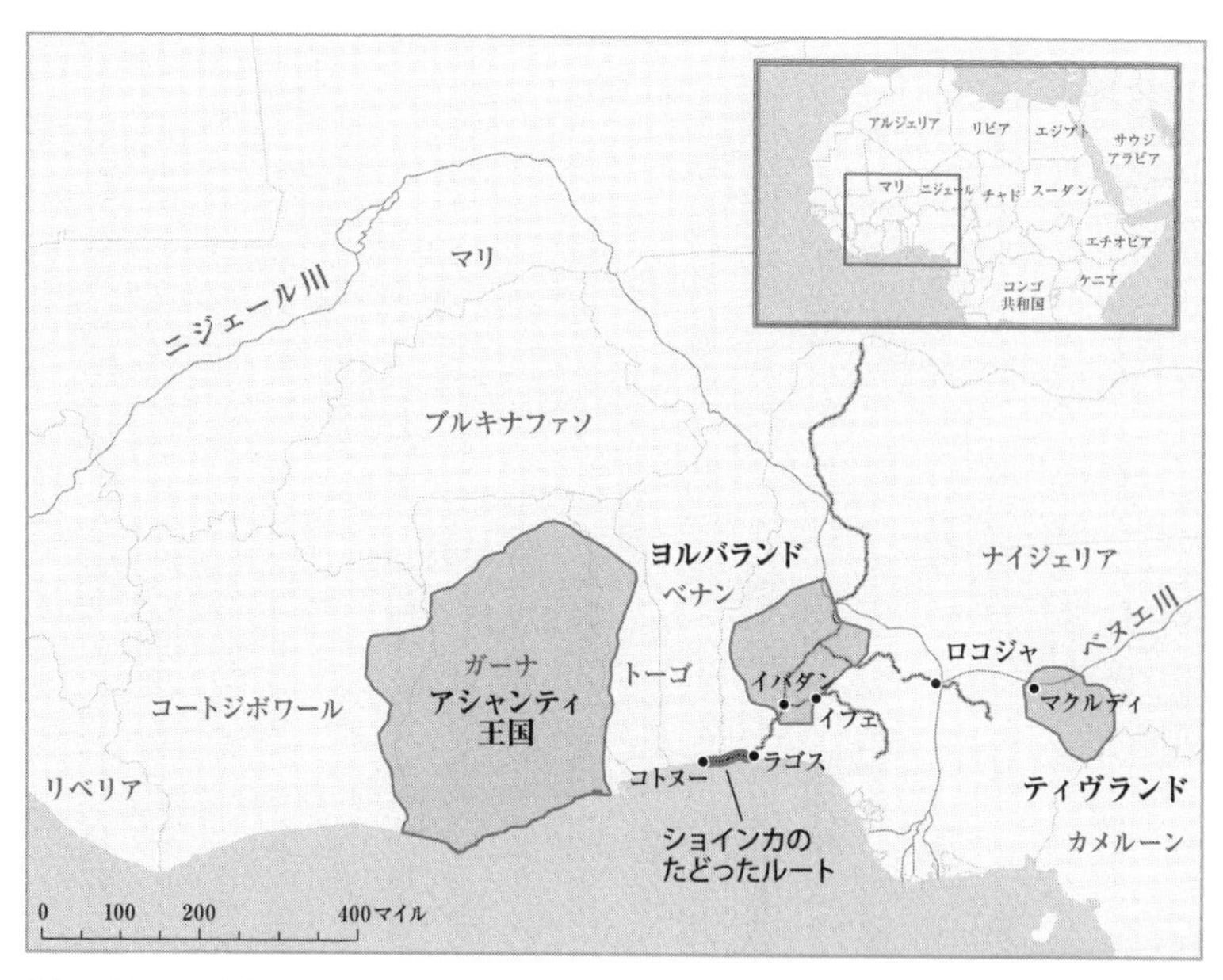

図1　西アフリカ：アシャンティ王国、ヨルバランド、ティヴランドの歴史上の王国、およびウォーレ・ショインカがコトヌーからラゴスまでたどったルート

だ〕」といわれただけだった。あるタクシー運転手は、包帯を巻いた手で包帯を巻いた頭を指さし、どんな歓迎を受けたかを語って聞かせた。全速で逆走して逃げたのに、血に飢えたギャングが追いかけてきたという。

「オガ（マスター）……私がバックで逃げているのに、暴徒らは窓ガラスを割ってきた。神は助けてくれなかった……エコ・ティ・ダル〔ラゴスはカオスだ〕」。

ショインカはようやくラゴスまで乗せてくれるタクシーを見つけたが、ドライバーは尻込みしてこうくり返した。「道路がひ・ど・い。ほんとにひどい」。ショインカは「かくして私の生涯で最も悪夢的な旅が始まった」と述べ、こう続ける。

検問所は、空の石油缶や廃棄タイヤ、ホイールハブ、自販機、木片、丸太、岩やらの寄せ集めでできていた……チンピラどもに乗っ取られていた……通行料をとる検問所もあった。支払えば通してくれる——だが通行証が有効なのは、次の検問所までだ。ときには通行料として一ガロン（約三・七八五リットル）以上のガソリンを車から抜き取られ、それから進むことを許された——ただし次の検問所までだ。見るからにミサイル弾やこん棒、拳で攻撃された車があったし、ジュラシックパークの撮影現場からそのまま出てきたような車もあった——異常な歯形にしか見えないようなものが車体についていたのだ。

ラゴスに近づくにつれ、状況は悪化していった。

通常は二時間もあればラゴス中心部に着く。だがこのときはすでに五時間たっているのに、五〇キロほどしか進んでいなかった。不安は募るばかりだった。ラゴスに近づくと、情勢が緊迫しているのが手に取るようにわかった。検問所はますます増え、損傷した車と、それに死体まで、頻繁に目にするようになった。

ラゴスで死体を見るのは珍しいことではない。あるとき巡査長が行方不明になり、警察は橋の下の水辺で死体を捜索した。六時間かけて二三人の死体を引き上げたところで、捜索は中止された。どれも捜していた死体ではなかったのだ。

この国がナイジェリア軍に略奪されていた間、ラゴスの住民は大いに「自分で何とかする」必要があった。都市では犯罪が横行し、国際空港はほとんど機能せず、他国政府が自国エアラインの乗り入れを禁止したほどだ。「エリアボーイズ」と呼ばれるギャング集団がビジネスマンを襲撃し、金を巻き上げ、殺すことさえあった。人々が避けなくてはならない災難は、エリアボーイズだけではなかった。通りは身元不明の死体に加え、ゴミとネズミにまみれていた。BBCのリポーターは一九九九年にこう報じた。「この都市は……ゴミの山に埋もれようとしています」。公的に提供される電気も水道もなかった。明かりを得るには、自分で発電機を買う必要があった。またはロウソクを。

ラゴスの住民の生活が悪夢のようだったのは、ただネズミの徘徊（はいかい）するゴミまみれの街に住み、道端の死体が目に入るからだけではなかった。彼らの生活はつねに恐怖と隣り合わせだった。エリアボーイズが闊歩（かっぽ）するラゴス中心部に暮らすのは楽しいことではなかった。今日は何とかやり過ごせたとしても、明日は襲われるかもしれない——エリアボーイズが街中でやっていることに文句をいい、服従を示さない図太さのある人はなおさらだ。こうした恐怖や不安、不確実性は、実際の暴力よりもさらに人々をむしばむのかもしれない。なぜなら、政治哲学者のフィリップ・ペティットが提唱した用語を借りていえば、それらを通してほかの人間集団の「支配（ドミナンス）」の下に置かれることになるからだ。

ペティットは著書『共和主義——自由と政府の理論』のなかで、充実したまっとうな生活を支える基本原則は、非支配——支配や恐怖、極度の不安からの自由——であると論じている。彼によれば、人にとって次のような状態にあることは、受け入れがたいことである。

> 誰かによって生活を翻弄（ほんろう）され、その相手が立場上恣意的に強制できる、何らかの悪にさらされやすい状態で生活せざるを得ないこと。

人が支配を経験するのは、たとえば次のような状況だ。

妻が……夫の意のままに暴力を振るわれる立場にあり、しかも状況が改善する余地がまったくないとき。従業員が雇用主に抗議することを恐れ、雇用主の……身勝手なふるまいにさらされやすいとき。借り手が極貧や破滅を避けるために、金貸しや銀行家の情けにすがらざるを得ないとき。

暴力や虐待の脅威は、実際の暴力や虐待と同等の害をおよぼしうると、ペティットは論じる。もちろん、誰かの要求や命令に従っているかぎりは、暴力を受けずにいられるかもしれない。だがその代償は、来る日も来る日も自分の望まないことをやらされ、脅威にさらされ続けることなのだ（経済学用語でいえば、暴力は「均衡経路外の行動」かもしれないが、だからといってそれがあなたの行動に影響を与えないわけでもないし、実際の暴力に苦しむのと同じくらいの悪影響を与えないわけでもない）。ペティットによれば、脅威にさらされた人々は次のような状態に陥る。

たとえ武器を振りかざされなくても、相手の存在におびえながら生きていく。相手の反応の不確実性にさらされ、相手の機嫌を気にしながら生きていく……相手の目を直視できず、相手に取り入るためにこびへつらい、ごまをすり、褒めそやす必要さえあるかもしれない。

しかし、支配が生まれるのは、暴力や暴力の脅威からだけではない。脅威によって押しつけられるものであれ、その他の社会的手段によって強制されるものであれ、どんなものであっても不均衡な力関係は、何らかのかたちの支配を生み出す。なぜなら次の状態をもたらすからだ。

恣意的な力にさらされ、相手の気まぐれな意思やおかしな判断に従わなくてはならなくなる可能性がある。

本書ではロックの考えに磨きをかけ、自由を「支配のない状態」と定義する。支配された人は自由な選択をすることができないからだ。自由、ペティットの用語でいう非支配には、次のような意味がある。

そうしたすべての従属からの解放、すべての依存からの自由である。そのために必要なのは、何人も他人に恣意的に干渉する力をもたない、という共通認識のもとに、仲間の市民に対して立ち上がる能力をもつことである。

最も重要なこととして、自由を実現するためには、何をするかを自分で自由に選べる、という抽象概念だけでなく、その自由を実際に行使する能力も必要だ。個人や集団、組織が、あなたに何かを強制したり、脅迫したり、社会的関係を利用して従属させたりする力をもっているとき、この能力は存在しない。実際の暴力やその脅威によって紛争が解決されるとき、この能力は存在し得ない。だが同様に、長年の慣習によって押しつけられた不均衡な力関係によって紛争が解決されるときにも、この能力は存在しない。自由が栄えるためには、何を源とするものであれ、すべての支配を終わらせることが必要なのだ。

ラゴスでは自由はどこにも見当たらなかった。紛争は強い権力や武力をもつ側に有利に解決された。

暴力、窃盗、殺人が横行していた。至る所でインフラが崩壊していた。支配はどこにでもあった。それは「迫り来るアナーキー」などではなかった。アナーキーはすでにそこにあったのだ。

闘争とリヴァイアサン

一九九〇年代のラゴスは、安全で快適な暮らしを送っている私たちのほとんどには、異常に思えるだろう。だがそうではない。人類は誕生以来ほとんどの期間を、不安と支配とともに生きてきたのだ。歴史の大半を通して、また農業と定住生活が約一万年前に始まってからも、人間は「国家なき」社会に暮らしていた。そうした社会には、アマゾンやアフリカの辺境などにいまも残る狩猟採集集団(「小規模社会」とも呼ばれる)のようなものもある。だが、たとえばアフガニスタンの南部・東部の大部分とパキスタン北西部に住む、人口約五〇〇〇万人の民族集団パシュトゥーンなど、ずっと規模が大きく、農業や遊牧を生業(なりわい)とするものもある。こうした社会の多くが、一九九〇年代のラゴスの住民が日々さらされていたよりもさらに過酷な生活に閉じ込められていたことが、考古学的・人類学的証拠からわかっている。

歴史的証拠のなかでも最も雄弁なものが、考古学者が変形・損傷した白骨死体から推定した、戦死や殺人の多さだ。いまも残る国家なき社会で、これをじかに観察した人類学者もいる。一九七八年に人類学者のキャロル・エンバーは、狩猟採集社会は戦争の頻度がとても高いことを体系的に示した――これはエンバーら人類学者のもっていた「平和な未開人」のイメージを打ち砕く、衝撃的な発見だった。エンバーが調査した社会の三分の二で、隔年以上の頻度で戦争が起こっていた。戦争を経験していない社会は一〇%にすぎなかった。スティーヴン・ピンカーはローレンス・キーリーの研究を土台に、人類学者が過去二〇〇年間に調査した二七の国家なき社会から得られた証拠を分析し、暴力による死亡率を人口一〇万人当たり五〇〇人超と推定した——これは現在の合衆国の殺人率人口一〇万人当たり五人の一〇〇倍以上、ノルウェーの殺人率一〇万人当たり〇・五人の一〇〇〇倍以上に当たる。近代以前の考古学的証拠も、この暴力の水準と一致する。

これらの数字のもつ意味を、私たちはかみしめるべきだろう。一〇万人当たり五〇〇人超、つまり〇・五％の死亡率といえば、社会の典型的な住民が五〇年間に殺される確率が二五％ということになる——つまり、知り合いの四人に一人が、寿命が来る前に暴力的に殺される計算だ。この容赦のない社会的暴力がもたらす予測不能性と恐怖がどれほどのものかは、私たちの想像を超えている。

こうした死と殺戮（さつりく）の多くは、敵対する部族や集団の間の争いによってもたらされたが、たえまない暴力の原因は戦争と集団間対立だけではなかった。たとえばパプアニューギニアのゲブシは殺人率がさらに高く、外部世界と接触する前の一九四〇年代と一九五〇年代は、一〇万人当たり七〇〇人だった——そしてその大部分が平時に起こっていた（毎年人口の約一〇〇人に一人が殺される時代を平時と呼ぶならば！）。その原因は、すべての死が魔術のしわざだという迷信にあるようだ。非暴力死であっても、犯人を突き止めるための魔女狩りとリンチ殺人が行なわれるのだ。

国家なき社会の生活を危険なものにしているのは、殺人だけではない。そうした社会の出生時平均余命はとても短く、二一年から三七年程度である。短い寿命と暴力死は、二〇〇年以上前の私たちの祖先にとっては、珍しいことではなかった。私たちの祖先の多くが、ラゴスの住民と同様、著名な政治哲学者トーマス・ホッブズが著書『リヴァイアサン』で次のようにいい表した暮らしを送っていたのだ。

たえまない恐怖と、暴力的に殺される危険につきまとわれる。人間の生活は孤独で、貧困で、過酷で、野蛮なものになり、寿命は短くなる。

これが、やはり悪夢のような時代だったイングランド内戦中の一六四〇年代にこの本を執筆していたホッブズが、「闘争」の状態といい表し、カプランならば「アナーキー」と呼んだであろう状態——すなわち、「万人の万人に対する」闘争の状態である。

ホッブズによる闘争の巧みな描写は、なぜこの状態での生活が、ただ陰鬱なだけの生活よりも悲惨なものになるかを明らかにしている。ホッブズはまず、人間の本質についての基本前提をいくつか挙げたうえで、紛争は人間のあらゆるやりとりにつきものだと主張した。「二人の人間が同じものを欲しながら、それを双方で共有できない場合、彼らは敵同士になる。そして……互いを破壊または征服しようと努める」。紛争を解決する方法をもたない世界は、幸福なものにはならない。その理由をホッブズは次のように説明する。

かくして次のような事態が生じる。侵略者は、ほかの一人の人間の力以上に恐れるものがなくなるのだ。もしもある者が木を植え、種をまき、家を建て、便利な地位をもっていれば、おそらくほかの者たちが武力を結集して準備し、それらを取り上げ、奪うつもりでやって来るだろう。労働の成果だけでなく、生命や自由までをも奪うかもしれない。

特筆すべきことに、ホッブズはペティットの支配をめぐる議論に先駆けて、暴力の脅威が害をおよぼしうると論じているのだ。たとえ暗くなったら家にこもり、行動やつき合いを制限することで、実際の暴力を避けられたとしても。ホッブズによれば闘争は、「実際の戦闘にあるのではない。戦闘が起こらないという保証がない間中ずっと、それが起こる可能性が高いことを知り続けている状態こそが、闘争なのだ」。つまり、闘争の予感も、人々の暮らしに大きな影響をおよぼしていた。たとえば「旅に出るときは武器をもち、多くの仲間と連れ立ち、眠るときはドアに鍵をかける。自宅にいるときも簞笥（たんす）に鍵をかける」。こうしたすべては、ラゴス市内を移動する際、自衛のためにグロック銃をつねに脇に携帯していたウォーレ・ショインカにとっては、おなじみのことだった。

ホッブズは必要最低限の快適さと経済的機会に対する人間の欲求についても認識していた。こう書いている。「人間を平和に駆り立てる情熱は、死の恐怖である。快適な生活を送るために必要なものに対する欲求である。また、勤勉に働けば必要なものを手に入れられるという希望である」。しかし闘争状態では、こうした情熱をもつのは難しい。それどころか、経済的インセンティブは破壊されてしまう。

そのような状況には勤労の余地がない。なぜなら、勤労の成果が不確実だからである。その結果、土地が耕されることも、航海が行なわれることもなくなる。また海路により輸入された商品も、広くて便利な建物も、力を使わないと動かせないものを移動し撤去する手段も、地表に関する知識も、何もかもが無駄になる。

そこで人々はおのずとアナーキーから脱する方法、すなわち「みずからに束縛を」課し、「人間の自然な情熱に……必ずつきまとう、悲惨な闘争から抜け出す」方法を見出すようになるのだ。ホッブズは闘争という概念を提唱したとき、どうなればこれが起こるかを、すでに予見していた。闘争が起こるのは「すべての人を畏怖状態にとどめるような共通の権力がないままで人々が暮らしていると き」だと考えた。ホッブズは「共通の権力」という表現を、「**コモンウェルス**または**国家**と呼ばれる、偉大な**リヴァイアサン**」といいかえた。これらの三つの用語は、交換可能に用いられている。したがって闘争を解決するには、コンゴ人やナイジェリア人、政府なき無秩序な社会に暮らす人々がもたなかったような、中央集権的権威を生み出すことが、その方法になる。ホッブズは旧約聖書に登場する海の巨大怪物リヴァイアサンのイメージを利用して、この国家が強力でなくてはならないことを強調した。ホッブズの著書は、口絵にあるように、リヴァイアサンの銅版画が表紙になっている。そこには「ヨブ記」の一節が記されている。

彼に匹敵する力は地上には存在しない（「ヨブ記」41章24)。

そのとおりだ。

ホッブズは、全能のリヴァイアサンが人々に恐れられることを理解していた。だが万人を恐れるよりも、一つの強力なリヴァイアサンを恐れる方がましだ。そうしたリヴァイアサンなら、万人の万人に対する闘争をくい止め、人々が「互いを破壊または征服しようと努め」ないよう図り、ゴミやエリアボーイズを片づけ、電気を通してくれるはずだ。

これはすばらしい話に聞こえるが、リヴァイアサンを手に入れるには具体的にどうすればいいのだろう？　ホッブズは二つの道を示した。一つめの道は、「制定による国家（コモンウェルス）」、すなわち国家をつくり、それに権力と権威を委譲することに関して、またはホッブズの言葉でいえば「彼ら一人ひとりの意志を代表者の意志に従わせ、彼らの判断を代表者の判断に従わせる」ことに関して、「大勢の人が同意し、互いに一対一の信約を結ぶ」ことである。つまりリヴァイアサンの創造が、一種の壮大な社会契約（「信約」）にもとづくということだ。二つめの道は、ホッブズが「獲得による国家」と呼ぶもので、これは「力によって獲得される」。闘争状態では「敵をみずからの意志に従わせる」者が現れるかもしれないとホッブズはいう。そしてここが重要な点だが、どちらの道をとっても「主権に備わる権利と威力に違いはない」。どのような方法であれ、社会がリヴァイアサンを手に入れれば、同じ結果が――すなわち闘争の終焉(しゅうえん)が――得られると、ホッブズは考えていたのである。

この結論は意外に感じられるかもしれないが、ホッブズは国家を統治する三つの方法である君主制、貴族制、民主制をめぐる議論で、はっきりこの考え方を示している。これらはまったく異なる意思決定機構のように思えるが、ホッブズは「これらの三種類の国家の違いは、権力の違いにあるのではなく、〔国家樹立の目的にとって〕どの程度都合がよいかという違いにある」と述べている。総じてみれば、君主制はより都合がよく、実際的な利点があったが、重要なのはどのようなかたちで運営されるにせよ、リヴァイアサンがやるべきことをやることだ。すなわち闘争を止め、「たえまない恐怖と暴力的に殺される危険」をなくし、男性たち（と望むらくは女性たち）の生活が「孤独で、貧困で、過酷で、野蛮なものになり、寿命は短く」ならないようにすることだ。ひと言でいえば、ホッブズはどんな国家も「平和と正義の維持」という目的をもつべきであり、それこそが「あらゆる国家が樹立される目的」だと主張した。つまりホッブズによれば、力は、または少なくとも十分に圧倒的な力は、どのようにして獲得されようとも正義なのである。

ホッブズの名著が現代の社会科学におよぼしている影響は、いくら強調しても足りないほどだ。私たちは国家や憲法について理論を立てる際には、ホッブズに倣って、それらがどのような問題を解決するか、どのようにして人々の行動を制約するか、社会の権力をどのように再分配するかということを出発点とする。社会の仕組みを考える際には、神から授かった法則などではなく、人間の基本的な動機やそれに影響を与える方法に手がかりを求める。だがホッブズが与えたさらに深い影響は、私たちのこんにちの国家観に表れている。私たちは君主制であれ、貴族制であれ、民主制であれ、どんな国家とその代表にも敬意を払う。軍事クーデターや内戦のあとでさえ、新政府の代表は公式専用機で乗り入れて国連の議席に着くし、国際社会は彼らが法を執行し、紛争を解決し、市民を保護するものと期待する。国際社会は彼らに正式の敬意を授ける。ホッブズが予見したとおり、権力をどこからどうやって獲得するかにかかわらず、統治者はリヴァイアサンを象徴し、正当性を有するのだ。

闘争を避けることが人間にとって高い優先事項だという点で、ホッブズは正しかった。また、国家がいったん形成され、暴力の手段を独占し、法を執行し始めれば、殺人が減少するという予測についても、ホッブズは正しかった。リヴァイアサンは「万人の万人に対する」闘争を抑制したのだ。こんにちの西欧と北欧の国家の下で、殺人率は人口一〇万人当たり一人を切り、効果的で効率的で豊富な公共サービスが提供され、人々は人類史上最も自由に近づいている。

だがホッブズが正しくなかった部分もたくさんある。一つとして、じつは国家なき社会にも暴力を抑制し、紛争をくい止める能力がかなりあることがわかっている——ただしこれから見ていくように、この方法は自由をあまりもたらさないのだが。もう一つとして、国家がもたらす自由に関して、ホッブズはあまりにも楽観的だった。実際、ホッブズは（ついでにいえば国際社会も）ある決定的に重要な点で間違っていた——力は正義ではないし、もちろん自由を生み出しもしない。国家に服従する生活もまた過酷で、野蛮なものになり、寿命が短くなる場合があるのだ。

この二つめの点から見てみよう。

衝撃と畏怖

ナイジェリア国家はラゴスの混乱を阻止することを望まなかったわけではないし、コンゴ民主共和国の国家は法を執行せず反政府勢力による殺人を放置することが得策だと判断したわけでもない。そんな単純な話ではない。ナイジェリアもラゴスも、こうしたことを実行する能力を欠いていたのだ。国家の能力とは、国家がその目的を遂行する能力である。一般に国家の目的には、法執行、紛争解決、経済活動の規制と課税、インフラや公共サービスの提供などが含まれる。戦争遂行が含まれることもある。国家の能力は、制度が組織化される方法によってある程度決まるが、より重要なことに、官僚機構によっても決まる。国家の計画を実行するためには官僚や公務員がいなくてはならないし、彼らが使命を実行するための手段と動機をもっていることも必要だ。この考え方を初めて明確に打ち出したのは、ドイツの社会学者マックス・ヴェーバーである。ヴェーバーは一九世紀と二〇世紀のドイツ国家の根幹をなしていたプロイセンの官僚機構にヒントを得た。

一九三八年、ドイツの官僚機構は問題を抱えていた。与党の国民社会主義ドイツ労働者党（ナチ党）は、ドイツに併合されたばかりのオーストリアから、すべてのユダヤ人を追放することを決定した。だが官僚機構のボトルネックがすぐに明らかになった。適切な手続きを踏む必要があり、一人ひとりのユダヤ人が、国を離れるために必要な何種類もの書類や文書をそろえなくてはならなかった。これにはとほうもない時間がかかった。そこでＳＳ（シュッツスタッフェルの略。ナチスの武装組織である武装親衛隊）のユダヤ人問題担当部署Ⅳ‐Ｂ‐４の責任者アドルフ・アイヒマンが、この問題を担当することになった。アイヒマンは、こんにち世界銀行が「ワンストップ・ショップ」と呼ぶ

ような解決策を考案した。すべての関係部署——財務省、税務署の所得税担当官、警察、ユダヤ人団体——をひとまとめにした、流れ作業のシステムを考案したのだ。アイヒマンはまたユダヤ人自治体の役員を海外に派遣してユダヤ人組織から資金を集めさせ、海外移住に必要なビザをユダヤ人が購入できるようにした。ハンナ・アーレントは著書『エルサレムのアイヒマン——悪の陳腐さについての報告』の中で、次のように説明している。

> 工場や店、銀行口座などの何らかの財産をまだもっているユダヤ人を一方の端から入れると、彼は窓口から窓口へと、事務室から事務室へと建物のなかを回り、もう一方の端から出てくるときには、金も権利もいっさいもたず、ただ「二週間以内に国外へ退去すること。さもなくば強制収容所に送還する」と書かれた旅券だけをもっていた。

ワンストップ・ショップが功を奏し、八カ月の間に四万五〇〇〇人のユダヤ人がオーストリアを離れた。アイヒマンは親衛隊（SS）中佐の地位に引き上げられ、そのままユダヤ人問題の最終的解決の輸送責任者となり、大量殺戮を円滑に進めるために、同様の官僚機構のボトルネックを次々と解決していったのだ。

　これが強力で有能な国家である、官僚主義的リヴァイアサンの実例だ。だがこのリヴァイアサンは、紛争解決や闘争阻止のためではなく、ユダヤ人を苦しめ、財産を奪い、殺害するためにその能力を用いていた。プロイセンの官僚機構と専門的軍隊の伝統を土台として築かれたドイツ第三帝国は、ホッブズの定義からいえば間違いなくリヴァイアサンに数えられる。ホッブズが望んだとおり、ドイツ人、少なくともその大多数は、「彼ら一人ひとりの意志を代表者の意志に従わせ、彼らの判断を代表者の判断に従わせ」た。実際、ドイツの哲学者マルティン・ハイデッガーは、学生たちに「総統だけがこんにち、そして将来のドイツの現実であり、その掟なのだ」と告げている。またドイツ国家はヒトラーの支持者だけでなく、国民全体に畏怖の念をもたれていた。国家に逆らおうとしたり、法律を破ろうとする人はほとんどいなかった。

ナチスのＳＡ（シュトゥルムアプタイルンクの略。突撃隊、別名褐色シャツ隊）やＳＳ、ゲシュタポが通りを闊歩し始めると、畏怖は恐怖に変わった。ドイツ人は夜がくるたび、戸口を激しくノックされ、居間に革長靴で踏み込まれ、尋問のためにどこかの地下室に連行されたり、ほぼ確実に死を迎えるよう東部戦線に召集されたりしないかと、冷や汗をかきながら過ごした。ドイツのリヴァイアサンは、ナイジェリアやコンゴのアナーキーよりずっと恐れられていたが、それは無理もなかった。ドイツのリヴァイアサンは、莫大な数のドイツ人を――社会民主主義者、共産主義者、政敵、同性愛者、エホバの証人を――投獄、拷問、殺害した。六〇〇万人のユダヤ人（その多くがドイツ市民だった）と二〇万人のロマを殺した。ナチスがポーランドとロシアで殺したスラヴ人の数は、一〇〇〇万人を超えるとの推定もある。

ドイツ人や、ドイツ占領地の住民がヒトラー政権下で味わったのは、ホッブズのいう闘争ではなかった。それは国家が市民に対して挑んだ戦争だった。それは支配と殺人だった。それはホッブズがリヴァイアサンに期待したものとはかけ離れていた。

労働教養

全能の国家への恐れは、ナチス国家のような忌まわしい例外だけのものではなく、それよりずっと一般的だ。一九五〇年代、中国はまだヨーロッパの左派の寵児だった。毛沢東思想はフランスのカフェに欠かせない話題だったし、『毛主席語録』は流行に敏感な書店のお勧め本だった。なにしろ中国共産党は、日本の植民地主義と西洋帝国主義の支配を脱し、有能な国家と社会主義社会を築いて、灰の中からよみがえろうとしていたのだ。

一九五九年一一月一一日、河南省光山県の県委員会書記、張福洪が襲撃された。馬龍山という男が率先して張を蹴り始め、ほかの者たちも殴る蹴るの暴行を加えた。張は血みどろになるまで殴打され、頭髪を頭皮ごと引き抜かれ、制服はよれよれにすり切れ、歩くこともままならない状態で放置された。その後も暴行は続き、一一月一五日には横たわったまま、拳で殴られたり足で蹴られたりし、坊主になるまで髪を抜かれた。引きずって家まで運ばれるころには、体はまったく動かず、食べたり飲んだりもはやできなくなっていた。翌日さらに暴行を加えられ、水を欲しがっても与えられなかった。一一月一九日、張は死んだ。

この壮絶なできごとは、楊継縄の著書『毛沢東 大躍進秘録』に記されたものだ。同じ年の前半に、楊は父親が餓死しそうだといって、寄宿学校から至急郷里の家に呼び戻された。家にたどり着いてすぐ、楊は気がついた。

> 家の門の前にあった楡の木は、すっかり皮を剝がされていた。根っこまで掘り起こされ、地面にギザギザの穴が残っているだけだった。池が干上がっていたので近所の人に尋ねると、カラスガイを捕るために水を抜いたのだという。カラスガイはひどい味で、昔は誰も食べなかった。犬の吠え声も聞こえず、走り回るニワトリもおらず……町は死んでいるようだった。家に入った私が目にしたのは、極貧としかいいようのない暮らしだった。一粒の米はおろか、食べられるものは

いっさいなく、水瓶には水さえなかった……父は床の上に半身を起こしていた。目は落ちくぼんで生気がなく、顔はやせこけ、肌はしわだらけだった……私はもってきた米をゆでて粥をつくった……だが父にはもうそれをのみ込む力もなかった。三日後、父はこの世を去った。

楊継縄の父は、一九五〇年代末に中国を襲い、四五〇〇万人が餓死したともいわれる大飢饉で亡くなったのだ。楊は飢饉の様子を次のように述べている。

飢餓は長い苦しみだった。穀物はなくなり、野草は食べ尽くされ、木の皮すら剝がされ、鳥の糞、ネズミ、綿の実はすべて腹を満たすために食べられた。カオリン粘土が掘れる畑では、飢えた人々が掘ったそばからそれを食べていた。飢饉がひどいほかの村から逃げてきた人の死体や、自分の家族の死体さえもが、せっぱつまった人たちの食料になった。

食人が横行していたのだ。

中国人はこの時期、悪夢を生きていた。しかし、第三帝国の場合と同様、それはリヴァイアサンの不在によってもたらされたのではなかった。国家により計画、実行されたものだった。張福洪を殴り殺したのは共産党の同志で、馬龍山は共産党県委員会の書記だった。張が犯したとされる罪は、「右傾」と「変節漢」である。つまり張はひどくなる一方の飢饉に対して、何らかの策を講じようとしたのだ。中国では飢饉という言葉を口にしただけで「大豊作の否定者」の烙印を押され、撲殺の遠回しないい方である「揉み合い」に処せられた。

同じ県の別の地方の槐店の人民公社では、一九五九年九月から一九六〇年六月までの間に、人口の三分の一にあたる一万二一三四人が死んだ。餓死がほとんどだが、すべてではない。三五二八人は県共産党の幹部によって殴打され、そのうち六三六人が死亡し、一四一人が回復不能な障害を負わされ、一四人が自殺した。

これほど多くの人が槐店で死んだ理由は単純だ。一九五九年秋の穀物の総生産高は五九五五トンで、これ自体は異常に少ないわけではなかった。だが共産党がそれを上回る六〇〇〇トンの買い上げ高を設定した。そのせいで槐店の収穫はすべて都市部と党に吸い上げられた。農民は木の皮やカラスガイを食べ、飢餓に苦しんだ。

これらのエピソードは、一九五八年に毛主席が立ち上げた、「大躍進」と呼ばれる「近代化」計画にまつわるものだ。中国国家の能力を総動員して、農業主体の村落社会から近代的な都市工業社会への飛躍的な転換を図ることを目標とする計画である。計画では工業に補助金を与え機械設備に投資するために、農民に重税を課す必要があった。そしてその帰結は、単なる人災ではなく、リヴァイアサンによってすべてが計画、実行された、甚大な経済的悲劇でもあった。楊の心をかき乱す著書は、「個人からすべてを奪う力」をもつリヴァイアサンが、どうやって槐店公社の全穀物生産高を吸い上げるなどの措置を実行したか、またどうやってそれを「揉み合い」や暴力を通じて強制したかを、巧みに描き出している。一つの方策が、料理と食事を国営の「公共食堂」に集中させ、「服従しない者から食料を奪う」ことだった。「村人たちはみずからの生存のカギを奪われた」。体制に反対する者はことごとく「つぶされ」、その結果誰もが「独裁者または奴隷」になった。生きながらえるために、人々は「最も大切にしてきたものを踏みにじり、最も軽蔑していたものにこびへつらい」、「迎合と欺きの名人」になることによって、体制への忠誠心を示すしかなかった――これこそ、純然たる支配である。

ホッブズは「すべての人を畏怖状態にとどめるような共通の権力がないままで人々が暮らしているとき」、人生が「孤独で、貧困で、過酷で、野蛮なものになり、寿命は短くなる」と論じた。しかし楊の物語は、すべての人が「毛沢東の前で畏怖と恐怖に立ち尽くした」にもかかわらず、ほとんどの人の人生が過酷で野蛮で短くならずにすんだどころか、かえってその状態が悪化したことをはっきり示しているのだ。

共産党が生み出した別の支配の手段に、「労働教養（労働を通じた再教育）」制度がある。この用語が初めて使われたのは、一九五五年に発表された「隠れた反革命分子の完全な粛正のための指令」という文書の中だった。翌年には再教育制度が導入され、全国に施設が設置された。こうした施設でさまざまな種類の「揉み合い」に磨きがかけられた。たとえば三年間の労働教養に処せられたルオ・ホンシャンはこう語る。

毎朝四時か五時に起床し、六時半に職場に行って……夜の七時か八時まで働き続けました。暗くて何も見えなくなったら仕事は終わりです。時間感覚がなくなっていました。看守に殴られるのは当たり前のことで、撲殺された拘留者もいました。第一作業部隊では、七、八人が殺されたはずです。ほかにも、虐待に耐えきれずに首をつったり、自殺する人もいました……鉄棒や木刀、ピック、革のベルトなどが使われていました……私は肋骨を六本折られ、いまも頭から足まで傷跡だらけですよ……ありとあらゆる拷問――「飛行機乗り」「オートバイ乗り」……「真夜中のつま先立ち」（拷問の呼び名）――が横行していました。揚げパンを食べワインを飲めといって、糞尿を口に入れられたものです。あれは本当に残虐でした。

ちなみにルオがとらえられたのは大躍進政策の間ではなく、中国がすでに経済大国として国際社会の尊敬される一員になっていた、二〇〇一年三月のことだ。実際、労働教養制度は一九七九年以降、鄧小平によってさらに拡充された。中国の過去四〇年間にわたる伝説的な経済成長の立役者である鄧小平は、この制度を「経済改革」計画を補完する有益な手段と考えていた。二〇一二年の時点で労働教養所は中国全土に約三五〇カ所あり、計約一六万人が拘留されていた。この制度では、法的手続きなしで国民を最長四年まで拘留することができる。労働教養所は、中国各地に点在する膨大な数の拘留施設や不法な「黒監獄」の氷山の一角でしかなく、また近年急拡大中の「共同体矯正制度」によって補完されている。二〇一四年五月時点で、この制度により「矯正」されていた人は七〇万九〇〇〇人だった。

「揉み合い」はいまも続いている。二〇一三年一〇月、習近平国家主席は「楓橋経験」を称え、党幹部に対しその模範を継承するよう要請した。楓橋経験とは、一九六三年に毛沢東が始めた「四清（四つの浄化）」運動に先駆けて、浙江省の楓橋地区に導入された計画を指している。市民が隣人たちを公然と監視・報告し、「改心」させることにより、一人の逮捕者も出さずに社会を改革するというものだ。これが前触れとなって文化大革命が始まり、数十万人、もしくは数百万人の罪なき中国人が殺されたのである（正確な死者数は不明で非公表）。

中国のリヴァイアサンは、第三帝国のリヴァイアサンと同様、紛争解決と業務遂行の能力をもっている。だが自由の促進ではなく、露骨な抑圧と支配のために、その能力を利用しているのだ。闘争は終わらせたが、その代わりに別の悪夢をもたらしている。

二つの顔をもつリヴァイアサン

ホッブズの主張の第一の問題点は、リヴァイアサンには一つの顔しかないという考えだ。だが現実には、国家は古代ローマの神ヤヌスのように二つの顔をもっている。一つの顔は、ホッブズが予見したものに近い。闘争を阻止し、民衆を保護し、紛争を公正に解決し、公共サービスや快適な生活、経済的機会を提供し、経済的繁栄の土台をつくる。もう一つの顔は、専横的で恐ろしいものだ。この顔は市民を黙らせ、彼らの望みに無関心である。市民を支配し、投獄し、殺傷する。市民の労働の成果を盗むか、誰かがそれを盗むのを手助けする。

第三帝国下のドイツや共産党支配下の中国のように、リヴァイアサンの恐ろしい顔を見せつけられている社会もある。市民は支配に苦しむが、その支配は、国家と国家の力を牛耳っている者たちによって押しつけられたものである。そうした社会を、「専横のリヴァイアサン」とともに暮らす社会と呼ぼう。専横のリヴァイアサンを特徴づける要素は、市民を抑圧したり、殺したりするという点にではなく、国家の権力や能力の使われ方について発言するための手段を、社会や一般市民にいっさい与えない点にある。中国国家が専横的なのは、市民を再教育施設に送るからではない。中国国家が市民を施設に送るのは、そうできる能力を有しているからであり、なぜそうできるかといえば、国家が専横的で社会の制約を受けない──かつ社会に対する説明責任をもたない──からこそである。

そんなわけで、序章のギルガメシュ問題に戻ってきた。専横のリヴァイアサンは強力な国家を構築するが、国家を利用して、ときには露骨な抑圧を通して、社会を支配する。それを避ける方法はあるのだろうか？　この問いに答える前に、ホッブズの主張のもう一つの問題点を見ておこう──すなわち、「国家なき状態は暴力をもたらす」という前提である。

規範の檻(おり)

人間の歴史は戦争の例には事欠かないが、暴力の抑制に成功した国家なき社会(これを「不在のリヴァイアサン」の下で暮らす社会と呼ぼう)も多くある。たとえばコンゴの熱帯雨林に住むピグミーのムブティ族から、現代のガーナとコートジボワールのアカン族をはじめとする、西アフリカの大規模な農村社会まで、いろいろな社会がある。イギリスの行政官ブローディー・クルックシャンクは、一八五〇年代にガーナについてこんなことを報告している。

この国の小道や道路は、商品を輸送できるほど安全で、どんな妨害を受ける心配もなくなった。最も文明化されたヨーロッパ諸国の最も往来の多い通りと比べてもひけをとらないほどだ。

ホッブズが期待したとおり、闘争の不在は通商の隆盛をもたらした。クルックシャンクはこうも述べている。「陽気な商人がまだ足を踏み入れていない土地は、この国には一つもなかった。どんな村でも、家々の壁や市場の木にマンチェスター綿や中国シルクでできた花綱が飾られ、村人たちの注意を引きつけ、物欲を促していた」

これほど活気あふれる事業活動は、紛争の解決と、何らかのかたちでの正義が確保できない社会で見られるはずがない。フランスの商人ジョゼフ゠マリー・ボナは、一九世紀後半にこう述べている。

小さな村では、毎朝の数時間は正義の実行に費やされる。

アカンの人々はどうやって正義を実行していたのだろう？　数世代かけて発達した（社会）規範――慣習や伝統、儀式、許容・期待される行動のパターン――を利用したのだ。

　ボナは人々が集まり協議する様子について書いている。「［長老たちが］働いていない村人につき添われ、木陰がいちばん大きい木の下にすわる。長老たちがすわる椅子は、おつきの奴隷が運んできたものだ。この一行にはいつも住民の大半が含まれる。住民は話し合いに耳を傾け、争いの当事者のうちの一人の味方をする。ほとんどの場合、問題は穏やかに解決され、非があるとされた者が代償を支払う。代償はたいていヤシ酒で、出席者全員にふるまわれる。問題が深刻な場合、罰金は一頭のヒツジと所定量の砂金になる」

　共同体は耳を傾け、社会規範をもとに誰に非があるかを決定した。また同じ規範を利用して、罪を犯した者に行為を改めさせ、支払いまたは別のかたちで弁償させた。ホッブズは全能のリヴァイアサンを正義の源泉と見なしたが、ほとんどの社会はアカンの社会とそう変わらない。規範は他人の目から見て何が正しいのか、間違っているのかを決め、どんな行動が回避・抑制されるべきか、どんなときに個人や家族が追放され、人々の支援を断たれるべきかを決定する。また規範は人々を束ね、協調行動をとらせることによって、人々がほかの共同体や共同体内の重罪人に対して力を行使できるようにするという、きわめて重要な役割も果たす。

　規範は専横のリヴァイアサンの下でも大きな役割を担うが（もしもすべてのドイツ人が、第三帝国に正当性がないと考え、協力するのをやめ、反対運動を組織していたら、第三帝国は存続できただろうか？）、とくに重要なのは、リヴァイアサンが不在の場合だ。なぜなら社会が闘争を避ける手段が、規範以外には存在しないからだ。

　だが自由のややこしい点は、多面的だということにある。人々の行動を調整し、紛争を解決し、正義についての共通の理解を醸成するために発達したのと同じ規範が、檻を生み出し、種類は違うが同じくらい人々を無力化する支配を押しつけるのだ。どんな社会にも多かれ少なかれそういう一面はあるが、それでも中央集権的権威をもたず、規範だけに依存する社会では、檻はより窮屈で息苦しいものになる。

規範の檻がどうやって生まれ、どうやって自由を束縛するかを理解するために、このままアカンの地にとどまって、別のイギリスの行政官ロバート・ラトレー大尉の報告をひもといてみよう。ラトレーは一九二四年、現在のガーナにあたる英領ゴールドコーストの一部だった、アシャンティ王国の人類学部門の初代部長に就任した。その任務はアカン諸族の最大民族の一つであるアシャンティの社会、政治、宗教を研究することだった。ラトレーが訳したアシャンティのことわざに、こんなものがある。

群れから離れたニワトリはタカにつかまる。

ラトレーの考えでは、このことわざはアシャンティ社会の成り立ちの重要な一面をとらえていた——この社会は大きな不安と潜在的暴力によってかたちづくられていたのだ。アシャンティは最終的に、植民地化以前のアフリカで最も強力とうたわれた国家を築いたが、その国家は中央集権的政治権力が生まれる前の時代にできた社会構造を土台としていた。有効な国家制度もないのに、どうやって「タカ」を避けることができたのだろう？　暴力を防止し、暴力を振るう者たちとの関わりを減らす規範が生まれ、それが人々をタカからある程度保護していた。だがその反面、規範は人々に檻をかぶせた。人々は自由を手放し、ほかのニワトリたちと一緒にじっとしていなくてはならなかった。

国家なき社会にも、より多くの影響力や富、人脈、権威をもつ人々はいる。アフリカでは、それはたいてい首長か、親族集団の最年長者である長老だった。タカを避けるためには首長や長老らの庇護（ひご）を受ける必要があり、また身を守るには人が多い方がよいため、人々は親族集団や出自集団（リネージ）に身を寄せた。保護を得る見返りとして、集団による支配を受け入れ、それが定着してアカンの規範に刻み込まれた。ラトレーの言葉で言えば、人々は「自発的隷属」を受け入れたのだ。

自発的隷属の状態は、まさに文字どおりの意味で、すべてのアシャンティの人々に受け継がれていた。それはアシャンティの社会制度の重要な基盤を形成していた。西アフリカで、われわれのいう「自由」がきわめて過酷な性質の不本意な束縛に変わる危険にさらされていたのは、主人をもたない男女だった。

ラトレーのいう「きわめて過酷な性質の」不本意な束縛とは、奴隷制のことだ。つまり自発的隷属の鎖から逃れようとする人々は、タカに、この場合でいえば奴隷商人によってとらえられ、奴隷として売られるリスクが高かったのだ。

実際、アフリカでの闘争の多くは、よその人々をとらえ、奴隷として売り飛ばそうとする集団間の争いに端を発していた。この取引に巻き込まれたアフリカ人の経験を伝える生々しい報告が数多くある。その一つで、宣教師ドゥガルド・キャンベルによって英語に翻訳されたものに、ゴイの物語がある。ゴイは一九世紀末頃、現在のコンゴ民主共和国にあたる地域の南にあった、ルバ族の首長チクウイヴァの領地に住んでいた。幼い頃に父を亡くしたゴイは、妹と弟とともに母に育てられた。ゴイは語る。

［ある日］軍団が現れ、雄叫びを上げながら道をやってきました。村を襲い、女性を何人も殺しました。若い女性をとらえ、僕ら少年を追いかけてつかまえ、全員を一緒に縛り上げました。僕らは首都まで運ばれ、奴隷商人に売られ、木の足枷をはめられたのです。

ゴイはそこから海岸に連れて行かれ、「家と母から引き離されました。母とは二度と再び会うことはありませんでした。『赤い道』を通って海岸まで車で運ばれました」。道が「赤」かったのは、滴り落ちた血のせいだった。ゴイは飢餓と暴力のせいで衰弱し、やせ細っていたため、奴隷としての価値がほとんどなかった。

僕は骨と皮になり、長旅に耐えられそうになかったので、売り物として村中を引き回されました。僕の代わりにヤギやニワトリを差し出そうとする人は、一人もいませんでした……最後に「モナレ」という名の宣教師が、僕の代金として五ペンスほどの色つきのハンカチを払ってくれ、僕は自由になりました。少なくともそう教えられたのですが、僕は信じませんでした。自由にどんな意味があるのかわからなかったし、白人の奴隷になったのだと思っていたのです。自由になどなりたくありませんでした。どうせまたつかまって売られるだけなのですから。

奴隷商人の脅威と規範の檻とが相まって、多種多様な不自由を生み出していた。一方の極には、ゴイの経験したような過酷な奴隷制があった。もう一方の極には、タカを避けるために受け入れなくてはならない義務や任務があった。つまり、人々は親族集団や社会に属することで保護を受けたが、支配からの自由は得られなかったのだ。女性は婚資と引き換えに嫁がされ、またもちろん多くの女性が、首長や長老、一般の男性の支配する家父長社会の下で、より一般的な従属や虐待に耐えていた。

こうした不自由はさまざまな種類の関係を伴っていた。支配をはらむ関係をよく表す一例に、前述のキャンベルが記したブワニクワの物語がある。ブワニクワもルバ族の一員で、父には一二人の妻がいた。第一夫人は地元の有力な首長カトゥンバの娘だった。ブワニクワはこう語っている。

第一夫人が亡くなったばかりでした。ルバ族の慣習に従い、彼［ブワニクワの父］は死税を課されました。妻の死の代償として三人の奴隷を差し出すよう命じられたのですが……父は二人しか用意できませんでした。

三人目の代わりとして、四人の娘のうちの一人が差し出されることになり、私が選ばれました……父は主人になる人に私を差し出し、別れ際にいいました。「私の小さな娘に優しくしてくださいね。ほかの誰にも売らないでください、私が買い戻しに行きますから」。父は私を買い戻すことができず、私は奴隷として残されました。

ブワニクワの身分は、人質または担保民で、これもアフリカによく見られる従属関係の一つである。誰かを人質にするとは、その人を特定の目的のために他人に与えることをいい、何らかの借金や借財、債務のカタとして差し出されることが多かった。だがブワニクワの場合は、父が奴隷をもう一人見つけられなかったためだった。もしも奴隷を見つけることができれば、ブワニクワを取り戻すことができたはずだ。人質は奴隷と違って、すぐに売られることはなかったし、この状況が一時的でまた元に戻るという期待があった。だがブワニクワが思い知らされたように、人質は奴隷になることもあった。一八〇五年と一八〇六年にシエラ・レオネを訪れたＦ・Ｂ・スピルズベリーは、次のように説明する。

もしも王やその他の人が工場や奴隷船に行き、その場で代金が支払えない品を入手した場合、妻や姉妹、子どもの首に割り符をつけて、人質として送った。子どもは取り戻されるまでの間、奴隷に交じって過ごした。

これに類する身分に、被後見人があった。わが子を有力な家族のもとに被後見人として送り、彼らの家で育ててもらうように取り計らうやり方で、子どもの安全を守る方法の一つだった。だが子どもとの永遠の別れになることが多かったし、子どもは後見人に対して従属的な関係に置かれることにもなった。

こうした物語を読むと、人々が担保や質草にされる「モノ」として日常的に取引されていたことがわかる。そうして支配的関係に陥ることが多かったのだ。首長や長老、後見人に従い、女性なら夫にも従わなくてはならなかった。社会の習慣を注意深く守らなくてはならなかった。ペティットによる支配状態の定義を思い出せば——「相手の存在におびえながら生き……相手の機嫌を気にしながら生き……相手に取り入るためにこびへつらい、ごまをすり、褒めそやす必要さえあるかもしれない」——彼らの生活がこの定義にぴったりあてはまることがわかる。

従属的な社会的地位はどうやって生まれたのだろう？　またどうやって正当化されたのだろう？ここでも答えは規範にある。これらの関係は、慣習が社会によって受け入れられ、「何が適切で正しいのか」という信念によって裏付けられるなかで生まれた。人々は人質にされることがあり、被後見人になれば自由を手放さなくてはならなかった。妻は夫に従い、人々は決められた社会的役割をきちんと果たさなくてはならなかった。なぜだろう？　それは、ほかの全員によってそうすることを期待されたからだ。だがより深いレベルでは、規範は完全に任意のものではなかった。規範は特定の人によって選ばれるわけではなく、慣習や集団の信念から時間をかけて生まれるものの、社会またはその一部の人たちにとって重要な役割を果たす場合に、広く受け入れられやすい。アカンの社会が、自由を制限するような規範とそれがもたらす不平等な力関係を受け入れたのは、闘争にさらされにくくなったからだ。あなたが有力者の被後見人か人質であれば、タカにちょっかいを出されたり、とらえられて奴隷にされたりする可能性は低いだろう。ラトレーが書き記したアシャンティの別のことわざが、この状況をさらに簡潔に表している。「主人をもたぬ者は、ケモノにとらえられる」。

　自由になることは、タカの中に放たれたニワトリになること、すなわちケモノの餌食になることだった。自発的隷属に甘んじ、自由を手放す方がましだった。


　規範の檻は、ただ闘争をくい止めるというだけではない。いったん深く根づいた伝統や習慣は、人々の生活の多くの側面を統制するようになる。するとしぜん、社会に対して大きな発言力をもつ人々を利するようになり、その他の人々が割を食わされることは避けられない。たとえ何世紀もかけて発達してきたものであっても、規範を解釈し、強制するのは、社会の有力者なのだ。有力者が自分たちに有利なように盤を傾け、共同体や家庭での権力を固めても、文句をいえるはずもない。

　少数の母権社会という例外を除けば、アフリカの多くの国家なき社会は、男性を頂点とし女性を底辺とする階層を、規範を通して生み出した。このような階層は中東やアジアの一部地域の民族、たとえば前に触れたパシュトゥーンなどにいまも残る習慣にさらに顕著に表れている。パシュトゥーンの生活は、先祖代々の掟であるパシュトゥーンワーリによって厳しく統制されている。パシュトゥーンワーリの法と支配の体制は、寛大さともてなしを重視する。だがそれは息苦しい規範の檻をも生み出しているのだ。その一例が、ありとあらゆる行為に対する報復の承認である。最も一般的なパシュトゥーンワーリの掟集は、次の言葉で始まる。

パシュトゥーンは……目には目を、歯には歯を、血には血をの原則を信じ、それに従って行動する。パシュトゥーンは代償や結果を顧みずに、侮辱を侮辱で消し去り、不名誉をしかるべき行為で消し去ることによって、名誉を回復する。

闘争はつねに身近にある。それを阻止するための寛大さともてなしがどんなにあってもだ。このことは、すべての人の自由に予想どおりの影響をおよぼしている。だが自由をさらに制限されているのは、女性だ。パシュトゥーンの規範は、女性を父や兄弟、夫に従属させるだけでなく、すべての行動を制約している。成人女性は仕事をもたず、たいてい家に閉じこもっている。外出時は頭から足先までの全身をブルカですっぽり覆い、男性親族に付き添われなくてはならない。婚外交渉の罰は過酷を極める。女性の従属もまた、規範の檻によって生み出された不自由の一面なのだ。

ホッブズを超えて

これらは全体としてみれば、ホッブズが描いた状況とはかなり違っている。リヴァイアサンが存在しない社会の問題は、「万人の万人に対する闘争」の野放図な暴力だけではない。それと同じくらい深刻なのが、規範の檻である。規範の檻は厳格な期待をつくりあげ、ありとあらゆる不平等な社会的関係を生み出し、それらが種類は違うがやはり過酷な、別のかたちの支配をもたらすのだ。

だがひょっとすると強力な中央集権国家は、自由の実現に役立つのではないだろうか？　いや、すでに見たとおり、そうした国家は専横的にふるまい、市民を抑圧し、自由を促進するどころか根絶することが多い。

すると私たちは、何らかのかたちの支配を選ばざるを得ないのだろうか？　闘争、規範の檻、専横国家への服従のどれかにとらわれるのだろうか？　自由は自動的に現れることは決してないし、人類の歴史の中で自由を獲得するのは並大抵のことではなかった。それでも、人間の営みには自由の余地があり、それを実現できるかどうかは、国家と国家制度の出現に決定的に依存する。しかしその国家はホッブズが思い描いたものとはかなり違うものでなければならない――全能で手に負えない海の怪物ではなく、足枷をはめられた国家でなくてはならない。私たちに必要なのは、法を執行し、暴力を抑制し、紛争を解決し、公共サービスを提供しながらも、積極的で組織立った社会によって手なずけられ、制御された国家なのだ。

テキサス人に足枷を

合衆国ワイオミング州は、アメリカ大陸の東西を結ぶ鉄道の建設を推進するために制定された、一八六二年パシフィック鉄道法によって生み出された州である。カリフォルニア州サクラメントから東に向かってすでに建設が進められていたセントラル・パシフィック鉄道と接続するために、ミズーリ川から西に向かうユニオン・パシフィック鉄道の建設が始まった。一八六七年に、当時ダコタ準州だった地域（現在のワイオミング州）まで鉄道が到達した。同年七月には入植者が到着し始め、ユニオン・パシフィックの主任技師を務めていたグレンヴィル・M・ドッジ少将が、のちに州都となるシャイアンに都市を建設するための調査を開始した。州都には四マイル（約六・四キロメートル）四方の整然とした街区と路地、通りがつくられることになった。鉄道建設のインセンティブとして、政府から広大な土地の払い下げを受けていたユニオン・パシフィックは、ドッジの調査のわずか三日後には区画を売却し始めた。一つめの区画は一五〇ドルで売れた。当時シャイアンの住民のほとんどはテントに住んでいたが、八月七日に地元の店で開かれた大規模集会で、早くも市の憲章を起草する委員会が選出された。九月一九日に町の初めての新聞、週三回発行のタブロイド紙《シャイアン・リーダー》が創刊された。一二月に同紙は「絞殺が頻発」しているため、自衛のために銃を携行するよう、読者に呼びかけた。翌年の一〇月一三日に編集長はこう書いている。

人の数ほど多くの拳銃が出回っている。仲間の命を奪うことは、もはやたいしたことではないと思われているのだ。

当時シャイアンは、合衆国辺境に特有の問題を解決するために、自警団の正義に頼っていた。一八六八年一月、三人の男性が窃盗で逮捕されたのち、釈放された。翌朝、三人はこんな貼り紙とともに、縛り上げられた姿で発見された。「九〇〇ドル盗難……五〇〇ドル回収……次に事件を起こした奴は木からつるす。自警委員会に気をつけろ」。翌日、自警団は三人の「無法者」をとらえ、つるし首にした。

地方の牧畜地域はもっと物騒なことになっていた。一八七九年にエヴァンストン在住のエドワード・W・スミスが、合衆国公有地委員会に報告している。「開拓地を離れると、銃が唯一の法になります」。牧畜が広がるにつれ、牧場主と入植者との対立が激化し、牧場主の反発はジョンソン郡放牧地戦争へと発展した。一八九二年四月五日、六両編成の特別列車がシャイアンから北に向かってスピードを上げた。列車には二五人のテキサスの殺し屋と、仕事を依頼した二四人のジョンソン郡の住民が乗っていた。殺し屋は「七〇人の殺害者リスト」を携えていた。

一八九〇年代のシャイアンの殺人率に関する統計はないが、カリフォルニア州の鉱山町ベントンの当時のデータを参考にすると、人口一〇万人当たり二万四〇〇〇人という、とんでもない率に達していた可能性もある！　だがたぶん、ゴールドラッシュ時のカリフォルニアの死亡率一〇万人当たり八三人や、ＯＫ牧場の決闘で有名な保安官ワイアット・アープがいた頃のカンザス州ドッジ市の死亡率一〇万人当たり一〇〇人程度と考えるのが妥当だろう。

これはショインカがグロック銃を構えて入ったラゴスにも劣らない、ひどい状況に思える。だがワイオミングでは、事態はまったく違う展開を見せた（ついでにいうなら、ラゴスもカプランの予想とはまったく違う展開を迎えた。これは第一四章で説明する）。アナーキー、恐怖、暴力は抑制された。実際、テキサスの殺し屋一味はワイオミング州のＴＡ牧場に立てこもり、殺し屋が来るという警告を受けて駆けつけた地元バッファローの警官隊に包囲された。三日間の籠城後、ウィリアム・ヘンリー・ハリソン大統領の命を受けた騎兵隊が到着し、テキサスの一味と協力者に足枷をはめた。こんにちワイオミングはおおむね恐怖と暴力、支配からの自由を享受している。殺人率は全米で最低水準の、一〇万人当たり一・九人である。

ワイオミングは、住民を規範の檻から解放することについても、かなりよい実績を上げている。女性の従属を例に取ってみよう。ワイオミングの女性は最悪の時期にあっても、アフガニスタンとパキスタンのパシュトゥーン地域や、アフリカの多くの地域の女性が受けているような制約とは無縁だった。とはいえ、世界のほかの地域と同様、一九世紀前半のワイオミングでは、女性の力はごく限られ、公共問題についての発言力はなく、婚姻関係での不平等な地位と社会の規範や慣習のせいで、行動をいろいろなかたちで制限されていた。状況が変わり始めたのは、女性が参政権を得てからのことだ。一八六九年に世界で初めて女性に選挙権を与えたのはワイオミング州であり、このことから同州は「平等の州」の愛称で呼ばれる。これが実現したのは、ワイオミングの慣習や規範が、世界のほかの地域に比べて女性を優遇していたからではない。むしろ、ワイオミング州議会がいち早く女性に選挙権を与えた理由は、この新しい州への女性の移住を促すためでもあり、準州から州に昇格するための人口要件を満たすだけの有権者を確保するためでもあり、またのちにアフリカ系アメリカ人が完全な市民権と選挙権を得始めると、女性を政治プロセスから締め出すことがさらに受け入れがたいと見なされるようになったためでもあった。次章では、チンピラどもに足枷をはめ、法律を執行する能力をもつ国家がいったん出現すると、規範の檻が往々にして崩れ始めることを見ていこう。

足枷のリヴァイアサン

ワイオミングで闘争を抑制し、規範の檻を壊し始めたリヴァイアサンは、これまで見てきたリヴァイアサンとは毛色の違う怪物だ。このリヴァイアサンは、ごく初期を除けば不在ではなかった。テキサスの無法者に足枷をはめる能力をもっていた。それ以降、大幅に能力を拡大し、今では多様な紛争を公正に解決し、複雑な一連の法律を執行し、市民が要求し享受する公共サービスを提供することができる。（ときには肥大化し、非効率になることもあるものの）大規模で効率的な官僚機構をもち、市民の行動に関する膨大な情報をもっている。世界最強の軍隊を有する。だが（ほとんどの場合）軍事力と情報を利用して、市民を抑圧し搾取するようなことはない。市民の希望や要望に応答し、またすべての人、とくに最も恵まれない人々のために、規範の檻を緩めることもできる。それは自由を生み出す国家である。

このリヴァイアサンは、社会に対して説明責任がある。なぜなら、市民の権利を高らかにうたう合衆国憲法と権利章典によって拘束されるだけでなく、さらに重要なことに、リヴァイアサンが境界線を踏み越えれば苦情を訴え、デモを行ない、ときには反乱さえ起こす市民によって、足枷をはめられているからだ。このリヴァイアサンの大統領と議員は選挙で選ばれ、彼らの統治する社会がその仕事ぶりに不満をもてば、地位を追われることも多い。官僚は評価・監督される。このリヴァイアサンは、強力だが警戒を怠らず、積極的に政治に参加し、権力に異議を唱える社会に耳を傾ける。これを「足枷のリヴァイアサン」と呼ぼう。このリヴァイアサンは、テキサスのガンマンに足枷をはめて一般市民に害をおよぼさないようにできる一方で、一般市民と規範、制度——ひと言でいえば社会——が、みずからに足枷をはめることを許すのだ。

だからといって、足枷のリヴァイアサンは二つの顔を併せもたないというわけではない。やはり二面的であり、抑圧と支配は専横のリヴァイアサンと同様、足枷のリヴァイアサンのＤＮＡにも組み込まれている。だが足枷をはめられているおかげで、恐ろしい顔をもたげずにすむのだ。こうした足枷がどうやって生まれるのか、またなぜ一部の社会しかそれを生み出すことができていないのかが、本書の主なテーマである。

歴史の終わりではなく、多様性

自由は人類史上めったに生まれることはない。法を執行し、紛争を平和的に解決し、弱者を強者から守ることのできる中央集権的権威を構築していない社会は多くある。代わりに規範の檻を人々に課し、その結果として自由がひどく阻害されているのだ。たとえそうした場所でリヴァイアサンが現れても、自由の展望はほとんど向上していない。一部の領域では法を執行し、平和を維持していても、リヴァイアサンは往々にして専横的で、したがって社会に応答せず、市民の自由を推進する役目をほとんど果たしていない。もてる能力を使って自由を保護してきたのは、足枷をはめられた国家だけである。足枷のリヴァイアサンは、別の意味でも異彩を放っている——幅広い経済的機会とインセンティブを生み出し、経済的繁栄を持続させているのだ。だが足枷のリヴァイアサンが登場したのは最近のことであり、またその台頭には異議が唱えられ、論争の的になってきた。

私たちがいま目撃しているのは、本書の最初に示した問いへの答えの始まりである。私たちは自由がとめどなく発展する、歴史の終わりへと向かっているわけではない。アナーキーが世界中に歯止めなく広がろうとしているわけでもない。世界中のすべての国が、デジタル版であれ、昔ながらのものであれ、何らかの専制主義に屈するわけでもない。これらすべてが可能性としてあり、そのうちの一つに向かって収斂するのではなく、多様性こそが常態なのだ。それでも希望の光はある。なぜなら人間は、紛争を解決し、専横を避け、規範の檻を緩めることによって自由を促進する能力をもつ、足枷のリヴァイアサンを築くことができるからだ。実際、人間の進歩の大半は、そうした国家を社会が築けるかどうかにかかっている。だが足枷のリヴァイアサンを構築し、擁護すること——そして制御すること——は大変な労力を要し、またそれは危険と不安定に満ちた、いつまでも終わることのない仕事なのだ。

本書の残りの概要

本章では、不在、専横、足枷の三つのリヴァイアサンの違いを説明した。第二章では、私たちの理論の核心部分を示したい。それは国家と社会の関係の経時的発展にかかわるものだ。強力な国家の出現が抵抗に遭うことが多い理由（人々が専横を恐れるからだ）や、多くの社会が規範を利用することによって、アシャンティで見たように闘争の恐れを軽減するだけでなく、国家権力に対抗し抑制している方法についても説明しよう。社会が政治参加を通して国家との力の均衡を実現するうちに、狭い回廊のなかで足枷のリヴァイアサンが現れる方法に焦点を当てる。ギリシアの都市国家アテナイの初期の歴史と、アメリカ共和国の建国に例を取って、この可能性を明らかにしていく。また私たちの理論からわかることをいくつか示し、歴史的条件の違いがどのようにして不在、専横、足枷のリヴァイアサンをもたらすのかを説明する。さらに、私たちの理論においては国家能力を最も高め、深めるのは、専横のリヴァイアサンではなく、足枷のリヴァイアサンであることを示そう。

第三章では、不在のリヴァイアサンがなぜ不安定であり、なぜ「力への意志」――社会を再編して政治的・経済的な力を拡大しようとする一部の主体の野望――を前にして、政治的階級に屈してしまうのかを説明する。こうした国家なき社会からの脱却が、自由にどっちつかずの複雑な影響をおよぼすことを見ていこう。この脱却は、一方では秩序をもたらし、規範の檻を緩めるが（とくにそれがリヴァイアサンの邪魔になる場合）、他方では野放図な専横をもたらすのだ。第四章では、不在のリヴァイアサンと専横のリヴァイアサンが、市民の経済的・社会的生活に与える影響を考察する。なぜ経済的繁栄が、ホッブズのいう闘争の無秩序な状態や、規範の檻が生み出す窮屈な空間でよりも、専横のリヴァイアサンの下で出現する可能性が高いかを説明する。だが専横のリヴァイアサンがもたらす繁栄は限定的で、不平等に満ちていることも見ていこう。

第五章では、不在および専横のリヴァイアサンの下での経済の働きと、回廊内の様子とを比べる。足枷のリヴァイアサンがまったく異質な経済的インセンティブと機会を生み出し、実験と社会的流動性を促すことを説明しよう。この考えを示すためにイタリアの都市国家と、アメリカ大陸のサポテカ文明に焦点を当て、足枷のリヴァイアサンにはヨーロッパだけに特有の要素が何もないことを見ていこう。だがこの最後の点にもかかわらず、足枷のリヴァイアサンの例のほとんどが、いうまでもなくヨーロッパで生まれている。なぜなのか？

第六章は、なぜ少数のヨーロッパ諸国が、有能だが足枷をはめられた国家の下で、幅広い参加型社会を構築することができたのかを説明する。私たちの答えが焦点を当てるのは、西ローマ帝国崩壊後の中世初期、帝国が支配していた地域にゲルマン人、とくにフランク族が流入するうちに、ヨーロッパの大部分を狭い回廊に向かって導いていった要因である。すなわち、ボトムアップで参加型の制度と、ゲルマン人の規範、そしてローマ帝国の中央集権的な官僚的・法的伝統の融合が、国家と社会の間の独特の力の均衡を生み出し、足枷のリヴァイアサンの台頭を可能にしたことを論じる。この融合の重要性を強調するように、ローマの伝統またはゲルマン人のボトムアップ政治のいずれか一方が存在しなかったヨーロッパの地域（アイスランドやビザンティンなど）では、まったく異なる種類の国家が生まれた。続いて、自由と足枷のリヴァイアサンがたどってきた道が紆余（うよ）曲折の連続であり、回廊から外れてしまった例も散見されることを説明する。

第七章は、ヨーロッパの経験と中国の歴史を対比させる。ヨーロッパと歴史的共通点をもちながらも、中国の強力な国家は初期の発展段階で、社会の動員と政治参加を完全に排除してしまった。支配勢力に対抗する勢力がないせいで、中国の発展経路は専横のリヴァイアサンの経路を忠実にたどっている。中国の過去と現在の両方で、このような国家と社会の関係が経済に与えてきた影響をたどり、中国に足枷のリヴァイアサンが近いうちに現れるかどうかを考えよう。

第八章は、インドに移る。中国とは違って、インドには政治参加と説明責任の長い歴史がある。それでも、自由はインドでも根づくに至っていない。この理由が、カースト制度に代表されるインドの強力な規範の檻にあることを論じる。カースト関係のせいで、自由が阻害されてきただけでなく、社会は国家の権力に異を唱え、監視することがうまくできない。カースト制度は内輪で争う分裂した社会と、能力に欠けた国家を生み出した。また分裂した社会は結集することができず力ももたないために、国家に説明責任を課すこともできない。

第九章は、ヨーロッパの経験に戻るが、今度はなぜヨーロッパの一部地域だけが回廊に入り、なかにとどまることができているのかを考察する。この問いに答える過程で、本書のもう一つの中核的な概念を展開しよう。すなわち、構造的要因が国家と社会の関係に与える影響は条件によって異なる、というものだ。経済情勢や人口ショック、戦争などの構造的要因が国家と経済の発展に与える影響が、既存の国家と社会の力のバランスに依存することを明らかにする。したがって構造的要因については、明白な結論というものはない。これらの考えを示すために、似たような条件と似たような国際問題に直面していたにもかかわらず、なぜスイスが足枷のリヴァイアサンを築き上げ、プロイセンが専横のリヴァイアサンの支配下に入ったかを論じる。またこれらの例を、紛争解決という点でも、経済活動の組織化という点でも、国家がたいした役割を果たさなかった、モンテネグロと比較する。同じ考えをもとに、なぜコスタリカとグアテマラが、一九世紀の経済グローバリゼーションに際して著しく異なる道をたどったか、なぜソヴィエト連邦の崩壊が多様な政治的経路を導いたかを説明しよう。

第一〇章は、アメリカのリヴァイアサンの発展に戻る。ここで強調したいのが、合衆国は足枷のリヴァイアサンを築くことに成功したが、これがファウスト的契約に基づくものだったということだ――

——連邦主義者は連邦国家を弱いままにしておく憲法を受け入れた。その目的は、専横の脅威を懸念する社会をなだめるためでもあり、奴隷や資産を失うことを恐れる南部の奴隷所有者を安心させるためでもあった。この妥協が功を奏し、アメリカはいまも回廊内にとどまっている。だが他方では、妥協はアメリカのリヴァイアサンのアンバランスな発展を招いた。正真正銘の国際的な海の怪物になったいまも、一部の重要な領域ではごく限られた能力しかもたないのだ。これが最もはっきり表れているのが、アメリカのリヴァイアサンが市民を暴力から守れない、あるいは守ろうとしないことである。またこのアンバランスな発展のせいで、経済成長の利益を公平に分配する経済政策の構築という点で、一貫した実績を上げることができていない。このことが、社会の力と能力のいびつな発達を招くとともに、逆説的ではあるが、一部の領域（国家安全保障など）で、国家が監視されず説明責任を果たさない方法で能力を拡大する余地を生み出したことを説明する。

第一一章では、多くの発展途上国国家が、専横的にふるまいながらも、専横のリヴァイアサンの能力を欠いていることを示す。こうした「張り子の」リヴァイアサンがどういう経緯で生まれたのか、なぜ能力の構築にそれほど消極的なのかを説明する。それは、国家が能力を構築することによって、社会的動員を誘発してしまい、社会に対する支配がゆらぐことを恐れるから、というのが私たちの答えだ。張り子のリヴァイアサンを生み出した原因の一つは、列強による植民地の間接統治である。列強は近代的な行政機構を設置する一方で、社会による制約や政治参加がほとんどない状態で国を支配する力を、現地のエリートに与えてしまったのだ。

第一二章は、中東に目を向ける。国家建設者は、社会を操る能力が制約されるのを嫌って、規範の檻を緩めることが多いが、状況によっては檻を強化したり改造したりすることが、専横国家にとって有益になる場合がある。このような性向が中東の政治を特徴づけていることを説明し、専横を志す国家にとって檻の強化を魅力的な戦略にしている歴史的・社会的状況とは何か、またこの発展経路が自由、暴力、不安定にどんな影響を与えるかを説明する。

第一三章は、国家と社会の競走が「ゼロサム」化するとき、つまり双方が生き残りを賭けて互いを弱体化させ、破壊しようとするとき、足枷のリヴァイアサンが制御不能に陥る恐れがあることを説明する。ゼロサム化が起こりやすいのは、制度が紛争を公正に解決できないために、一部の国民が制度への信頼を失う時であることを強調する。ドイツのヴァイマル共和政と一九七〇年代のチリの民主主義、イタリアのコムーネの崩壊を考察することにより、この力学を説明し、ゼロサム競争を起こりやすくする構造的要因を明らかにする。最後にこれらの要因が、現代のポピュリズム運動の台頭に関連していることを示そう。

第一四章では、社会が回廊の中に入る方法を説明し、この移行を促すためにできることがあるかどうかを考えよう。何が回廊を広げ、したがって回廊に入りやすくするかという観点から、いくつかの重要な構造的要因を明らかにする。回廊内への移行において、幅広い連合が果たす役割を説明し、成功した移行と失敗した移行の事例をいくつか取り上げる。

第一五章では、回廊内の国家が直面する課題に目を向けよう。私たちの主な主張は、国家は変わりゆく世界に合わせて拡大し、新たな責任を担わなくてはならないが、社会も同じように能力を高め、警戒を高めていかなければ、回廊から振り落とされてしまう、というものだ。国家が足枷をはめたままで能力を高めるには、新たな連合が欠かせない――この可能性を説明するために、世界恐慌がもたらした経済的・社会的緊急事態へのスウェーデンの応答が、どのようにして社会民主主義の誕生を導いたかを見ていこう。不平等や失業、低い経済成長率、複雑な安全保障上の問題など、多くの新しい課題に直面するこんにちの私たちも同じだ。国家はいっそうの能力を開発し、新たな責任を担う必要があるが、それには私たちが国家に足枷をはめ続け、社会として立ち上がり、自由を守るための新しい方法を見つけることが必須なのである。

第二章

赤の女王

テセウスの六つの偉業

紀元前一二〇〇年頃、古代ギリシア世界を過去千年以上にわたって支配していた青銅器文明が崩壊し始め、いわゆるギリシア暗黒時代が始まろうとしていた。青銅器時代のギリシア社会を支配していたのは、都市の中心部の宮殿に住む首長や王と官僚機構だった。官僚機構は線文字Bと呼ばれる表記法を利用し、税を徴収し、経済活動を規制していた。しかし、すべてが暗黒時代の間に失われた。この新しい時代のカオスが、アテナイの神話上の王テセウスの伝説のテーマである。その偉業を最もくわしく描き出した作品は、ギリシアの学者で、生涯のほとんどをデルフォイの神託神殿の二人の神官のうちの一人として過ごした、プルタルコスによるものだ。

アテナイの王アイゲウスの庶子テセウスは、ペロポネソス半島北東部のトロイゼンで育った。正統な王位を主張するために、テセウスは陸路か海路でアテナイに戻らなくてはならなかった。彼は陸路を選んだ。プルタルコスは次のように述べている。

> 陸路でアテナイに行くのは困難だった。なぜならどの部分も拓けていなかったし、山賊や悪人に襲われる危険がないわけではなかったからだ。

道中、テセウスは数々の無法者と戦った。最初に遭遇した山賊ペリペテスは、アテナイへの道に潜み、青銅のこん棒で旅人を襲い、殺していた。プルタルコスによれば、テセウスはペリペテスを組み伏せ、ペリペテス自身のこん棒を使って殺したという。テセウスはその後も次々と難局を切り抜けていく。二本の松の間にくくりつけられ、巨大なクロミュオーンの猪（いのしし）に襲われ、崖から海に投げ落とされ、格闘で殺されそうになりながらも、その都度勝ち抜いた。最後に、「伸ばす人」を意味するプロクルステスを倒した。プロクルステスは旅人が自分の寝台に合う大きさになるように、その手足を引き伸ばしたり切り落としたりすることで有名だった。アテナイで王位を主張するまでのテセウスの旅をたどれば、当時のギリシアが、秩序を保つための国家機構が何もない、無法状態だったことがよくわかる。プルタルコスはこう書いている。

かくしてテセウスは……その後も旅を続け、人々を苦しめていた悪人たちに、人々に課していたのと同じ暴力を与え、彼ら自身の不正義に倣って正義を科したのである。

つまりテセウスの戦略は、まさに「目には目を、歯には歯を」だった。アテナイはマハトマ・ガンディーの「目には目をでは、全世界が盲目になってしまう」を地で行っていたのだ。

しかしアテナイの王たちの時代は長く続かなかった。暗黒時代が終わる頃には、アテナイの都市は富裕な貴族から選ばれた最高官職アルコンの集団によって支配されていた。エリートは権力闘争に明け暮れ、ときにはクーデターを起こすこともあった。紀元前六三二年のキュロンの蜂起もその一つだ。エリートは都市の紛争をより秩序正しく解決する方法を生み出す必要を痛感した。だがそれは思いがけない紆余曲折が待ち受ける、緩慢で危険な道のりになったのである。

最初の試みとして、キュロンの反乱の約一〇年後の紀元前六二一年、ドラコンという立法者がアテナイの慣習法を初めて成文化する任を負った。成文化されるまでにこれほど長い時間がかかったのは、ギリシア青銅器時代の線文字Bの文書が、暗黒時代の間に消失してしまったことと大いに関係がある。

そのせいで、フェニキア人から借用したまったく異なる文字を用いて、表記法を再発明しなくてはならなかったのだ。ギリシアの哲学者アリストテレスが著書『アテナイの国制』のなかで「ドラコンの憲法」と呼んだこの法は、一連の成文法で構成されていたが、現存するのはそのうちのほんの一部だけである。これらの法を破った罰は、ほとんどの場合死刑だったことがわかっている（現代の英語で、きわめて過酷なという意味の「ドラコニアン」という言葉は、ここから来ている）。ドラコンの法の現存する唯一の断片は、殺人について定めたもので、これらの法が、こんにち私たちが「憲法」という言葉で表すものとはかなり違っていたことを示している。その理由は主に、無法状態や血讐（けつしゅう）、暴力にとらわれた社会に対処することを目的としていたからだ。断片にはこう記されている。

もしもある者が、その意図なくして他人を殺した場合、彼は追放される。
もしも［被害者に］父、兄弟もしくは息子がいた場合、彼ら全員の合意があれば、和解が行なわれるが、反対者がいれば、その者の意向が優先される。これらの者たちがいない場合、従兄弟の息子および従兄弟の範囲までの親族すべてが対象となり、彼ら全員の同意があれば、和解が行なわれるが、反対者がいれば、その者の意向が優先される。……
殺人者に対する告発は広場（アゴラ）にて、従兄弟の息子および従兄弟の範囲までの親族すべてによって行なわれる。従兄弟と従兄弟の息子、義理の兄弟、義理の父および胞族（フラトリア）の成員たちが実行に参加する。

この断片は、過失殺人について定めている。過失殺人を犯した者は追放され、裁きを待たなければならない。殺された人の拡大親族が全員一致で和解を認めれば、話はそこで終わるが、さもなければ拡大親族が殺人者の告発の「実行に参加する」。「胞族」という言葉は拡大親族を指している。だがこれから見ていくように、胞族の影響力はその後まもなく衰えることになる。

この状況は、不在のリヴァイアサンとともに暮らすほかの社会の様子に似ているように思える。実際、ドラコンの法と、たとえばアルバニアに伝わる掟カヌンなど、ほかの中央集権的権威をもたない社会の成文化された慣習法の間には、多くの共通点がある。カヌンは一五世紀にレク・ドゥカジニ公によって編纂された、アルバニアの山岳地域の人々の行動を規定していた規範の集大成である（ようやく書き記されたのは、二〇世紀初頭になってからだった）。中央集権的な国家がなかったため、アルバニアの規則や規範は、ドラコンの殺人に関する法と同様、拡大親族やクラン〔共通の祖先をもつという連帯意識で結ばれた集団〕によって執行された。カヌンは犯罪に対する報復として、血讐に重きを置いていた。このことは、殺人について定めたカヌンの第一条が血讐から始まることに生々しく表れている。

待ち伏せとは、アルバニアの山や平地の隠れた場所に潜んで横たわり、血讐の敵または殺されるべき者を待つことをいう（張り込み、待ち構え、罠を仕掛けることである）。

カヌンの第一法則は「血は指を追う」というもので、その意味は以下のとおり。

アルバニアの山々に伝わる古いカヌンによれば、血讐を受けるのは殺人者のみである。殺人者とは、他人に向けて銃の引き金を引き発砲する者、もしくは他人に対して別の武器を用いる者である。

のちの時代のカヌンは、血讐の対象を、ゆりかごの赤子さえを含む、殺人者の家族のすべての男性にまで拡大した。殺人が行なわれてから二四時間以内に、従兄弟や親しい甥(おい)が血讐を受ける。二四時間を過ぎると、有責性は拡大親族にまで広がる。過失殺人については、カヌンはこう定めている。「この種の殺人では、殺人者は土地を去り、事態が明らかになるまでの間、身を隠していなければならない」。ドラコンの法律とまったく同じだが、唯一違うのは、アルバニアの規範を書き記し、解明し、あるいは規制しようとした人が、二〇世紀になるまで誰もいなかったことである。

ソロンの足枷

ドラコンが法を成文化して三〇年とたたずに、アテナイでは足枷のリヴァイアサンを構築するプロセスが始まった。日常的な紛争やエリートの権力闘争を抑制するという問題は、依然として続いていた。いまやそれに加えて、社会の方向性をめぐるエリートと市民の対立があった。アリストテレスによれば、ドラコンの頃に「長期にわたる貴族と大衆の抗争」が起こったという。プルタルコスはこう述べている。

人々はこの都市の領土に存在する地域的な区分と同じほどの数の政党を結成し、長い間政治論争を続けている。高地党は最も民主的で、平野党は最も寡頭制を好み、第三の海岸党は、中道的な混合型の体制を好む。

ひと言でいえば、対立の焦点はエリートと平民の力のバランスと、国家が民主的に統治されるべきか、寡頭的に（最も裕福で最も強力な一握りの一族が実権を握り）統治されるべきかという問題にあった。アテナイの方向性を定める上で決定的な役割を果たしたのが、貿易商で、軍の指揮官として広く尊敬を集めていた、ソロンである。

紀元前五九四年、ソロンは一年の任期でアルコンに選出された。プルタルコスによれば、「富める者たちはソロンの富を気に入り、貧しい者たちはその誠実さを好んだ」という。それまでアルコンの地位はエリートに独占されていたが、ソロンはおそらくエリートと市民の闘争が市民側にやや有利に傾くなかで、民衆に推されるようにしてこの地位に就いたのだろう。ソロンは改革者としてかなりの手腕を発揮し、市民を支配するエリートと国家の力を抑制する一方で、国家の紛争解決能力を拡大するために、アテナイの制度を改革したのである。ソロンは現存する自身の詩篇のなかで、自身の制度設計の意図は、富める者と貧しい者の力の均衡をつくり出すことにあったと書いている。

　民衆は十分な権力を与え、正当な権利から何も減らさず、何も加えもしなかった。権力をもち、所有する富ゆえにうらやまれる者たちに関しては、傷つけないように図った。私は双方の周りに強き楯（たて）を張り巡らせて立ち、いずれにも不当な勝利を許さなかった。

ソロンの改革は、民衆にはエリートに対抗できる力を与え、その一方でエリートには権益が大幅に脅かされることはないと保証することを試みたのだ。

ソロンがアルコンになった時代、アテナイの基本的な政治機構は、二種類の会議で構成されていた。すべての男性市民に開かれたエクレシアと、主要な行政・司法機構のアレオパゴスである。アレオパゴスはアルコンの経験者から選出され、エリートによって支配されていた。この時期には多くのアテナイ人が経済的に困窮化し、債務奴隷や隷属状態に陥って市民権を失い、エクレシアからも排除されていた。アリストテレスは「ソロンの時代以前は、すべての貸付は身体を担保に行なわれていた」と書いている。これは、アテナイ版の規範の檻だった。人々は経済状態が悪化したために、永久的に負債を負わされ、自由を奪われた人質と化していたのだ。アテナイの政治的均衡を実現するには、市民を政治に参加させる必要があることをソロンは理解していたが、市民が隷属状態にある中でできることではなく、市民権を失いつつある状況ではとうてい不可能だった。アリストテレスによれば、「多くの民衆が……政治のいかなる側面にもほとんど関わっていなかった」。そこで民衆の政治参加を促すために、ソロンはすべての債務奴隷の契約を帳消しにし、身体を抵当にした借財を禁止する法律を制定した。またアテナイ人を奴隷にすることを違法とした。これ以降、人質はなくなった。ソロンはアテナイ人を、規範の檻のこの部分から一気に解放したのだ。

だが民衆がエリートに経済的に隷属している状況では、ただ債務奴隷を禁止するだけでは不十分だ。アテナイ人の自由を拡大することが不可欠だった。自由になれば民衆はより積極的な市民になって、さらに多くの自由を獲得するだろう。このために、ソロンは市民の経済的機会の拡大を図った。土地改革を実施し、田畑の境界標をすべて引き抜いた。標識には、その土地を耕す借地人が収穫の六分の一を納める義務を負うことが記されていた。これらをなくすことにより、ソロンは借地人を実質的に地主から解放し、土地の所有権を与え、アテナイ近郊のアッティカ地方を小自作農の土地に変えた。ソロンはまたアッティカ内の移動の制限を撤廃した。こうした措置を通じて、エクレシアに参加できる市民の層が大幅に拡大された。既存の力のバランスは、一気に組み替えられたのである。

またソロンはより多様な意見を政治に反映させるためにも、アルコンの選出方法を改め、定員を九人に増やした。だがエリートも満足させておく必要があったため、土地から得ている収益によって市民を四階級に分け、上位二階級だけがアルコンに就くことができるとした（アテナイの伝統的な四つの「部族」によって指名された人々のなかから、くじで選ばれた）。アルコンになれるのは一生に一度だけで、任期は一年間だったが、任期を終えた者はアレオパゴスの議員になることができた。したがってエリートはアルコンの地位とアレオパゴスを依然支配し続けていたが、いまやアレオパゴスを（エリート）社会のより多くの人々に開放し、多様な利害のバランスを図るための明確な規則ができた。またソロンはブーレという新しい四〇〇人評議会を設け、主要な行政機能を担わせる一方で、アレオパゴスの役割を見直し、主に司法的な役割に限定した。アルコンと同様、ブーレの成員はアテナイの伝統的な四部族から同数ずつ選出された。

こうしてエリートと市民の均衡を確立してから、ソロンは国家建設のプロセスに取りかかった。その重要な一歩が、司法改革である。まずドラコンの法を、一つを除いてすべて廃止した。ソロンが定めた法律はまるで違うものだった。法律のある断片には次のように記されている。

> ドラコンの殺人に関する法は、法のアナグラファイ［「記録者」］がバシレウスと評議会の書記からこれを引き継いで石碑に記し、柱廊の前に設置する。ポレタイは法律に基づいて契約を作成し、ヘレノタミアイがその費用を提供する。

つまり、ソロンはドラコンの法のなかでたった一つ残した法についても、バシレウスの役割をポレタイとヘレノタミアイに置き換えた。バシレウスとは、ホメロスの叙事詩『イーリアス』や『オデュッセイア』でおなじみの言葉で、「有力者」のような意味をもち、暗黒時代の首長の一種を指していた。ちなみにトロイア戦争後の一〇年にわたる冒険譚『オデュッセイア』の主人公、オデュッセウスもバシレウスである。これに対しポレタイとヘレノタミアイは、行政官や国家の高官にあたる。ここから、ソロンが抜本的な改革を行なったことがわかる――法を執行するために国家制度を官僚化したのだ。

このプロセスの最も際立った特徴として、ソロンはアテナイの平民に力を与えれば与えるほど、さらに国家制度の建設を推進した。また制度が確立すればするほど、民衆による制度の統制を確保することに努めた。こうしてエクレシアはいったん力を取り戻すと、より幅広い市民参加を得るようになった。またこの目的を果たすために、ソロンの改革は議会と政治機関の代表性を改善するにとどまらず、債務奴隷を廃止するなど、制度や規範も改めた。こうした施策が社会の性質を変容させた結果、社会が足並みをそろえて行動し、エリートと国家をよりよく制御できるようになったのである。

アリストテレスも、アテナイの平民に力を与えることがソロンの改革の最も重要な側面だったと指摘し、とくに重要なものとして債務奴隷の廃止と、紛争解決手段の改善、司法へのアクセスを挙げている。

> ソロンの制度のうち、次の三点が最も民衆に有利だったと思われる。第一に、また最も重要な点として、債務者の身体を担保として金を貸すことを禁止した。第二に、何人（なんぴと）でも望む者は、不当な扱いを受けている者のために、正義を求められるようにした。第三が、民衆が法廷に訴え出ることができるようにしたことで、これにより民衆がとくに勢力を得たといわれる。

ここでアリストテレスが強調しているのは、一種の「法の前の平等」が存在したということだ。つまり法律がすべての人に適用され、平民が法廷に正義を求めることができた。ブーレに代表を送る権利とアレオパゴスの就任資格からは、最貧層が除外されたが、誰でも訴えを起こし、審理してもらうことができ、そしてエリートにも平民にも同じ法が平等に適用された。

ソロンが民衆によるエリートの制御を制度化した方法としてとくに興味深いものが、ヒュブリス（傲慢）法である。現存する記録の断片にこうある。

もしもある者が、自由人であれ奴隷であれ、子どもまたは男性または女性に対して傲慢な行為をした場合（また当然ながら、ある者が雇った者が傲慢な行為をした場合も）、またはある者がこれらのうちの何人かに不法な行為をした場合、彼はグラファイ［公訴］・ヒュブレオスを犯したことになる。

この法律は、侮辱や威嚇を目的とする傲慢な行為に対し、グラファイ・ヒュブレオスという犯罪を定めていた。めざましいことに、この法律では奴隷も保護された。人々は奴隷を侮辱しても傲慢罪を科され、違反をくり返せば死刑に処せられることもあった。ヒュブリス法は、アテナイ人がエリートを制御できるようにしただけでなく、強力な個人の支配からの自由を享受できるようにもしたのだ。

債務奴隷を禁止し、不自由な人質の身分を終わらせることによって、ソロンは平民に対するエリートの支配を弱めるとともに、民主政治の条件を整え始めた。だが当時のアテナイのエリートの力は多岐におよんだ。莫大な富が蓄えられていたため、たとえ国家の能力が増大したとしても、それに見合うだけの力を社会が高めない限り、結局はエリートに抑圧と支配の新たな手段を与え、政治的支配をかえって強める恐れがあった。だから一般市民によるエリートの制御を強化することが欠かせなかった。ヒュブリス法はこの取り組みの一環として、既存の規範を成文化し強化したのだ。

ソロンのヒュブリス法は、回廊内の生活のより一般的な側面を明らかにしている──自由をもたらす繊細な均衡を実現するには、既存の規範に働きかけ、拡張する一方で、自由を阻害している規範を修正し、ときには廃止するような制度改革が欠かせないということだ。これは当然生易しいことではないが、ソロンの改革はこれら両方の目的において大きな突破口を開いた。ドラコン以前の時代には、人々の生活を支配していた規則や法は書き記されておらず、とくに社会からの追放や排斥というかたちで、一族や親族集団によって実行されることが多かった。ヒュブリス法が示すように、ソロンは規範を成文化し、強化することによって拡張したが、その過程で規範をつくり変え、傲慢な行為がアテナイの世界でいっそう許容されにくくなるようにしたのだ。制度改革と規範がこのように複雑に作用し合う例を、これからたくさん見ていこう。またこの両者の間で適切なバランスを図らなければ、自由の展望が損なわれる恐れがあることを説明しよう。ソロンは適切なバランスを打ち出したのだ。

赤の女王効果

ソロンが一方ではエリートによる国家の掌握と平民の支配を抑制しながら、他方では国家の能力を高めた方法は、古代文明だけに特有のものではない。それは足枷のリヴァイアサンの本質である。リヴァイアサンは社会の協力が得られるとき、能力を拡充し、ずっと強くなれるが、社会の協力を得るには、この海の怪物を制御できるはずだという信頼を人々がもっていなくてはならない。ソロンはこの信頼を築いた。

だが問題は信頼と協力だけではない。自由は、また突き詰めれば国家の能力は、国家と社会の力の均衡にかかっているのだ。国家とエリートが強力になりすぎれば、私たちは専横のリヴァイアサンを得る羽目になるし、力が足りなければ、不在のリヴァイアサンが手に入る。したがって国家と社会が一緒に走り、どちらか一方が決して前に出ないようにしなくてはならない。これはルイス・キャロルが『鏡の国のアリス』で描いた、赤の女王効果によく似ている。この物語で、アリスは赤の女王に出会い、二人で競走する。「あとから考えてみても、どんなふうに走り出したのか、アリスにはさっぱりわかりませんでした」。だがアリスは気がついた。二人とも一生懸命走っているように見えたのに、「周りの木々やそのほかのものが、もとの場所からまったく変わらなかったのです。どんなに速く走っても、何も追い越したりしないようでした」。とうとう、赤の女王がやめましょうといった。

アリスはあたりを見回して、びっくりしました。「まあ、ずっとこの木の下にいたみたいだわ！何もかもがもとのままじゃないの！」

「もちろんそうですよ」と女王はいいました。「どうだったらよかったの？」

「あのう、わたしたちの国では」とアリスはまだ少しあえぎながらいいました。「ふつうはどこか別の場所に着くんです……いまの私たちのように、長い間とても速く走ったら」

「なんだか遅い国だこと！」と女王はいいました。「ここではね、同じ場所にとどまるためには、思いっきり走らなくてはならないの」

赤の女王効果とは、その場にとどまるためには走り続けなければならない状況をいう。ちょうど国家と社会が均衡を保つために全力で走り続けるように。キャロルの物語では、あれだけ走ったのに何も起こらなかった。だが社会とリヴァイアサンの闘争は違う。もしも社会が力を緩めてしまい、国家の強大化する力についていけるほど速く走らなければ、足枷のリヴァイアサンはたちまち専横のリヴァイアサンと化すかもしれない。リヴァイアサンを牽制（けんせい）するには社会との競争が欠かせず、リヴァイアサンが強力で有能であればあるほど、社会はより強力になり、警戒を高めなくてはならない。リヴァイアサンにも、新しく手ごわい課題に対処する能力を拡大し、自律性を維持するために、走り続けてもらう必要がある。このことは紛争解決と公正な法執行だけでなく、規範の檻の破壊にも欠かせない。このすべてがとても厄介に思えるし（なにしろ思いっきり走らなくてはならないのだ！）、またこれから見ていくように、実際に厄介なことが多い。どんなに厄介でも、人間の進歩と自由は赤の女王にかかっている。だが、両者が抜きつ抜かれつの競走を繰り広げている間、赤の女王自身も、国家と社会の力のバランスを激しく変動させるのだ。

ソロンが赤の女王効果を始動させた方法は、これらの幅広い問題をよく表している。その改革は、民衆の政治参加のための制度的基盤を整えるだけでなく、自由を直接制約し、回廊内で求められる種類の政治参加を阻んでいた規範の檻を緩めるのにも役立った。アテナイの檻は、本章でのちに取り上げるティヴなど、これから見ていく多くの社会の檻ほど窮屈ではなかったが、それでも赤の女王の行く手を阻むほどには抑圧的だった。その檻の一部を取り壊すことによって、ソロンは社会を根本的に変容させ、芽生えつつあった足枷のリヴァイアサンを支えることのできる、異なる種類の政治を推進し始めたのだ。

どうしても必要な場合に追放する方法

ソロンがアルコンを務めたのはわずか（多忙な！）一年間で、任期を終えると、法律を変えてほしいというアテナイ人の要求から逃れるために、一〇〇年の間アテナイを離れていた。ソロンは自分の定めた法律が一〇〇年は変更されるべきでないと考えていた。だが望んだようにはならず、エリートと社会の闘争はその後も続いた。

　ソロンはアテナイをより有能な国家にし、市民参加を制度化しつつ、エリートを満足、または十分満足させておこうと試みた。だが十分満足させるには、どれくらい満足させればいいのだろう？　やがて紛争が生じ、僭主と呼ばれる、武力や民衆の支持を楯に権力を握る事実上の独裁者たちが現れた。それでもソロンの改革は民衆に支持され正当性を得ていたため、野心的な僭主たちを含むすべてのアテナイ人が、少なくとも敬意を払っていたし、改革をいっそう進めることも多かった。

　僭主たちのなかで初めてソロンの改革を引き継いだペイシストラトスは、狡猾な方法でアテナイの政治制度の裏をかいたことで有名だ。あるときは自分の体を傷つけて反対派に襲われたと騙って、保護のために護衛兵を設置するよう民衆を説き伏せ、武力を利用してアテナイを掌握した。また別の時、追放されていたペイシストラトスは、女神アテナのように着飾らせた女性と一緒に馬車でアテナイに戻り、自分はアテナイを統治するよう女神自身に選ばれたのだといって民衆をだまし、返り咲きを果たした。だがいったん権力を握ると、ペイシストラトスはソロンの遺産を完全に否定することはせず、むしろ継承して、国家の能力を高めるための改革を続けた。アテナイの神殿の建造に着手し、アテナイとアッティカの田園地方を統合するための施策を打ち出した。たとえば巡回裁判の実施、アテナイを中心とする道路システムの整備、アテナイを地方の聖地とつなぐ行進、大パンアテナイア祭の開催などのイノベーションである。これらの祭儀は、ソロンが実施したほかの施策から直接生まれた。ソロンはエリートによる私的な祭儀を制限し、一般市民が参加できる地域の祭りを推奨していた。ペイシストラトスはアテナイの最初の貨幣も鋳造した。

これが、赤の女王の働きである。ソロンはこの活力に満ちた経路を本格的に歩み始め、ペイシストラトスが、ときに激しい旋回に翻弄されながらも続いた。僭主たちが権力を握ると、国家とエリートの有利になるよう取り計らった。それでも僭主たちは社会と民衆（「デモス」）を支配することはできず、むしろ社会の支援を得ようと競い合うこともあった。ペイシストラトスのあとは息子のヒッピアスとヒッパルコスが地位を引き継ぎ、その後ライバル都市スパルタの後ろ楯を得たイサゴラスが寡頭政権の樹立をめざしたが、民衆は反撃に出た。紀元前五〇八年に大規模な民衆蜂起が起こり、民衆を味方につけたクレイステネスがアルコンに就いた。クレイステネスが実施した改革も、やはり国家と社会をともに強化することを意図していたが、ソロンが八〇年以上も前にめざしていた三つの目標をさらに推進した――エリートに対する社会の力を強め、国家能力を高め、規範の檻を緩めることである。

まずは国家能力の拡大から見ていこう。クレイステネスは精巧な財政制度を構築した。メイトコイ（外国人居住者）から人頭税を徴収し、富裕層に直接税として祭儀や戦艦の装備に金を出させ、とくにピレウス港でさまざまな関税や通関手数料を課し、アッティカの銀山に課税した。クレイステネスがアルコンだった時代に、アテナイ国家は多様な公共サービスを提供し始めた。治安維持と貨幣鋳造だけでなく、市壁や道路、橋、刑務所、孤児や身体障害者の救済施設などのインフラを提供した。同様にめざましいのが、一種の国家官僚機構が生まれたことである。アリストテレスによれば、紀元前四八〇年から前四七〇年頃までのアリスティデスの時代、国家の役人がアッティカに七〇〇人、国外に七〇〇人おり、加えて波止場の守備兵が五〇〇人、アクロポリスの守備兵が五〇人いたという。

またこの国家はソロンが設けたものに比べてずっと民主的に統治されていた。民主的統制を実現するには、規範の檻をさらに弱め、部族を土台とする政治権力から離れなくてはならないことを、クレイステネスは認識していた。そこで大胆にもソロンの四部族制の四〇〇人評議会（ブーレ）を廃止して、一〇部族からなる新しい五〇〇人評議会を設置した。このブーレは、アテナイの英雄にちなんだ名をつけられた新しい一〇の部族からくじで選ばれた代表で構成された。各部族は五〇人ずつの代表を評議会に送り込んだ。部族はトリッテュス（三分の一の意）という三つの小単位に分割され、その一つひとつが、地域的な政治単位であるデモスにさらに分割された。アッティカ全体に一三九のデモスが点在していた（図2）。このような地縁的な単位の新設は、従来の血縁に基礎を置くアイデンティティの残骸をほぼ完全にぬぐい去ったという意味で、それ自体国家建設における意義深い一歩だった。アリストテレスはこの改革の効果として、クレイステネスは「各デモス（区）に住む人たちをデモテス（区民）としたが、これは父の名で互いを呼び合って新市民と判別することなく、所属の区によって呼ぶようにするためだった」と指摘している。

アテナイ市民の政治権力をいっそう高めるために、クレイステネスはソロンの時代に存在した、政治機構の参加資格としての階級制限を撤廃した。ブーレへの参加の道は、いまや三〇歳以上のすべての男性市民に開かれた。任期は一年で、生涯に二度までしか務められなかったため、アテナイ人男性のほとんどが、生涯のどこかで評議員を経験することになった。ブーレの議長は毎日くじで選ばれ、任期は二四時間だったため、ほとんどのアテナイ市民が生涯に一度は議会を運営することができた。アリストテレスはひと言で総括している。

> 国政は民衆の手に帰した。

ブーレは支出に関する権限をもち、政策を実行する行政官の委員会をもっていた。委員はくじで選

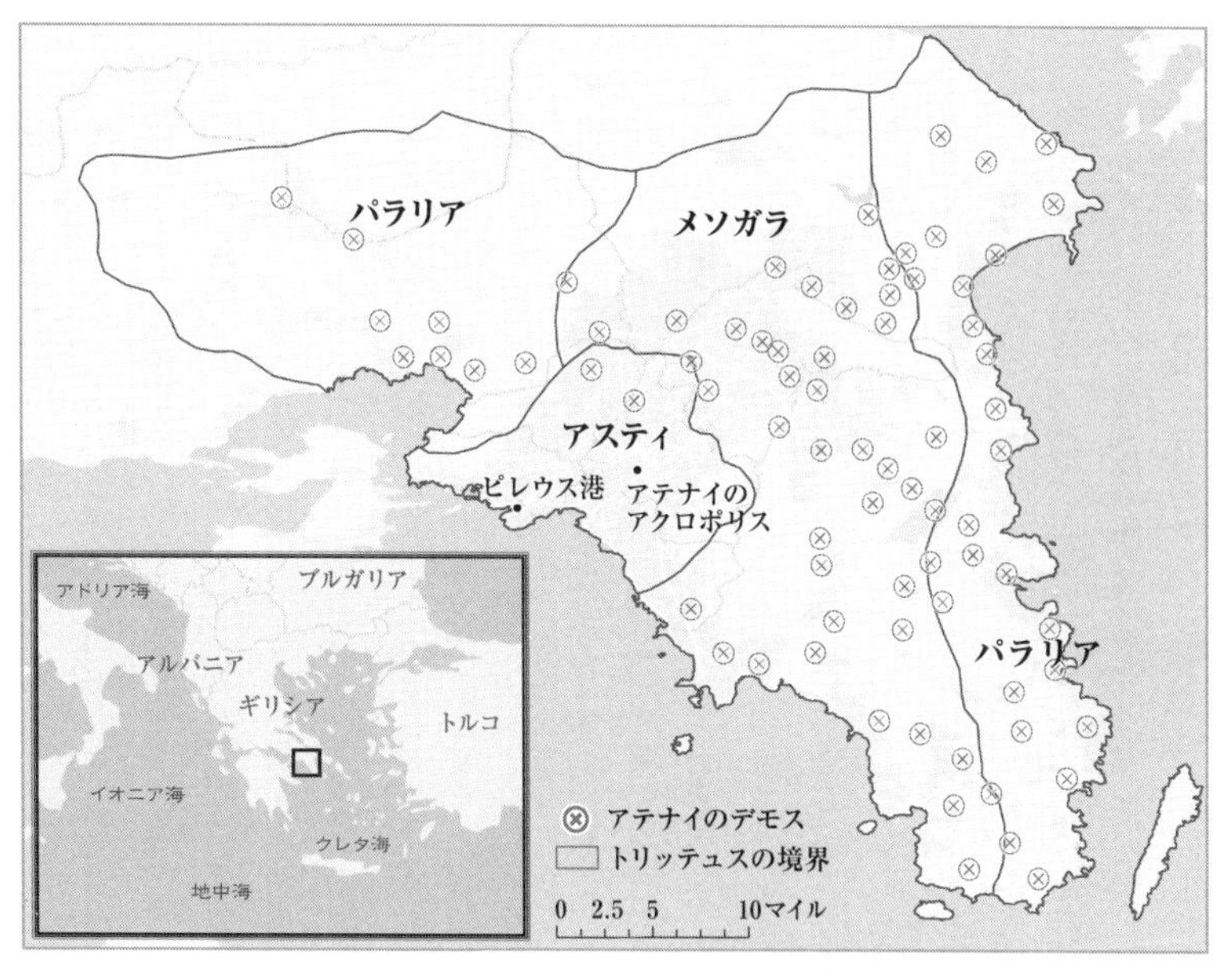

図2　アテナイのデモス

ばれ、任期は一年だったが、国家の役人として働く職業奴隷の補佐がついた。

　クレイステネスはソロンに倣い、アテナイ市民の政治権力強化に役立つ既存の規範を拡張し、制度化するとともに、規範の檻と戦いもした。なかでも注目すべきは、強力な個人の政治支配を抑制する手段として、オストラキスモス（陶片追放）の制度を確立したことだ。この新法に則(のっと)って、民会(エクレシア)はオストラキスモスの可否を問う採決を毎年実施することができた。投票総数が六〇〇〇票を超え、その過半数がオストラキスモスに賛成した場合、市民は追放したい者の名を陶器の破片（「オストラコン」と呼ばれた。オストラキスモスの名称はここから来ている）に刻み、最も多く票を集めた者がオストラキスモスに遭い、アテナイから一〇年間追放されたのだ。アリストテレスはこの法について、「権勢のある者たちに対する嫌疑から設けられたものだった」と書いている。ソロンのヒュブリス法と同様、オストラキスモスはエリートに規律を課すための既存の社会規範を拡張し、つくり変えたツールだった。ペルシア戦争でアテナイ海軍を指揮し、サラミスの海戦を勝利に導いた軍人で、おそらく当時アテナイで最も有力な人物だったテミストクレスでさえ、紀元前四七六年頃には力をもちすぎていると民衆に警戒され、また反ペルシアから反スパルタに転じて親スパルタ派の反感を買ったせいもあって、オストラキスモスによってアテナイを追われた（テミストクレスの名前が刻まれたオストラコンの写真を口絵に載せた）。オストラキスモスは慎重に用いられ、制度が本格的に運用されていた一八〇年間でオストラキスモスに遭った者はわずか一五人だったが、オストラキスモスの脅威だけでも、市民がエリートに規律を課すための強力な手段となった。

アテナイの国制の進化はクレイステネスで止まらなかった。アリストテレスによれば、クレイステネスはアテナイの国制の一一回の変更のうち、六回目の変更を導入したにすぎなかったという（赤の女王効果は厄介だといったろう？）。その過程でアテナイは市民の権利を拡大し、国家の力を強める方向に着実に進んでいった。赤の女王の本質が示すとおり、もしもエリートと社会が別々の方向に向かおうとしてせめぎ合う、持続的な闘争がなかったならば、これらのどれ一つとして起こったはずがなかった。

この時期、アテナイは徐々に（また山ほどの紆余曲折を経ながらも）世界初の足枷のリヴァイアサンの一つを築いていった。すなわち、市民によって有効に制御された、強力で有能な国家である。アテナイ人がこれだけの成果を挙げられたのは、赤の女王効果あってのことだ。国家は社会を支配できなかったが、社会もまた国家を支配できなかった。一方が前進したかと思えば、もう一方は抵抗とイノベーションによって迎え撃ち、そして社会によって足枷をはめられていたおかげで、国家は新しい領域での権限と能力を拡大することができた。その過程で社会も協力したため、国家は民衆による制御を受けながらも能力をさらに深めることができた。ここできわめて重要だったのが、赤の女王が規範の檻をじわじわと壊していったことである。リヴァイアサンに足枷をはめるためには、社会は力を合わせ、集団として組織化し、政治参加を担わなくてはならない。これは社会が奴隷と主人、胞族や部族、血族集団などに分裂しているときには難しい。ソロンとクレイステネスの改革は、対立するアイデンティティを徐々に取り除くことにより、より幅広い協力の余地を生み出した。これは、足枷のリヴァイアサンの創出においてくり返し見られる特徴である。

抜け落ちていた権利

前章で見た、アメリカのリヴァイアサンが足枷をはめられたいきさつは、アテナイの事例と共通点が多い。ジョージ・ワシントン、ジェイムズ・マディソン、アレクサンダー・ハミルトンをはじめとする建国の父によって生み出された合衆国憲法は、抑制と均衡（チェック・アンド・バランス）を導入し、未来の世代のアメリカ人に自由を授けた、すばらしい制度設計の例と見なされている。この見方には多少の真実が含まれているものの、物語のほんの一部分でしかない。物語の主な部分は国民の権利の拡大であり、またそれがアメリカの制度を制約し、変化させ、強力な赤の女王効果を解き放ったいきさつである。

権利の問題を考えてみよう。アメリカ人の権利が保護されているのは、建国の父と、彼らのつくった憲法のおかげだ、そうだろう？　そうでもあるし、そうでもない。一七七七年から一七七八年にかけて採択された、この新しい国の初めての法律である連合規約を置き換えた合衆国憲法は、たしかに一定の基本的権利をうたっている。だがこれらの権利は、一七八七年夏にフィラデルフィアで起草され、高い称賛を受けた文書には含まれていなかった。建国の父は、いまやアメリカの制度と社会のよりどころとされるさまざまな基本的権利を、うかつなことに見落としたのだ。基本的権利は最終的に憲法に含められたが、権利章典というかたちであとになって追加された。権利章典とは、憲法の一二の修正条項のリストをいい、うち一〇カ条は第一回合衆国議会で可決された。たとえば権利章典の第六条にはこうある。

不合理な捜索および押収に対し、身体、家屋、書類および所有物の安全を保障されるという人民の権利は、これを侵してはならない。令状は、宣誓または確約によって裏付けられた相当な理由に基づいてのみ発行され、かつ捜索すべき場所、および逮捕すべき人、または押収すべき物件を特定して示したものでなければならない。

第八条はこう定めている。

すべての刑事上の訴追において、被告人は、犯罪が行なわれた州、および事前に法律によって定められた地区の公平な陪審による迅速な公開の裁判を受け、かつ事件の性質と原因とについて告知を受ける権利を有する。被告人は、自己に不利な証人との対質を求め、自己に有利な証人を得るために強制手続きを取り、また自己の防御のために弁護人の援助を受ける権利を有する。

これらの権利はどれもかなり基本的に思われる。なぜ建国の父は見落としたのだろう？　理由はかなり単純であり、またそれを知ることで、合衆国のリヴァイアサンの足枷がどこから来たのか――そしてなぜ足枷が自動的に、または簡単に現れないか――を理解しやすくなる。

連邦主義者（フェデラリスト）として知られるマディソンとハミルトン、その協力者は、人民の権利を強化するために連合規約を置き換えようとしたのではない。むしろ、彼らが起草した憲法の狙いは、州議会が当時採択していた、連邦主義者の目から見て危険なまでに破壊的な政策を抑え込むことにあった。たとえば州議会は勝手に紙幣を印刷し、通商に課税し、債務を帳消しにし、国家債務の引き受けを拒否することができた。さらに困ったことに、社会は独立戦争の余韻に酔いしれ、民衆は立ち上がり、職業や地位を問わずあらゆる人々が、自治や組織化、抗議、議員への立候補を通して自分たちの利益を推進できるという考えに心を奪われていた。このような状況に鑑み、憲法は二つのまったく異なる問題に同時に対処することを狙っていた。一つめが、連邦政府を構築して、すべての州で法律と防衛、経済政策を整合させること。二つめが、対英独立戦争での勝利によって解き放たれた、強力な民主的本能という魔神を壺（つぼ）のなかに戻すことだ。憲法は、政治権力を集中させ、中央政府に財政政策を一元的に担わせ、民衆政治の騒動と州の自治権を抑えることによって、一挙に両方の目的を達成できると考えられた。

連邦主義者は、本書で「国家建設者」と呼ぶ人たちにあたる。ホッブズはリヴァイアサンに至る二つの道として、制定と獲得を示したが、現実の国家建設は、原始的国家を創設する、または生まれたての国家の力を強めようとする、数人の国家建設者――ソロンやクレイステネス、連邦主義者のような、中央集権的権威を生み出す決意と計画をもった個人や集団――が主導する場合が多い。連邦主義者はホッブズが感銘を受けたであろう（が連合規約によって建設が阻まれていた）強力なリヴァイアサンを建設する構想をもっていた。

他方連邦主義者は、本書でいうギルガメシュ問題を重々認識し、連邦国家に力を与えすぎることのリスクも理解していた。たとえば、国家は強力になりすぎれば社会を餌食にし、恐ろしい顔を見せるかもしれない。マディソンがハミルトンとジョン・ジェイとともに執筆した、憲法批准を推進するための論文集『ザ・フェデラリスト』の有名な一節がある。

人が人を統治する政府を構築するにあたって最も難しいのは、まず政府が統治の対象を統制できるようにし、続いてみずからを統制するようにしなければならないことである。

このマディソンの記述のなかで、こんにち最も注目を集めているのは、政府がみずからを統制する必要があるという部分だが、マディソンがその前に強調した、政府が「統治の対象を統制」することの決定的な重要性に、連邦主義者の二つめの目的がはっきり表れている——一般市民の政治参加を制限する必要性だ。当時『ザ・フェデラリスト』の多くの読者がこの真意を察知し、不安を感じていた。とくに、フィラデルフィアで起草された文書が、人民の権利に関する明確な規定を欠いていたためだ。彼らが憂慮するのも無理はなかった。なにしろマディソンは一七八七年に憲法が起草された直後、トーマス・ジェファーソンに宛てた私信にこんなことを書いていたのだ。

ディヴィデ・エト・インペラという、非難されるべき圧政の格言は、一定の条件を満たすならば、正義の原理に基づいて共和国が運営される唯一の政策になるのです。

ディヴィデ・エト・インペラ——分割して統治せよ——は、民主主義を抑制するための戦略とされていたのだ。マディソンは「一般政府の権限を拡大［し］州政府をより効果的に制限……する必要性」を強調した。マディソンのいう「一般政府」、すなわち連邦政府は、上院議員と大統領の間接選挙制などの仕組みによって、民主性を弱められていた。「州政府をより効果的に」制限する必要性が認識されたきっかけは、一七八〇年代に農民や債務者が反乱や暴動を起こし、社会に混乱が生じていたことだ。マディソンはこうした動きがアメリカ独立のプロジェクトそのものを頓挫させることを恐れていた。実のところ、連邦主義者が憲法制定を推進した重要な理由は、憲法が連邦政府に課税権を与え、常備軍を維持できるだけの税収をもたらすからだった。そうなれば、憲法の前文にあるように、連邦政府は「国内の平穏を保障」することができるだろう。実際、憲法批准後に連邦政府資金を得たジョージ・ワシントンの軍がとった最初の行動は、新税導入に反対するウィスキー税反乱を鎮圧するために首都から西へ進軍することだった。

マディソンら連邦主義者の国家建設プロジェクトには、アメリカ社会から大きな反対の声が上がった。権利章典による保護がないなかで、強力な国家とそれを支配する政治家はどんな恐ろしいことができるだろうと、人々は懸念した。リヴァイアサンの恐ろしい顔は水面からそう遠くないところに潜んでいたのだ。いくつかの州の批准会議が、個人の権利が明確に保護されていないとして、憲法の批准を拒否した。合衆国でさえ、マディソン自身、出身州ヴァージニアの批准会議に憲法を承認させるために、権利章典が必要であることを認めざるを得なかった。マディソンはその後、権利章典擁護を掲げてヴァージニア州から連邦議員に立候補し、一七八九年八月には議会で、「人々の考えをなだめる」ために権利章典が必要なのだと主張している（だが本章の少しあとと第一〇章で、ほかの、より腹黒い魂胆があったことを説明する。マディソンと協力者たちは、南部諸州のエリートにとって憲法を受け入れやすいものにするために、奴隷制を承認することになった。これによって権利章典が奴隷を保護しないこと、また権利章典が州政府による人権侵害に対しては適用されないことが保証されたのだ)。

連合規約から憲法への移行には、足枷のリヴァイアサンの出現に欠かせない重要な要素が表れている。第一の柱として、本書でいう国家建設者の個人または集団が社会に存在し、彼らが「万人の万人に対する闘争」を終わらせ、社会の紛争を解決し、人々を支配から保護し、公共サービスを提供する(またおそらく自分たちの利益にもある程度配慮する)ための強力な国家を要求すること。この国家建設者の集団——彼らのビジョン、建設の取り組みを支える適切な連合を築く能力、純然たる力——が果たす役割が、きわめて重要である。合衆国連邦国家の建設では、連邦主義者がこの役割を果たした。連邦主義者は正真正銘のリヴァイアサンを生み出すことをめざし、新しい国の安全と結束、経済的成功のためには、課税権を有し、通貨発行権を独占し、連邦の通商政策を定めることのできる、はるかに大きな権力をもつ中央集権国家が必要であることを理解していた。加えて、連邦主義者はそのような国家建設プロジェクトを推進できるほど強力だった。彼らは押しも押されもせぬ政治家としてすでに絶大な権威を誇っていた。ジョージ・ワシントンら独立戦争の優れた指導者たちとの協力関係からも力を得ていた。メディアや卓越した議論を展開した論文集『ザ・フェデラリスト』を通じて、世論に影響を与えることにも長けていた。

足枷のリヴァイアサンの第二の柱は社会的動員であり、さらに重要である。なぜならこれこそが赤の女王効果の本質だからだ。本書でいう「社会的動員」とは、社会全体(とくに非エリート)が結集して政治に関与することを指す。社会的動員はエリートに対する反乱や抗議、請願、また団体やメディアを通じた一般的な圧力などの非制度的形態をとることもあれば、選挙や議会などの制度的形態をとることもある。非制度的な力と制度的な力には相乗作用があり、互いを支え合う。

専横が生まれるのは、社会が国家の政策や行動に影響をおよぼす力をもたないときだ。いくら憲法が民主的な選挙や協議を定めていても、社会が立ち上がり、政治に積極的に関与しない限り、法令だけではリヴァイアサンの応答性を高め、説明責任を促し、足枷をはめるには不十分だ。したがって憲法の効力は、一般市民が、必要とあれば非制度的手段をとってでも憲法を擁護し、憲法の約束することを国家に要求できるかどうかによって決まる。同様に憲法の条項も重要だ。なぜなら条項は社会の力の予測可能性と一貫性を高めるからであり、社会が政治に関与する権利を定めているからでもある。

社会の力の土台となるのは、政治に関与するために「集合行為（集団行動）」の問題を解決し、賛成できない変更を阻止し、重要な社会的・政治的決定に民意を反映させる、民衆の能力である。ここでいう「集合行為問題」とは、ある集団にとって組織化して政治活動を行なうことが利益になるにもかかわらず、一部の人々が集団の利益を守る努力をせず、他の人々の貢献に「タダ乗り」して利己的な利益を追求したり、はては起こっていることに無関心であったりする問題をいう。非制度的な権力行使手段がなぜ予測不能かといえば、集合行為問題を確実に解決する方法を提供しないからだ。これに対し、制度化された権力は、より体系的で予測可能だ。したがって、憲法があれば社会はより一貫した方法で権力を行使できるようになる。憲法起草に至るまでに、合衆国社会が非制度的および制度的権力の両方をすでにもっていたことが、大きな助けになった。

合衆国社会の非制度的権力は、独立戦争中の民衆闘争に端を発していた。トーマス・ジェファーソンは一七八七年に社会的動員の本質についてこう書いている。

このような反乱が起こらずに二〇年が経過することは決してないだろう……人民が抵抗の精神を保っていることを統治者がときおり警告されなかったら、いったいどの国が自由を守れるというのか。民衆に武器を取らせよ。

また連合規約のおかげで、アメリカ社会は連邦主義者の国家建設プロジェクトを阻止するための制度的手段を手に入れることができた。たとえば州議会で憲法の批准を拒否するなどの方法だ。こうした制度的制約は、憲法批准をもって役割を終えたわけではない。憲法により、州議会はその後も行政権と連邦政府の権限に対する有効な制約であり続けた。

民衆動員と社会の組織化は、すでに独立戦争でも重要な役割を果たしていた。イギリスの諸政策に対する民衆の怒りが戦争につながったのだ。これは、その半世紀後にこの国を旅した若きフランスの知識人、アレクシ・ド・トクヴィルの注意を引いた特徴でもあった。著書『アメリカのデモクラシー』のなかでトクヴィルはこう書いている。

> 世界中でアメリカにおけるほど、結社の原理が多様な目的のために巧みに利用され、また惜しみなく利用された国はない。

実際、合衆国は「団体に加入する人たちによってつくられた国」であり、トクヴィルは「住民が……共通の目的のもとに多数の人々の努力を結集し、人々に自発的に目的を追求させている、すばらしい技能」に目を見張った。この民衆動員の確かな伝統が、どのような種類のリヴァイアサンを築くかについて発言する力を、合衆国社会に与えたのだ。たとえハミルトン、マディソンと彼らの協力者がより専横的な国家の建設を望んだとしても、社会がそれを受け入れたはずがなかった。そのため連邦主義者は、権利章典や、連邦政府の権限に対するその他の抑制を導入することによって、自分たちの国家建設プロジェクトを、リヴァイアサンに「彼ら……の意志を従わせ」なくてはならない人々に受け入れてもらえるようにする必要があることを理解した。進んでそうしたわけではない。ハミルトンはこれを「民主主義の過剰」と非難し、大統領と上院議員を終身制にすることを提案した。ハミルトンがこう考えたのも不思議ではない。連邦主義者は、自分たちがリヴァイアサンを制御するつもりだったからだ。

この決定的に重要な第二の柱は、アメリカ国家が当初専横の道をたどるのを防いだだけではなかった。社会的動員というこの柱がもたらした力の均衡のおかげで、国家が力を伸ばし続ける間も、足枷をはめたままにしておけたのだ（他方、あとで見るように一部の領域――とくにすべての市民に保護と機会均等を提供する役割――においては、その後の二世紀にわたって国家の能力を制限するのに成功しすぎた）。一七八九年当時のアメリカ国家は、いまと比べてずっと力が弱く、ほとんど原始的といってもいいほどだった。官僚機構は小規模で、提供していた公共サービスはほんのわずかだった。独占企業の規制や社会的セーフティーネットの提供などは夢のまた夢だったし、また国家がすべての市民、とくに奴隷と女性を平等と見なしていなかったため、当時多くのアメリカ人を束縛していた規範の檻を緩めることは、国家の優先事項ではなかった。こんにちの私たちは、紛争解決、規制、社会的セーフティーネット、公共サービスの提供、あらゆる脅威からの個人の自由の保護という点で、はるかに多くのことを国家に期待する。国家がこれらを提供できるのは、赤の女王あってのことだ。もしも当時の合衆国社会が、国家の任務や責任を厳しく制限することしかできなかったなら、私たちは現在の国家が提供する便益の多くを得られなかった（し、一部の領域で国家の非妥協的姿勢に苦しめられることもなかった）はずだ。だがアメリカ国家は過去二三〇年間で確実に進化を遂げ、能力と、社会における役割を変化させ、その過程で市民の要望と必要への応答性をますます高めてきたのである。これほどの成長を実現できた理由は、くるぶしに足枷をはめられているおかげで、国家がさらに力を増しても、説明責任を完全に放棄して恐ろしい顔を見せることはないはずだと、社会がいくらか用心しつつも信頼していられたからだ。また足枷があるおかげで、社会は国家に協力することを検討できた。しかし、一八世紀末の合衆国社会がマディソンとハミルトンを全面的に信用しなかったように、一般に社会は国家の能力や権力の範囲を伸ばそうとする者たちを完全には信用しない。社会がそれを許すのは、社会自身も国家を制御する能力を高めているときだけである。

一九世紀合衆国におけるその後の国家と社会の関係は、アテナイの場合と同様、赤の女王に特徴的な、厄介で予測不能な経緯をたどった。中央集権国家がさらに力を増し、人々の生活への関与を増すにつれ、社会は反応し、主導権を取り戻そうとした。そして社会が立ち上がるにつれ、エリートと国家機関はそれに反応し、主導権を奪い返そうとした。このようなせめぎ合いの力学は合衆国の政治のさまざまな面に見られるが、当時最大の断層線となっていたのが、奴隷制をめぐる北部諸州と南部諸州の緊張であり、これが多くのおぞましい憲法上の妥協を強いる結果となった。この緊張から、一九世紀の最も破壊的な紛争が勃発した。一八六一年に〔奴隷制度拡大反対を掲げる〕エイブラハム・リンカーンが大統領に就任すると、（当時の全三四州のうちの）南部七州が連邦脱退を宣言し、アメリカ連合国（南部連合）を発足させた。政府は脱退を認めず、一八六一年四月一二日にユニオン（北軍）とコンフェデレート（南軍）の間で南北戦争が勃発する。戦争は四年も続き、南部の輸送システムとインフラ、経済の大部分が破壊され、死者数は計七五万人に上った。終戦後、力のバランスはエリート、とくに南部のエリート側の不利に大きく傾いた。（憲法修正第一三条により）奴隷が解放され、（修正第一四条により）彼らの公民権が認められ、（修正第一五条により）投票権が認められた。一八七七年まで続いた再建期（レコンストラクション）の間に、解放された奴隷は権利を与えられ、経済・政治体制に組み入れられた（彼らは熱心に体制に参加し、多くが投票を行ない、議会に選出された）。しかし、北軍が南部を去ったあとの贖罪期（リデンプション）に、再び公民権を剥奪され、低賃金の農業労働に閉じ込められ、公式・非公式の抑圧的な慣習にさらされたのである。地元の警官やクー・クラックス・クラン〔白人至上主義の秘密組織〕による殺人や私刑も横行した。エリート側に傾いていた振り子の針が、再び南部社会の最も恵まれない階層の側にゆり戻されたのは、公民権運動が動き出した一九五〇年代半ばになってからようやくのことだった（またいうまでもなく、アメリカの自由の発展に関する限り、私たちは歴史の終わりにはほど遠い場所にいる）。

一般に、合衆国憲法は人民の権利を保護するものとして美化されがちだが、そうした権利がほとんどのアメリカ人のために保護されるようになったいきさつは、美しいとはいいがたかった——そして私たちが権利を得ることができたのは、一七八七年にフィラデルフィアで起草された文書と同じくらい、社会の動員のおかげでもある。それが赤の女王の本質というものなのだ。

首長？　首長って何だ？

このように赤の女王効果は美しいものではないし、あとで見るように、思いきり走ることは危険に満ちている。だがきちんと作用すれば、赤の女王効果はアテナイ人やアメリカ人が享受してきたような自由の条件を整えてくれるのだ。それなら、なぜ多くの社会が不在のリヴァイアサンの下にとどまっているのだろう？　なぜ中央集権的権威を生み出し、それに足枷をはめようとしないのか？　なぜ赤の女王効果を解き放とうとしないのだろう？

一般に社会科学者は、中央集権的権威が出現しない理由を、国家をもつことに見合う重要な条件——たとえば高い人口密度や、農業や交易の確立など——が欠けていたせいだとしてきた。また、一部の社会には国家建設に必要なノウハウが欠けていたからだという説もある。この見解に従えば、国家建設は主として、適切なノウハウと制度の青写真をそろえられるかどうかという、「設計上」の問題になる。このような側面はどれも、一部の状況では重要になるが、それよりもさらに重要な別の要因がある――リヴァイアサンの恐ろしい顔を避けたいという欲求である。リヴァイアサンを恐れる人々は、権力の蓄積を阻止し、リヴァイアサンの誕生に不可欠な社会的・政治的階層をつぶそうとするのだ。

こうした恐れをもつ社会がリヴァイアサンの台頭を阻止したわかりやすい実例は、ナイジェリアの歴史に見ることができる。ラゴスとギニア湾沿岸の湿地帯を離れ、内陸に向かうと、ヨルバ人の土地、ヨルバランドに入る。A1道路を北上してイバダンまで来たら、A122で東に向かい、ヨルバ人首長の伝統的な聖地イフェからA123をさらに東に進むと、ロコジャに到達する（第一章の図1に記した）。ニジェール川とベヌエ川の合流地点に位置するロコジャは、一九一四年にサー・フレデリック・ルガードによって、ナイジェリア植民地の最初の首都に選ばれた都市だ。ジャーナリストで、のちにルガードの妻になったフローラ・ショーが、ニジェール川の名を取って未来の国家の名前を考案したのはこの地だともいわれる。そこからA233をさらに東に進むと、道路はベヌエ川の下にもぐり、マクルディで再び川の上に出たところがティヴランドだ。

ティヴは血縁体系を中心とする民族集団で、ナイジェリアが植民地化された当時は国家をもたなかった。それでもティヴはまとまりのある集団を形成し、広大で拡大中の明確な領土と、特徴的な言語、文化、歴史をもっていた。一九四〇年代半ばからティヴを研究していた人類学者のポールとローラのボハナン夫妻のおかげで、ティヴについては多くのことがわかっている。夫妻の報告などによれば、ティヴ社会にとっての主な懸念事項は、アテナイが抱えていたのと同じ問題――力をもちすぎた有力者の傍若無人なふるまいをどうやって阻止するか――だった。だがティヴがとった対策は、アテナイ人とはまったく違っていた。ティヴに権力への懐疑心を植えつけ、権力を築きつつある者たちに対して行動を起こすよう駆り立てたのは、規範だった。続いて規範は、あらゆる政治的階級の出現を阻止した。だからティヴに首長はいたが、人々に対する絶対的権威をほとんどもたなかった。主な役割はといえば、第一章で見たアシャンティの長老のように、紛争解決を仲裁・調停し、協力を促すことだった。支配者や有力者が、みずからの意思を人々に押しつけられるだけの権威を確立できる見込みはまるでなかった。

ティヴがどうやって政治的階級の出現をくい止めたかを理解するために、ルガード卿に話を戻そう。ルガードは、「間接統治」として知られるようになる手法を極めようとした。現地の有力者や土地に固有の政治的権威の助けを借りて、植民地を統治するやり方である。だがそうした権威が存在しないとき、どうしたらこの方法で国を統治できるだろう？　ルガードが首長との面会を求めたとき、ティヴ人から返ってきた答えは「首長？　首長って何だ？」だった。イギリスは支配を拡大するうちに、一八九〇年代にはナイジェリア南部にすでに間接統治体制を確立していた。南部ではイギリスの行政官が現地の有力な一族に任命書を渡す、「任命首長」制がとられていた。一九一四年以降、ルガードはさらに野心的な方法を進めた。ルガードはこう述べている。「もしも首長がいない場合……イ［グ］ボ［やティヴ］のような、きわめて緩やかな共同体における進歩の第一条件は、進歩的な首長の下に大規模な単位をつくることである」

しかしその「進歩的な首長」とはいったい誰なのか？　ルガードと植民地行政官はそれを決めることにした。進歩的な首長がティヴランドの秩序を守り、税を徴収し、労働力を組織して道路や鉄道を建設してくれることをルガードは望んだ。ティヴに本物の首長がいないのなら、つくってしまえばよい。ルガードは一九一四年からそれを実行に移し、ティヴに任命首長という新しい制度を敷いたのだ。

だがティヴはそれを望んだわけではなかったし、ルガードの計画が気に入ったわけでもなかった。たちまち問題がもち上がった。一九二九年に、近隣のイボランドで反乱が起こった。ここもやはり国家なき社会であり、イボの「緩やかな共同体」だった。一九三九年夏までにはティヴランド内のほとんどの社会・経済活動が停止状態に陥った。トラブルの発端となったのは、ニャンブアというカルトである。この反乱は、イギリスに帰国し男爵として悠々自適の老後生活を送っていたルガードと、その任命首長たちに対する、ティヴの復讐ともとれる。カルトの教祖はコクワという男性で、ムバツァヴと呼ばれる「魔女たち〔男性も含まれる〕」から身を守るための魔除けを売っていた。ムバツァヴはティヴ語で「力」、とくに他人を支配する力を意味する、ツァヴという言葉に由来する。ツァヴは人間の心臓の上に育つとされ、死後胸を切り開いてその存在を確かめられる。ツァヴをもつ人は、他人を意のままに操り、呪物を使って殺すことができる。重要なことに、ツァヴを生まれつきもっている人もいるが、食人によってツァヴを増やすこともできる。ポール・ボハナンはこう書いている。

人肉を食すると、ツァヴと、もちろん力が高まる。そのため最も強力な者たちは、どんなに尊敬され、好かれていたとしても、心から信用されることはない。なにしろ彼らはツァヴをもつ者たちなのだ――どうやってそれを手に入れたか、わかったものではない。

ツァヴをもつ者たちは、ムバツァヴの一員である。「ムバツァヴ」という言葉には、有力者たち（ツァヴの複数形）という意味と、前に述べたように魔女の集団の二重の意味がある。魔女は墓荒らしや死体食いなどの邪な行為をすることがあった。これは興味深いダブルミーニングだ。想像してほしい、もし「政治家」という言葉に、「公職にある者、または公職の候補者」という意味と、「邪な目的のために組織化された魔女集団」の二重の意味があったらどうなるか（考えてみると、悪くないアイデアだ）。

ニャンブアのカルトの入信者は、革製の杖とハエ払いを与えられた。ハエ払いを使えば、食人で生み出されたツァヴを嗅ぎあてることができた。ポール・ボハナンの撮影による、ハエ払いをもつ占い師の写真を口絵に載せた。一九三九年には、任命首長たちが魔女狩りに遭い、ハエ払いを突きつけられた。この魔女狩りが、イギリス人によって授けられた権限や権力を、任命首長から剝ぎ取ってしまったのだ。ティヴ人はこうすることでイギリス人に反撃に出たのだろうか？　そうでもあるし、そうでもない。より深く掘り下げると、この動きがただの反英行動ではなかったことがわかる。それは反権威の行動だったのだ。ティヴの長老アキガが、当時の植民地行政官ルパート・イーストにこう語っている。

「ツァヴを用いた」かくも多くの無意味な殺人によって、土地が穢(けが)されてしまった。だからティヴは、ムバツァヴを倒すための強力な対抗策をとってきたのだ。こうした大きな動きは、先祖代々長きにわたって行なわれてきた……

実際、ニャンブアなどのカルトは、ティヴの現状を維持するため、つまり誰かが強力になりすぎるのを阻止するために発達した規範の一つだった。一九三〇年代に危険なまでに強力になりつつあったのは任命首長だったが、過去にも同じようにのさばりすぎた者たちがいたのだ。ボハナンはこう指摘する。

力を蓄えすぎた者たちは……魔女狩りという手段によって力をそがれた……ニャンブアは、より大きな政治制度——血縁的関係と平等主義に基づく制度——の維持を図るために、ティヴの政治活動が権力への不信から起こす、定期的な運動の一つなのである。

ここで注目に値するのは、アテナイ人の傲慢への警戒と有力者に対するオストラキスモスを彷彿とさせる、「権力への不信」というフレーズだ。本書はここまで国家の力や能力について論じてきた。だが国家そのものを運営するのは、統治者や政治家、官僚、その他政治的影響力をもつ人々——いわゆる「政治エリート」——からなる主体の一団である。そのような政治的階級が存在しなければ、リヴァイアサンをもつことはできない。人々に権力を行使し、命令を下し、争いにおいて誰が正しく誰が間違っているのかを判断する誰か——政治エリートや支配者、国家建設者——が必要なのだ。だが権力への不信は、政治的階級への恐れを生み出してしまう。ティヴの規範は、ただ紛争を抑制し統制するだけではなかった。それは社会的・政治的階級を厳しく制約するものでもあったのだ。政治的階級の力をそぐことは、国家の力を抑制することになるため、魔女狩りを含む一部の規範は、国家建設の動きを阻止することにもなったのである。

危険な坂道

ティヴの社会がひどく恐れていたのは、リヴァイアサンの恐ろしい顔と、リヴァイアサンが軌道に乗った場合にもたらすであろう支配だった。またティヴの社会は、政治的階級の出現を阻止する強力な規範をもっていた。だからティヴは、不在のリヴァイアサンとともに暮らす羽目になった。だが謎が一つある。社会がそんなに強力で、国家とエリートがそんなに弱かったのなら、なぜティヴの人々はリヴァイアサンを恐れる必要があったのだろう？　なぜ赤の女王効果を始動させ、足枷のリヴァイアサンをもたらす力学の恩恵に浴さなかったのか？　なぜソロンやクレイステネスなどのギリシアの制度改革者や、アメリカの建国の父が考案したような、政治的階級を抑制するための解決策を編み出せなかったのだろう？

その答えは、政治的階級の出現を防ぐ規範の性質と関係がある。だがその答えからは、足枷のリヴァイアサンの条件を整えるのが難しいこと、そして社会のもつさまざまな力に限界があることも明らかになる。一般的な社会的動員や制度化された政治権力とは違って、儀式や魔術の実践、また階級への一般的な反感に依存するティヴの規範は、「スケールアップ」するのが容易ではなかった。社会のある集団が十分な力を手に入れ、ほかの人々に権威を行使するようになったあとも効果を発揮するような制度や規範ではなかったのだ。つまり、ティヴは政治的不平等をつぼみのうちに摘み取る能力はもっていたが、国家建設が軌道に乗ったあとでそのプロセスを制御する能力は、必ずしももっていなかったということになる。そのため、どんな国家建設の試みも、ティヴにとっては危険な坂道になった——いったんその道を下り始めると、足をすべらせて思いもよらなかった場所に行き着く恐れがあった。

これをもっとよく理解するために、ティヴが政治的階級を抑制するために使うことができた社会的手段と、アテナイ人とアメリカ人が国家建設プロセスで使えた手段とを比べてみよう。

アメリカ人の武器庫には、血気盛んなリヴァイアサンを抑えるための強力な武器が、少なくとも二つあった。一つめとして、アメリカ人にはリヴァイアサンを抑制するための制度化された権力があった。州議会は大きな影響力をもち、捨て置くことはできなかったし、連邦国家は選挙や司法によって抑制されていた。二つめとして、アメリカ社会はティヴの社会には見られない方法で動員されていた。アメリカは多くの点で小自作農の社会であり、経済的な野心だけでなく、政治的な野心をも育む土壌があった。アメリカには、（イギリス人が思い知らされたように）専横的権威を受け入れることをよしとせず、反乱を起こすことを厭わない規範があった。だからこそ、アメリカ人は一〇年前の建国時に望ましいと考えられていた規模をはるかに超える力を獲得しつつあった中央集権国家に不安を抱きながらも、専横のリヴァイアサンになるのを阻止することはできると、自信をもち続けていたのだ。

アテナイ人も同じような武器をもち、それらを使って同じような効果を上げた。アテナイは、エリートの支配と特権を抑制することに熱心な社会とともに、暗黒時代を抜け出した。アテナイの経済構造は社会的動員を促した。ソロンの改革により、アテナイはアメリカの一三植民地と同じ、小自作農の社会になり、社会の動員性が大きく高まった。また重要なことに、当時のギリシア社会は軍事技術が変化したおかげで積極性を増していた。青銅器時代の武器は青銅製だったが、紀元前八世紀頃になると鉄に置き換わった。青銅製の武器は高価で、おのずとエリートに独占されていた。これに比べ鉄はずっと安価だったため、考古学者V・ゴードン・チャイルドの言葉を借りれば、鉄は「戦争を民主化した」のだ。とくに鉄はギリシアの有名な重装歩兵をもたらし、おかげでアテナイの社会は、他の都市国家やペルシアとだけでなく、血気盛んなエリートとも戦えるようになった。こうして力のバランスはエリート側を離れ、アテナイ社会側にさらに有利に傾いた。このような社会的動員のすべてが、ソロンとクレイステネス、またその後の指導者たちによって制度化されたため、エリートが権力を奪還し、ただちに支配を回復することがずっと難しくなった。アテナイ人は、ティヴと同様エリートの力と支配が強くなりすぎることを懸念していたものの、オストラキスモスの法と鉄の鎧、民会をもってエリートを抑制できると自信をもっていた。そしてそれはあながち間違いではなかった。

ティヴの場合は事情が違った。ティヴ社会の力の源泉は、あらゆる形態の政治的階級を狙い撃ちにする規範にあった。そうした規範は、国家なき現状を維持する強力な手段になる。なぜなら集合行為問題を解決するのに役立つし、優位に立つために過剰な力を手に入れつつある者たちに身の程を思い知らせるための組織化を促すからだ。だがそれ以外の目的、たとえば軌道に乗ったリヴァイアサンに足枷をはめるために、集団行動を組織化するのには向いていない。その理由の一つは、ティヴがほかの多くの国家なき社会と同様、一連の家族リネージ〔共通の祖先からたどることができる、出自を同じくする親族集団〕が、より大きなクラン〔出自がはっきりとはたどれなくても、共通の祖先をもつという連帯意識で結ばれた集団〕にまとめられてできた社会だったからだ。アテナイには胞族があったが、まだ流動性があり、強力な血縁的つながりにそれほど依拠しておらず、またクレイステネスの改革によって胞族の政治的影響力は著しく弱められた。これに対し、ティヴ社会の最小単位はタールと呼ばれる拡大親族の共同体で、タール内に権威者がいるとすれば、それは男性の長老だった。この社会は親族体系をもとにしたタテ社会で、人々が生涯のうちに担う役割が細かく定められ、指図されていた。社会的動員や政治権力の監視を促したであろう連合は、どんなものであっても、それを自由に結成し、自由に参加できる見込みはほとんどなかった。それに、階級が実際に出現し敬意を集めるようになってしまえば、すべての不平等は魔術のせいだという信念がたちまち崩れてしまう。血縁的関係は、社会が協議し、集団的意思決定に参加するための土台にはならないのだ。

おまけに、血縁社会の政治的階級は、一つのクランによる支配というかたちをとりやすく、対抗勢力を最終的に壊滅させるタイプのリヴァイアサンに道を開くことが多い。まさに危険な坂道である。リヴァイアサンを不在のままにしておく方がましだ。

判読不能なままでいる

国家なき社会の多くは、過去のものも現存する少数のものも、ティヴに似ている。国家をもたず、これといった政治的階級がないという点だけでなく、あらゆる手段を用いて階級の出現を防ぐという点でもそっくりだ。そうした手段は、魔術と同様、何世代もかけて発達してきた規範や信念であることが多い。だがここまでの話は、現代の国家にとって何か意味があるのだろうか？　こんにち存在する一九五カ国のすべてが国家と法律をもち、法律を執行する裁判所と治安部隊をもっている。国家なき社会の不在のリヴァイアサンは、こうした国々にとって何か関係があるのか？　実はあるのだ。不在のリヴァイアサンの場合、国家は存在するが力は非常に弱く、国土の大部分が国家なき社会と同然の状態になっていて、ティヴのように規範によって統治されたり、パプアニューギニアのゲブシのように頻繁に暴力に頼ることが多い。さらに衝撃的なことに、一部の国家は近代的な外観とは裏腹に、基本的な制度さえ敷かずに、国家とは名ばかりで実質は不在のリヴァイアサンのような行動をとっている。その理由はティヴと同じだ――危険な坂道を恐れるからなのだ。現代のレバノン国家がその好例である。

合衆国憲法は、下院の議席を各州の間で人口に比例して配分することを定めている。この基準となる人口を算定するために、憲法の批准から三年以内に国勢調査（センサス）を実施し、それ以降一〇年ごとに再調査することになった。第一回の国勢調査は一七九〇年に実施され、それ以降一〇年ごとにせっせと行なわれている。国勢調査が必要な理由は、公正な議席配分の根拠になるというほかにも数多くある。政府が国民の所在や出身地、暮らし向き、教育水準、そしておそらく収入や富を把握するのにも役立つのだ。国家がサービスを提供し、歳入を確保し、税を徴収するために重要なことである。政治学者ジェイムズ・スコットの言葉を借りれば、国勢調査は国家にとって社会を「判読可能」にする——つまり国家が社会を理解、規制、課税し、必要に応じて強制するために必要な情報を供給するのだ。これらの活動は、国家の存続と機能に欠かせないのだから、すべての国家が社会を判読可能にしたいと思うのは当然だろう。また国民も、サービスを受け、民意を適切に反映させるために、ある程度の判読可能性を求めるはずだ。そろそろあなたも、この議論の落とし穴に気づいただろう。もしも社会が国家を信用していなかったらどうなるのか？　判読可能性が悪用されることを社会が懸念していたら？　危険な坂道を恐れていたら？　これらがまさに、レバノン人が危惧していることなのだ。

　レバノンは第一次世界大戦までオスマン帝国統治下にあり、その後短期間フランスの委任統治領となり、一九四三年に独立した。レバノンは独立以来、一度も国勢調査を実施していない。一九三二年に一度行ない、それをもとに一九四三年に国民協約が締結されたが、それ以降ただの一度も実施していないのだ。一九三二年の国勢調査では、人口の五一％がキリスト教徒で、それ以外のシーア派、スンニ派、ドゥルーズ派などのイスラム教諸派よりもわずかに多かった（図3に示した）。国民協約は多様な集団の間で権力を配分することによって、この構成を認識した。たとえば大統領はつねにマロン派キリスト教徒、首相はスンニ派イスラム教徒、国会議長はシーア派イスラム教徒から選出されることが定められた。配分はそこで終わらない。副議長と副首相はギリシア正教キリスト教徒、陸軍参謀総長はドゥルーズ派イスラム教徒と決まっている。議会の議席配分は、キリスト教徒六に対してイスラム教徒五で固定されている。そしてこの比率のなかで、一九三二年の国勢調査の人口比率に基づいて、各宗派の占める率が定められている。

　予想どおり、この協約は信じられないほど弱い国家をつくった。レバノンの権力は国家ではなく、

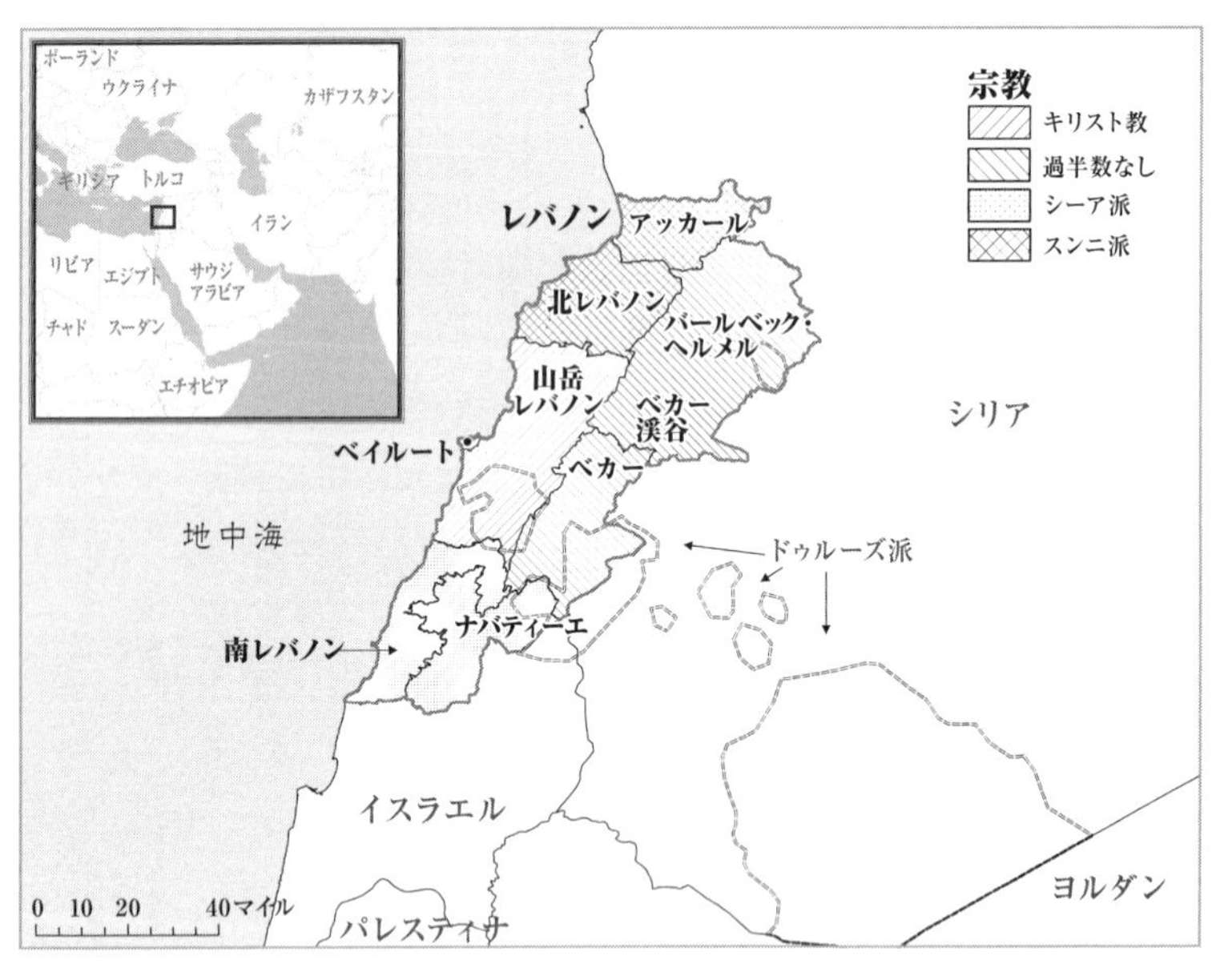

図3　レバノンの共同体

個々の共同体に所在する。これこそ不在のリヴァイアサンだ。医療や電力などの公共サービスを提供するのも国家ではなく、共同体だ。国家は暴力を抑制しないし、警察を制御することもしない。イスラム教シーア派組織ヒズボラは私兵をもち、ベカー渓谷のその他多くの武装勢力も同様だ。各共同体は自前のテレビ局とサッカーチームをもっている。たとえばベイルートのアル・アヘドはシーア派のチームで、アル・アンサールはスンニ派だ。サファー・スポルティング・クラブはドゥルーズ派、レーシング・ベイルートはギリシア正教、ヒクメはキリスト教マロン派といった具合だ。

レバノン国家の極端なまでの権力分有のせいで、共同体は互いの行動を逐一監視することができる。そのせいで各集団は、ほかのどの集団が求めるどんなことに対しても拒否権を行使し、政府内にひどい膠着状態を生じているのだ。この膠着状態は、意思決定を下せないなどの明らかな影響をおよぼしている。公共サービスにとっては大問題だ。二〇一五年七月、ナーメにある主要なゴミ埋め立て処理施設が限界に達して閉鎖された。政府には代替策がなく、ベイルートではゴミがあふれ始めた。政府は早急に対策を講じるどころか、何もしなかった。ゴミはその後も山積し続けた。ベイルートのゴミの山の写真を口絵に載せた。

実際、何もしないことが政府の常態である。国会は一〇年近く予算を議決しておらず、内閣がみずから予算を決定している。二〇一三年にナジブ・ミカティ首相が辞任したときも、政治家が新政権に合意するまでに一年かかった。急ぐ必要などなかった。二〇〇九年六月の議会選挙から二〇一四年の選挙までの間、一二八人の議員は埋め立て地がいっぱいになっていくのをよそ目に、計二一回、平均年四回ほどのペースでしか国会を開かなかったのだから。二〇一三年は二回だけ集まり、二つの法案を通過させた。うち一つは、議員を権力の座にとどめるために、任期を一八カ月間延長する法案だった。この戦略は毎年のように用いられ、ようやく新たな選挙が行なわれたのは、二〇一八年五月になってからのことだ。その間、レバノンは存亡にかかわるきわめて重大な危機に見舞われていた。内戦が続く隣国シリアから、レバノンの人口の約二〇％にも相当する、一〇〇万人もの難民が流入したのだ。かくして四年の任期で選出され、国が重大な問題に直面する間もいっさい行動を起こそうとしなかった議員たちは、九年もの間「無為に過ごした」のだった。もちろん、「無為」といっても、ものは見ようだ。議員たちが二〇一八年にようやく総選挙を実施する法案を通過させたとき、あるメディアがこのできごとを記念する最優秀ツイートを選ぶコンテストを実施した。候補作の一つは、「諸君、よくやった。一時間の労働を見事にやり遂げたな。やっと永遠の休暇に戻れるぞ」だった。議員たちは、急いでゴミ問題に対処するつもりなどさらさらなかった。

あまりの事態に人々は抗議運動を組織し始めた。ゴミ問題をきっかけとして、体制の抜本的な変革を要求しようという運動、「ユースティンク（お前は臭い）」が起こった。だがレバノンでは何事も疑心暗鬼の目で見られる。組織はどんなものであっても、よその共同体の勢力拡大のための道具ではないかとたちまち怪しまれる。二〇一五年八月二五日に、運動員がフェイスブックに悲痛な記事を投稿した。

#ユースティンク運動開始時からわれわれの運動が受けてきた誹謗中傷のことは黙っているつもりだった……当初から、われわれがムスタクバル潮流（与党・未来運動）を支持し、（ムスタクバルのウェブサイト上で）キリスト教徒の権利に反対しているという、根も葉もない非難を受けてきた。続いて、われわれが三月八日勢力の支持者で、ムスタクバル潮流に反対しているという（エル・マシュヌク内相と政府による）中傷を受けた。運動参加者についても、賄賂を受け取っただの、ワリド・ジュンブラット議員やら、外国の大使館、アマル運動、ヒズボラ等々の支持者だろうだの、さんざんなことをいわれ……非難を受けていない仲間は一人もいない。誹謗中傷の主な目的は、宗派にとらわれない独立的な選択肢をもつというアイデアを歪曲し、否定することにあったのだ。

この投稿には、不在のリヴァイアサンの下でよく見られるものが如実に表れている。それは、内輪で分裂しているせいで、歩調を合わせることができず、ほかの個人や集団が政治を動かそうとしているのではないかという猜疑心にとらわれた社会だ。

議会の無策は、共同体が議会に何もしてほしくないと思っていることの表れである。レバノン中央部選出のキリスト教徒議員ガッサン・ムカイバーのいうとおりだ。

国会などの機関が頻繁に開かれ、国家運営に口出しすることを、国民は望んでいないのです。

レバノン国家が弱いのは、人々が適切な制度を設計しなかったからではない。実際、この国にはかつてかなり近代的な大学制度があり、中東でもとくに教育水準の高い国民がいた。多くのレバノン人が世界の一流学術機関に留学する。レバノン人は有能な国家を建設するすべを知らないのではない。共同体が危険な坂道を恐れるがために、国家はわざと弱くなるようにつくられているのだ。国会議員はのらくら過ごすのが務めと心得ているから、国会に出る意味がどこにある？　議員が選挙の先送りを決定できるのは、誰が議員になるかを気にしている人など一人もいないからだ。ときにはゴミ問題のように、社会に実害がおよぶこともあるが、そんなときでさえ、対策をとるのは至難のわざだ。誰も議会に権限を与えることを望まず、国会を信用せず、社会運動も好まない。誰が信用できるかわかったものではないからだ。

レバノンは国家なき社会ではない。六〇〇〇万の人口を抱える近代国家として、国連に議席をもち、各国に大使を派遣している。だがティヴと同様、権力は国家以外のところにある。レバノンには不在のリヴァイアサンがあるのだ。

レバノンでは一九七五年から一九八九年にかけて、ヨルダンからのパレスティナ難民の大量流入が混乱を招き、やがて共同体間の血で血を洗う内戦に拡大した。内戦に終止符を打った一九八九年のターイフ合意により、国民協約が一部修正され、キリスト教各派とイスラム教各派の議席比率が一対一となり、シーア派の議席が増やされた。それとともに、大統領の権限も弱められた。

一対一の議席配分は、一九四三年の憲法で定められた六対五の配分よりも、共同体の実態をよく反映しているのだろうか？　おそらくそうだが、誰も宗教ごとの共同体の本当の人口を知らないし、知りたいとも思っていない。国家がほかの共同体に占有され、掌握される恐れがある以上、社会は国家にとって判読不能なままでいることを望み、恐れを排除するために、リヴァイアサンを眠ったままにしておくのだ。かくしてゴミは積み上がっていく。

狭い回廊

本書のテーマは自由である。自由を実現できるかどうかは、社会が得るリヴァイアサンの種類とその発展に――つまり、社会が有能な国家をもたずに暮らすか、専横的な国家に甘んじるか、それとも足枷のリヴァイアサンと自由の着実な繁栄に道を開く力の均衡を達成できるかどうかに――かかっている。

社会科学の大半と現代の世界秩序では常識とされている、社会がリヴァイアサンに自分たちの意志を従わせるというホッブズのビジョンとは対照的に、私たちの理論の根幹をなすのは、リヴァイアサンは必ずしも諸手（もろて）を挙げて歓迎されるべきものではなく、それがたどる道は控えめにいっても険しいという考えである。多くの場合、社会はリヴァイアサンの支配に抵抗し、過去のティヴや現在のレバノン人のように、それを抑え込むことに成功する。この抵抗の結果は、不自由である。

抵抗が失敗に終わるとき、ホッブズが想像した海の怪物によく似た、専横のリヴァイアサンが出現することもある。だがこのリヴァイアサンは闘争を防ぎはするものの、市民の生活は、不在のリヴァイアサンの下での「過酷で、野蛮なものになり、寿命は短くなる」生活よりずっと豊かなものになるとは限らない。それに、人々は本心からリヴァイアサンに「意志を従わせ」るわけでもない——ベルリンの壁崩壊を見届けようとして、通りで革命賛歌「インターナショナル」を歌っていた東欧の民衆が、ソヴィエト・ロシアに心から意志を従わせてはいなかったように。市民への影響は、不在のリヴァイアサンとはいくつかの点で異なるが、それでもやはり自由はない。

これらとまったく違う種類の、足枷をはめられたリヴァイアサンが生まれるのは、リヴァイアサンの力と、それを制御しようとする社会の能力とが均衡しているときだ。これが、紛争を公正に解決し、公共サービスと経済的機会を提供し、支配を防ぎ、自由の基本的な土台をつくることのできるリヴァイアサンだ。これが、自分たちの力で制御できると信じて、人々が信頼し、協力し、能力の拡大を許すリヴァイアサンだ。またこれが、社会における行動を厳しく制約する規範の檻を壊すことによって、自由を促進するリヴァイアサンだ。しかし本質的な意味では、これはホッブズのリヴァイアサンではない。その決定的な特徴は、足枷にある。足枷があるからこそ、ホッブズの海の怪物のように社会を支配することはないし、政治的意思決定に影響をおよぼそうとする人々を無視したり黙らせたりする能力ももたない。社会の上にそびえるのではなく、そばに寄り添うのである。

次の主題図1に、こうした考えや、私たちの理論で異なる種類の国家の発展に影響を与える要因をまとめた。大筋に集中するために話を単純化して、すべての要因を二つの変数に還元した。一つめの変数は、社会の力である。とくに、集団行動を起こし、成員間の行動を調整し、政治的階級を抑制するうえで、規範や慣習、制度を利用してどれだけの力を行使できるかだ。横軸に取ったこの変数はしたがって、社会の全体的な動員や、制度化された権力、またティヴのように規範を通じて階層を制御する能力が組み合わさったものになる。二つめの変数が、国家の力である。縦軸に示したこの変数もやはり、政治・経済エリートの権力や、国家制度の能力と権力を含む、いくつかの側面が組み合わさ

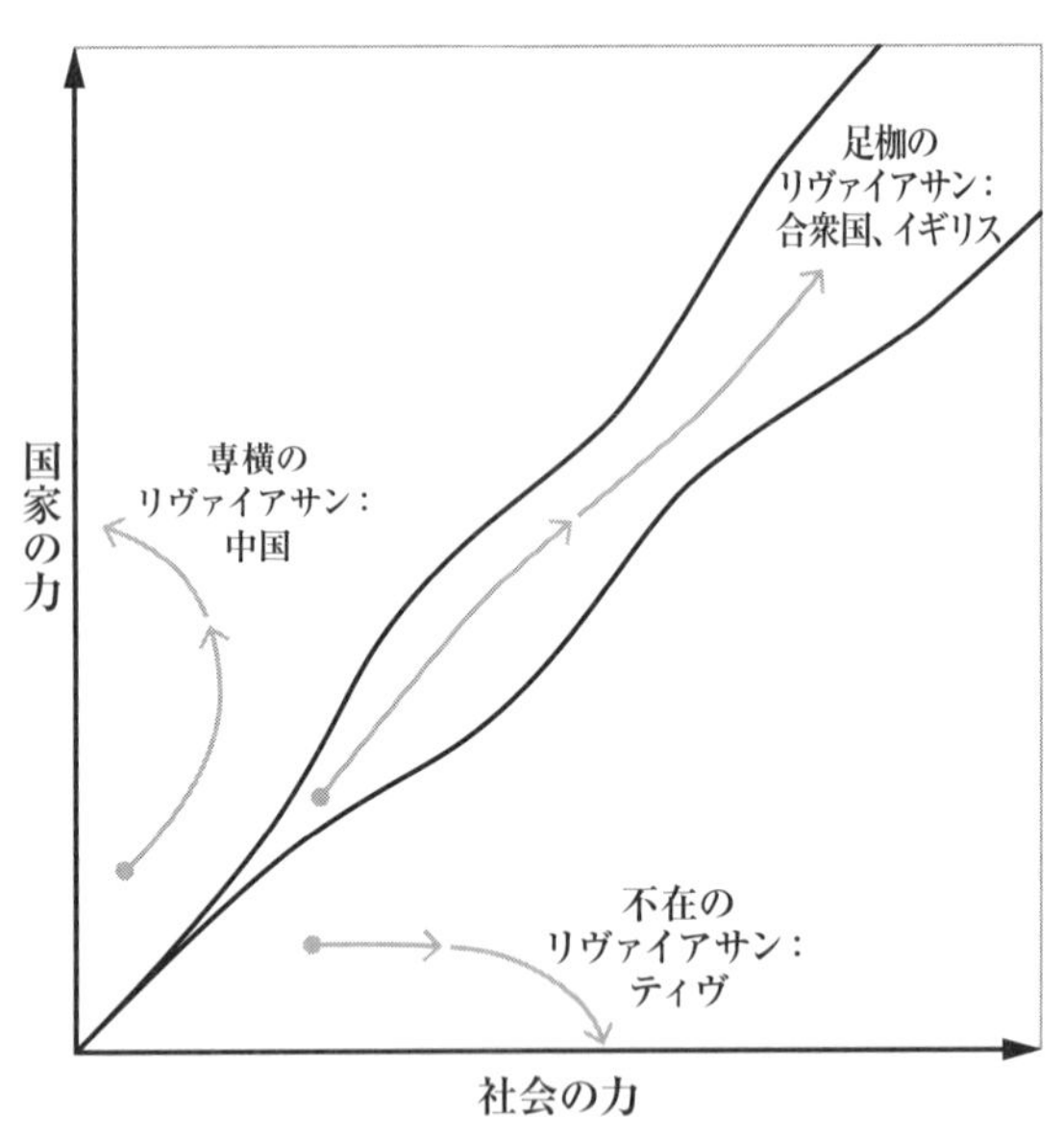

主題図1　専横、足枷、不在の各リヴァイアサンの発展

ったものだ。もちろん、社会内部の対立を考慮に入れないのは甚だしい単純化であり、エリート内部の対立や、エリート対国家機関の対立を考慮しないのも同様である。とはいえ、こうして単純化することで、理論の重要な要因や新しい発見のいくつかを際立たせることができるのだ。また本書の後半では単純化を超えて、それらを取り払ったときに現れる、より細やかな情景を見ていこう。

主題図1の左下に近い部分のどこかで、強力な国家と社会をもたない、前近代的な政体のほとんどが始まると考えよう。左下から発する数本の矢印は、国家と社会、そして両者間の経時的な関係がたどる、いくつかの発展経路を表している。図に示した典型的な経路の一つは、ティヴやレバノンをめぐる私たちの議論に近いもので、社会の方が国家よりも強く、したがって強力な中央集権国家制度の出現を阻止できる状態から始まる。ここから生まれるのは、リヴァイアサンがほぼ存在しない状況だ。なぜなら当初国家とエリートが弱すぎて、政治的階級を抑制する社会の規範に対抗できないからだ。危険な坂道の恐れがある限り、社会は何としてでもエリートの力を損なわせ、政治的階級の弱体化を図ろうとするため、国家に似た政体はいっそう衰え、不在のリヴァイアサンがさらにしっかり定着する。国家より社会の方が相対的に力が強いことは、このような事例でなぜ規範の檻がそれほど強いかという理由も説明する――紛争を解決・調停する制度的手段がないなかで、規範がさまざまな役割を担うようになるが、その過程で規範の檻そのものが社会的不平等を生み出し、個人をさまざまなかたちで厳しく制約するようになるからだ。

図の反対側に、当初社会よりも国家とエリートの方が強い状態を始点とする、第一章で見た中国をめぐる議論に近い矢印がある。これは専横のリヴァイアサンが出現しやすい構成だ。ここでの矢印は、国家の力がさらに高まる方向に向かう。他方、社会は国家にかなわないことを知り、力を失っていく。専横のリヴァイアサンは、足枷をはめられないように社会の弱体化を図ろうとするから、この傾向はますます助長される。その結果、やがて専横のリヴァイアサンは、弱い社会を圧倒するほどの力をもつようになり、力のバランスが変化するせいで、リヴァイアサンが最終的に足枷をはめられる見込みはいっそう遠のく。

だがこの図はまた、有能な国家とそれに見合う有能な社会をもつことが可能であることも示している。これが実現するのは、足枷のリヴァイアサンが出現する、中央の狭い回廊のなかである。この回廊のなかでこそ、赤の女王効果が作用し、国家と社会はせめぎ合ううちに互いに力を強め、均衡を奇跡的にも保つことができるのだ。

実際、赤の女王――国家と社会の競走――は、ただ双方の能力を高めるだけではない。赤の女王は制度の性質をつくり変えることによって、リヴァイアサンが説明責任をよりよく果たし、市民への応答性を高めるようにする。またその過程で、人々の生活も変容させる。なぜなら赤の女王は、市民に対する国家とエリートの支配を取り除くだけでなく、規範の檻を緩めたり壊したりすることによって、個人の自由を推進し、より効果的な政治参加を可能にするからだ。したがって、政治的・経済的・社会的支配に妨げられない真の自由が現れ、発展するのは、この回廊の中だけである。回廊の外では、自由はリヴァイアサンの不在や専横によって損なわれる。

ただし、赤の女王効果の危険な性質を認識しておかなくてはならない。社会と国家が激しくせめぎ合ううちに、どちらか一方が他方よりも前に出てしまい、その結果両者がともに回廊から引きずり出されることがある。また赤の女王効果が働くためには、国家と社会の競争やエリートと非エリートの競争が、互いに相手をつぶし踏みにじろうとする、完全な「ゼロサム競争」になってはいけない。そのため、競争にはある程度の妥協の余地が、つまりどんな作用にも反作用が伴うという理解が欠かせないのだ。第一三章で見るように、分極化のプロセスが生じると赤の女王効果がゼロサム化し、その結果プロセスが制御不能に陥りやすくなる場合がある。

この図には注目すべき特徴がもう一つある。それは、国家と社会がともに非常に弱い左下の部分には、回廊が存在しないということだ。これは私たちのティヴをめぐる議論の重要な側面を表している。ティヴは、いったん出現してしまった政治的階級を制御できるような規範や制度をもたなかった。だからこそ、政治的階級のにおいをわずかでも嗅ぎつければ、それを何としてでも根絶やしにしようとしたのだ。ティヴにとっての選択は、足枷のリヴァイアサンか、不在のリヴァイアサンかではなく、専横を受け入れるか、国家をいっさいもたないかだった。これは国家と社会がともに弱い多くの事例に広く見られる特徴であり、またこのことは、せめぎ合いの両当事者がある程度の基本的能力を構築し、かつ力の均衡を得るための基本的な制度上の必要条件が満たされて初めて、国が回廊のなかに入ることができるということを強調している。

論より証拠

理論の有用性は、世界に対する新しい考え方を提示できるかどうかで判断できる。いま提唱したばかりの理論からどんなことがわかるかを考えてみよう。第一章は、世界がどこに向かっているのかという問いから始めた。理想的な西洋民主主義が一人勝ちする状況だろうか？　アナーキーだろうか？　それともデジタル専制体制なのか？　私たちの理論を通して見ると、このシナリオのそれぞれが、主題図1に示した三つの経路に似ているように思える。だがこの理論がはっきり示しているのは、すべての国が同じ経路をたどるという仮定などあり得ないということだ。収斂ではなく、多様性を予想すべきだろう。さらに、ある経路から別の経路への乗り換えはシームレスには行なわれない。いわゆる「経路依存性」が強く作用しているのだ。いったん専横のリヴァイアサンの軌道に乗ってしまうと、国家制度を支配する国家とエリートはますます強くなり、社会と、国家を抑制するための規範はますます弱くなる。中国を例に取ろう。中国は今後さらに豊かになり、世界経済秩序にさらに組み込まれていくうちに、西洋民主主義に近づくはずだと、いまも多くの政策立案者や識者が予測している。だが主題図1の専横のリヴァイアサンの経路は、時間がたっても回廊へと収斂しない。第七章では、中国国家の社会支配が歴史に大きく影響されていること、また国家に異を唱えたり、国家を束縛したりしないように、社会の弱体化を図ろうとする指導者とエリートの特定の行動によって、そうした歴史的関係がいまも再現されていることを見ていこう。この歴史のせいで、回廊内への移行がさらに難しくなっているのだ。

だが歴史が重要といっても、歴史はくり返される運命にあるわけではない。このことは、私たちの理論からわかる二つめの重要なことにつながる。それは主体の行動次第で結果を変えられる余地が大きいということ――指導者やエリート、政治的起業家が集団行動を促し、新たな連合を築くことによって、社会の軌道をつくり変えることは可能だということだ。経路依存性と、ある経路から別の経路へのときたまの乗り換えとが両立するのは、この理由による。両立がとくに見られるのが、回廊内の社会だ。そこでは国家と社会の均衡がもろいため、社会が警戒を怠るか、国家の能力が衰えるかすれば、均衡は簡単に崩れてしまうからだ。

第三の、これと関連する重要な点は、自由の性質とかかわりがある。西洋の制度と憲法設計のすばらしさや、そのたゆみない台頭を強調する通説とは違って、私たちの理論では、自由は簡単に設計できない、厄介なプロセスから生まれる。自由は計画して生み出すことはできないし、巧妙な抑制と均衡のシステムによって自由の命運を保証することもできない。自由を実現するには、社会の動員と警戒、積極性が欠かせない。思いっきり走る必要があるのだ！

序章で見たように、ギルガメシュをそのドッペルゲンガーであるエンキドゥによって抑え込む、抑制と均衡の戦略は、ウルクで成功しなかった。ほかのほとんどの場合もそうだ。また、憲法によって導入された抑制と均衡の仕組みが、アメリカの自由を支える柱だとしばしば強調される、合衆国も例外ではない。一七八七年にジェイムズ・マディソンと協力者らはフィラデルフィアでの憲法制定会議に、連邦政府に強力な権限を与える、いわゆるヴァージニア案を提出して議論の基調を打ち出し、この案が憲法の基盤となった。しかし、この新しい国の制度設計は、ヴァージニア案とは異なるものになった。なぜなら社会（またはその一部）が連邦主義者を完全には信用せず、自由がよりしっかり保護されるよう求めたからだ。前に見たように、マディソンは権利章典を受け入れざるを得なかった。アメリカ共和国の建国において国民の権利保護を確保したのは、社会の関与と積極性だったのだ。

私たちの理論からわかる第四の点は、回廊に入る戸口はいくつもあり、また回廊内の社会は多種多様だということだ。国が回廊に入る方法にはどんなものがあるか考えてほしい。実際、自由のための条件をつくり出すとは、紛争や暴力を抑制し、規範の檻を壊し、国家機関の権力と専横に足枷をはめることを含む、多面的なプロセスである。だからこそ、自由は国家が回廊に足を踏み入れたとたん出現するのではなく、徐々に発展していく。回廊の中を長く旅しても完全に暴力を抑制できない国があれば、規範の檻を緩めるうえでたいした進展を挙げられない国も、また専制と闘い、国家に社会の声を反映させようと奮闘し続ける国もあるだろう。社会が回廊に入る方法を決定する歴史的条件と連合は、回廊内で行なわれる妥協のタイプをも左右し、重要かつ長期的な影響をおよぼすことが多い。

合衆国憲法には、この点もはっきり表れている。批准のために必要な譲歩は、権利章典だけではなかった。州の権限という問題は、奴隷制と自分たちの資産を何としても守ろうとする南部のエリートにとっての試金石だった。南部のエリートに批准を受け入れてもらうために、建国の父は権利章典が連邦議会の立法だけを制約するものであって、州には適用されないことに合意した。この「原則」が、州レベルでのさまざまな権利侵害、とくに黒人への人権侵害に対する手綱を緩めてしまったのだ。人口の多数を占める黒人の自由の甚だしい侵害は、下院議員の定数配分を決める際に、黒人奴隷一人を自由人の五分の三人と数えることを認めた条項によって、憲法自体に正式に刻みつけられたのである。また、差別は憲法そのものに織り込まれただけでなく、アメリカの多くの地方に深く根づいた規範によっていっそう強化された。合衆国がこのような経緯で回廊に入り、その中を進んでいったせいで、連邦政府は南部の差別的な規範やその制度的基盤を弱めようとはしなかった。そのため黒人に対する激しい差別と支配は、南北戦争および一八六五年の奴隷制廃止のずっとあとまで続いたのである。

こうした数多くの差別的規範の甚だしい例の一つが、黒人（メキシコ人やユダヤ人も対象に含まれることがあった）の日没後の外出を禁止する地区、いわゆる「サンダウン・タウン」の存在だ。アメリカは車社会であり、「ルート66」を旅するのは人々の楽しみだ。だが昔は誰でも楽しめたわけではなかった。一九三〇年当時、ルート66が通過する八九の郡のうち、四四郡に「サンダウン・タウン」があった。黒人がどこかで食事をしたりトイレに行こうとして、そこが白人専用だったらどんな気持ちになるだろう？　コカコーラの自販機にまで「白人専用」の表示があった。黒人ドライバーがどんなに困っていたか考えてほしい。この苦境を何とかしようと、一九三六年にニューヨーク・ハーレムに住むアフリカ系アメリカ人の郵便配達人ヴィクター・グリーンが、黒人ドライバーでも日没後に外出できる場所や利用できるトイレなどに関するくわしい情報をまとめたガイドブック、『黒人ドライバーのためのグリーンブック』を出版したほどだった（最終版の発行は一九六六年）。このように、合衆国の経験は、社会が回廊に入る方法について多くのことを教えてくれる。第一〇章では、回廊に入る方法が自由の度合いを左右するだけでなく、多くの政策や社会の選択にも影響を与え、世界全体に広範な影響をおよぼすことを見ていこう。

私たちの理論からわかる第五の意外な点は、国家能力の開発と関係がある。主題図1の回廊内の矢印は、専横のリヴァイアサンが実現しているよりも高いレベルの国家能力に向かっている。それはなぜかといえば、国家能力の拡大を国家と社会のせめぎ合いが支えるからだ。この考え方は、国家能力を構築するためには治安維持権限の完全な掌握と強力な軍隊が必要だとする社会科学や政策論議における通説の多くと、とくに強力な指導者が果たす役割という点で、真っ向から対立する。中国は共産党支配に対抗する勢力がないためにここまで国家能力を拡大できた、だから中国はほかの途上国にとって（ひょっとすると先進国にとってさえも）よいロールモデルになるだろうと、多くの人が主張するのは、この考えをもとにしている。だが深く掘り下げれば、中国のリヴァイアサンが専横的でありながら、合衆国や北欧諸国などの足枷のリヴァイアサンよりも能力が劣っていることがわかる。なぜなら中国には、リヴァイアサンに要求を突きつけ、ともに力を合わせ、その権力に異議を申し立てる、力強い社会がないからだ。国家と社会の力の均衡が実現しなければ、赤の女王効果は作用せず、したがってリヴァイアサンは能力を十全に伸ばすことはできないのだ。

中国の国家能力の限界は、教育制度を見るだけでも明らかだ。教育は多くの国家の最優先事項だが、その理由は、教育水準の高い労働力が国の繁栄に貢献するからだけではない。教育は市民にふさわしい考えを教え込む有効な手段でもあるからだ。だから能力の高い国家は、質の高い実力重視の教育を幅広く提供し、公務員を動員してその目的を推進することができるはずだと思うだろう。だが現実はかなり違っている。中国の教育制度では、黒板に近い最前列の席から、学級委員のポストまでの何もかもに値段がついているのだ。

ツァオ・ホアが娘を北京の小学校に入れる手続きに出向いたとき、学区教育委員会の職員が各家庭の負担金額のリストをすでに作成していた。職員が待ち構えていたのは学校ではなく銀行で、ツァオはそこで入学金として四八〇〇ドルを入金させられた。学校は無償なため、こうした「手数料」は違法で、政府は二〇〇五年以降五回もそれを禁止している（また五回も禁止する必要があったことが、多くを物語っている）。北京の別のエリート高校では、親が学校に四八〇〇ドルを寄付するたび、生徒に一点ずつ加算される。わが子を北京の名門、中国人民大学の附属校などの一流校に入れるには、一三万ドルもの賄賂が必要になることもある。教師はまた贈り物を――多くの贈り物を――期待する。中国のメディアによれば、最近は高級ブランドの時計や高価なお茶、ギフトカード、休暇旅行などの貢ぎ物を期待する教師が多いという。もっと強引な教師なら、一年中残高が補充される銀行口座のデビットカードをせびることもあるという。北京のビジネスウーマンが《ニューヨーク・タイムズ》のインタビューに答えて、状況をひと言で表した。「ほかの親がみんな貢いでいるのに自分だけしなかったら、うちの子は先生に目をかけてもらえなくなる」

公務員がなぜここまで欲得ずくになれるのだろう？　中国は世界初の実力本位の国家官僚機構を生み出した国ではなかったのか？　そうでもあるし、そうでもない。第七章で見るように、中国には精巧で有能な官僚機構の長い歴史があるが、蔓延する腐敗の歴史も同じくらい長く、政界にコネをもつ人や最も高い値をつける人に、多くの地位が与えられてきた。この歴史はいまも続いている。二〇一五年に三六七一人の共産党幹部を対象に実施された調査では、政府の仕事を得るための最重要基準として、実力ではなく「政治的忠誠」を挙げた人が三人に二人もいた。いったん忠実な者たちで周りを固めてしまえば、実業家や市民から金を巻き上げる仕事に安心して取りかかれるというわけだ。また官職を売っても、従順な部下を得ることができる。政治学者のミンシン・ペイは、二〇〇一年から二〇一三年にかけて収賄で有罪判決を受けた共産党幹部の訴訟から、五〇件のサンプルを抽出して分析した。役人は一人当たり平均四一の官職を金のために売っていた。下は県役員、たとえば安徽省五河県のザン・ギュイやシュ・シェクシンなどがいた。ザンは一一の官職を平均一万二〇〇〇元、わずか一五〇〇ドルほどで売り、シュは五八の職位に対し平均二〇〇〇ドル強を得ていた。だがピラミッドの上層の省などでは、官職の値段はずっと高額になり、一件当たり六万ドルを得ていた役人もいた。ペイのサンプルでは、堕落した役人は一人当たり平均一七万ドルをもうけていた。

ザンやシュのような役人は下っ端にすぎない。二〇一一年に汚職容疑で逮捕された劉志軍鉄道相は、本人名義のマンション三五〇戸と現金一億ドルを含む収賄をしたとされる。これほどの規模におよんだのは、中国の高速鉄道システムが他に類を見ないほどの収賄機会を提供したからだ。だがそれをいうなら、拡大する中国経済のほとんどの側面もそうだ。劉は失脚したが、大半の人が逃げおおせている。二〇一二年の中国の富豪トップ一〇〇〇人のうち、一六〇人が全国人民代表大会（全人代）代表だった。富豪らの純資産の合計は二二一〇億ドルである。この金額は、一人当たり所得が中国の七倍であるアメリカにおける、司法・立法・行政三部門の上位六六〇人の高官の純資産合計の約二〇倍にあたる。このすべてがそう驚くようなことではない。官僚機構であれ教育制度であれ、汚職を抑制するには社会の協力が欠かせないのだから。国家の側は、市民が正直に報告してくれるという信頼をもたなくてはならないし、市民の側も、国家機関を信頼していなければ、危険を覚悟で情報を提供しようとは思わない。専横のリヴァイアサンのいかめしい目に射すくめられていれば、そんな気になるはずがない。

これを主に汚職の問題だと考える人がいるかもしれない。もしかすると、中国は汚職に甘いだけで、国家能力は高いのではないか？　この解釈は、中国国家の執拗な（かつほとんど成果の上がっていない）汚職対策と矛盾するし、また汚職を抜きにしても、中国のリヴァイアサンの下では国家の通常業務すら円滑に行なわれていない。レバノンをめぐる私たちの議論で見たように、普通の国家は社会を「判読可能」にすることを重要な目標にするはずだ。経済を判読可能にすることはとくに重要である。実際、経済成長が中国共産党の一党独裁を正当化する重要な根拠だということを考えれば、経済活動を理解し、正確に測定することは、国家の重要な目標であってしかるべきだ。だが経済を判読可能にするためには、汚職の抑制と同様、社会の協力が欠かせない。社会が協力を拒んでいる状況では、なにかと支障が生じる。企業は無届の非公式部門に隠れてしまわないだろうか？　個人は信用できない国家への情報提供を拒むのではないか？　官僚は出世のためにデータを操作するのではないか？　この三つの問いへの答えは、とくに中国では「イエス」だ。中国の所得統計を信じている人が誰もいないように思えるのは、このためだ。李克強前首相でさえ、首相になる前の二〇〇七年に、中国のGDP統計は「人為的で信頼できない」といっている。経済の現状を推し量るには公式統計の利用は控え、電力消費量と鉄道貨物輸送量、銀行の融資残高を見た方がいいと、李自身明言しているのだ。中国国家が経済を判読可能にする能力など、その程度のものでしかない。

リヴァイアサンに足枷をはめる——信頼せよ、されど検証もせよ

足枷のリヴァイアサンこそ、誰もが夢見るべき国家、信頼できる国家のように思える。だが本物の足枷のリヴァイアサンを築くには、信頼に限界を設けなくてはならない。なにしろリヴァイアサンは、足枷をはめられようがはめられまいが二つの顔をもち、DNAには専横が流れているのだから。

つまり、リヴァイアサンとともに暮らすのは大変だということだ。とくに、放っておくとどんどん力を増していくというリヴァイアサンの性向を考えれば、なおさらである。リヴァイアサン自体は、代理人(エージェント)ではない。私たちがリヴァイアサンについて話すときふつう頭に思い浮かべるのは、リヴァイアサンを運営する統治者や政治家、指導者などの政治エリートや、リヴァイアサンに多大な影響をおよぼす経済エリートなどだ。こうしたエリートの大部分と、リヴァイアサンのために働く人たちの多くは、リヴァイアサンの力を拡大することに関心がある。たとえば官僚は公共サービスを提供したり、国民が独占企業や略奪的な融資慣行に支配されないように経済活動を規制したりすることに、日夜励んでいる。官僚は自分の権力や権威も拡大したいとは思わないだろうか？　リヴァイアサンの舵(かじ)取りをしている政治家を考えてみよう。政治家がこの海の怪物がさらに有能になり、支配を強めることを

望まないわけがあるだろうか？　そのうえ、私たちの生活はますます複雑になり、紛争解決や規制、公共サービス、自由の保護がますます必要になっている。だがリヴァイアサンは有能になればなるほど、制御が難しくなる。したがって社会が――一般市民である私たち全員と、私たちの組織や団体のすべてが――リヴァイアサンを制御するために、より強力にならなくてはならない。これが赤の女王効果の働きである。

だが赤の女王の働きは、それだけではない。前に説明したように、国家は強力な社会と協力することにより、さらに大きく能力を伸ばせるのだ。いったんリヴァイアサンに足枷をはめることができれば、国家が能力を活用して、市民が欲し、必要とするものを提供できるように、社会は国家に長い引き紐(ひも)をつけて、行動範囲を広げてやることもできる。これが「信頼せよ、されど検証もせよ」の戦略である――国家を信頼して、より大きな力を獲得させるが、同時に私たちも国家に対するコントロールを高めるということだ。これがうまく行けば――アメリカや西欧である程度うまく行っているように――国家と社会がともに力を高めつつ、どちらか一方が他方を支配することのないように、バランスの取れた方法で拡大していく持続的なプロセスが手に入る。この繊細な均衡が実現するとき、足枷のリヴァイアサンはただ闘争を終わらせるだけでなく、社会の政治的・社会的発展のための手段となり、市民参画や市民団体、市民的能力を開花させ、規範の檻を解体し、経済的繁栄を遂げる手段になる。ただし、そのためにはリヴァイアサンを足枷をはめたままにしておくことが必須だ。厄介な赤の女王効果が制御不能に陥るのを防ぐことが欠かせない。これは至難のわざである。

足枷のリヴァイアサンについて論じる前に、不在のリヴァイアサンの下で国家がどのようにして、何のために出現するのか、社会の紛争にどう対処するのか、社会の経済状態をどのように変化させるのかを理解しておくことが役に立つ。次章はそこから始めよう。

第三章

力への意志

預言者の台頭

ムハンマドは五七〇年頃、メッカの商人の家に生まれた。幼くして両親と死別し、叔父に引き取られて、この時期に活気ある交易の中心地だったメッカで育った。この都市の起こりは、カアバと関係があるようだ。カアバは漆黒の花崗岩でできた立方体の建造物で、イスラム以前から地元の神々が祀られていた神殿であり、のちにイスラムの最も聖なるモスクになった。人々は一年のうちの決まった時期に巡礼のためにメッカを訪れ、それが交易の絶好の機会になった。都市に芽生えた交易共同体はやがて四方八方へと拡大し、アラビア半島とダマスカス、ビザンティン（東ローマ）帝国、ペルシア帝国の間の交易をより広範に中継し始めた。

だがメッカや、約四〇〇キロ北に離れた近隣都市のメディナ（図4）に入植した人々は、もとは砂漠の遊牧民で、定住生活は初めてだった。その社会には国家も中央集権的権威もなく、ほかの多くの国家なき社会と同様、クランと呼ばれる一種の血縁集団を中心に組織されていた。ちなみにムハンマドは、メッカの支配部族のクライシュ族に属する、ハーシムというクランの一員だった。カアバの周りにできた新しい町の暮らしに慣れるのは、人々にとって容易なことではなかった。こうしたクランは、それまでラクダやヤギの群れを連れて、何百キロにもわたる広大な砂漠を旅しながら暮らしていた。泉や家畜の放牧に適した牧草地の利用をめぐる争いや、日常的ないざこざはあったが、たいてい遊牧民の規範や伝統で対処できたし、またとくに別の集団との紛争が起こるなどして、その方法がうまくいかなくなれば、人がまばらな半島内の離れた場所に分かれて暮らせばすんだ。それでも紛争を解決できないときには、報復や仇討ちがあった。基本原則は「目には目を」だったが、「目にはラク

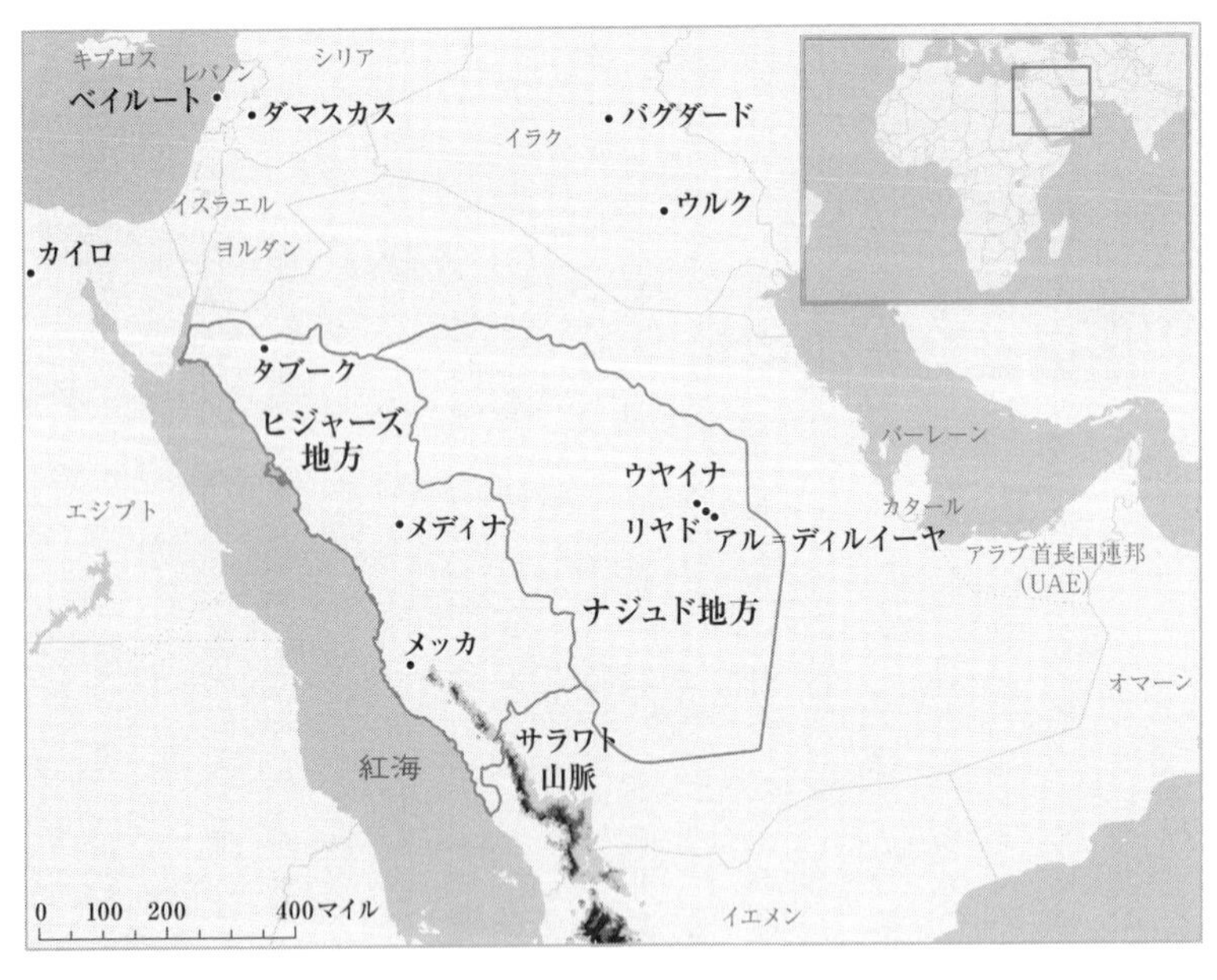

図4　アラビア半島：イスラムとサウジ国家の起源、および歴史的都市ウルク

ダ一〇〇頭を」になる場合もあった。

カアバ周辺での暮らしは、より複雑だった。その理由は、異なるクランの人々が町に定住し、より頻繁に多様な対立が起こるようになったから、というだけではなかった。巡礼がもたらした新しい経済的機会とその後の交易の広がりによって、個人主義が促され、新しい種類の対立が起こるようになり、またそれと同時に規範の檻がやや緩められ、砂漠の暮らしを特徴づけていた共同体の連帯や結束が失われていったことに、大きな原因があったのだ。

預言者が現れたのは、このような社会的背景のもとである。ムハンマドは四〇歳頃から幻を見たり啓示を受けたりするようになり、大天使ジブリールを通して神の言葉を伝えられたのだと悟った。これらの啓示は、のちにイスラムの聖典コーランの冒頭に、アッラーを唯一真実の神とする新しい一神教を受け入れるよう人々を諭す警句として掲げられた。啓示は新しい宗教のみならず、ハーシムなどのクランを超えた新しい共同体と新しい規範を提唱した。また新しい個人主義的な行動の多くや金もうけの風潮を戒めた。

ムハンマドはこの新しい教えを説き始め、新しい神への忠誠を人々に求めた。最初の改宗者は妻のハディージャと近親者、友人だった。六一三年頃からは、メッカで本格的に布教を始めた。だが布教を快く思う人ばかりではなかった。交易を営むクランは、行動や信仰を非難されたことを恨み、また当時中央集権的政府のなかったメッカで、ムハンマドが政治権力を握ろうとしているのではないかと懸念した。ムハンマドの信者は次第に増え、事態はますます緊迫していった。六二二年、ムハンマドは信者の集団とともにメディナの町に逃れた。これが有名なヒジュラ（「聖遷」）である。

聖遷のきっかけとなったのは、メッカでムハンマドへの迫害が激化したことに加えて、ムハンマドがメディナの住民から問題の調停者として招かれたことだった。メッカと同様、メディナも新しい定住生活の産みの苦しみを味わっていた。だがメディナはメッカとは違って、交易の中心地ではなく、きわめて生産性の高い農業に特化するオアシスだった。このオアシスの各地に、アウス族とハズラジュ族という二部族に属するいくつかのクランが定住していたほか、ユダヤ教徒のクランも三つあった。これらのクランは小さな要塞を建てて拠点とし、抗争をくり返していた。六一八年にはブアースの戦いが勃発する。人々の生活はホッブズの闘争の様相を帯び始めていた。

こうしたなか、メディナのある一団が、中立的な外部者で新しい宗教的権威をもつムハンマドなら、争いの調停者となって、町に平和をもたらしてくれるのではないかと考えた。六二二年六月、七五人のメディナ市民がメッカを訪れ、ムハンマドと新しい宗教を保護することを誓った。ムハンマドは要請を受け入れた。メディナ市民との間で結ばれた合意は、メディナ憲章と呼ばれる文書に記されている。憲章は「民の間に意見の相違が生じた場合、神およびムハンマドの調停に委ねられなければならない」とうたっている。つまりムハンマドは個人や部族の争いで、実質的に裁判官の役割を担うことになったのだ。だが法を執行し、他者を命令に従わせるための権力をもたずに、どうやってこれを行なったのだろう？　とはいえ、メディナ憲章の「神」という言葉は、ムハンマドがただの個人として来たのではないことをはっきり示している。預言者として来たのであり、メディナの人々がその教えと啓示を受け入れることが合意に含まれていた。実際、メディナ憲章の冒頭には次のように記されている。

慈悲深く、情け深い神の名において！
　これは預言者ムハンマドによって記された、クライシュ族とヤスリブの信者たちおよびムスリムたち、並びに彼らに従い、彼らを慕い、彼らとともに聖戦を戦う者たちの間の文書である。彼らはほかの人々とは異なる一つの共同体をなす。

　これを読んだメディナ（ヤスリブ）の人々は、どうやら予想以上のことを約束させられたようだと、感づいたはずだ。憲章は、ただムハンマドを裁判官に定めただけではなかった。新しい種類の社会を、すなわち親族やクランではなく、宗教と預言者の新しい中央集権的権威に基づく社会を受け入れたのだ。これにより、国家なき状態に終止符が打たれたのである。
　ムハンマドは当初、何の正式な地位も行政権ももたなかったが、この小さな足場に立って、まもなく行動を起こした。その方法は、冒頭の一節からも明らかだったはずだ。そこには「彼らとともに聖戦を戦う」とある。聖戦だって？　ヒジュラの翌年の六二三年、ムハンマドはメッカから連れてきた

「移住者」を率いて、メッカの隊商を襲撃し始めた。この種の襲撃はアラビアの部族には珍しいことではなかったが、ムハンマドの下では新しい意味をもち始めた。それはある部族による別の部族への襲撃というだけでなく、ムスリムによる不信者への襲撃でもあったのだ。六二四年になると移住者だけでなく、イスラムに改宗したメディナ人の「援助者」も襲撃に加わり始めた。同年三月のバドルの戦いで、移住者と援助者は力を合わせてメッカから送られた大軍勢を撃破した。

バドルの戦いに続き、ウフドの戦いでも勝利したことで、ムハンマドの威信とメディナへの支配は高まった。続いて不誠実が明らかになったクラン、とくにユダヤ教徒を追放し、また宗教的権威を利用して地域社会の改革に着手し、結婚と相続の慣習を変えた。

紛争の調停という、限定的な命を受けて招かれたはずのムハンマドは、既存のクランの支配がほとんどおよばない、新しい国家を建設していた。次第に大きな権力が集まっていった。一つには、ムハンマドの名声を聞きつけた砂漠の遊牧民が、忠誠を誓うためにメディナに続々とやってきたからだ。もう一つの理由は、移住者が実行した襲撃に戦利品といううまみがあったからだ。ムハンマド自身は戦利品の五分の一を得た。また「神の共同体」への寄付（実質的な税金）を人々に求めたほか、ユダヤ教徒とキリスト教徒からは、保護を与える見返りとして税金を徴収した。権力と富の増大は、ムハンマドが襲撃に引き連れた騎馬の頭数に如実に表れている。六二四年のバドルの戦いではわずか二頭だったが、六三〇年には一万頭もの騎馬を配備することができた。

高まる権威を背景に、六二八年、ムハンマドは巡礼のためと称して、移住者と援助者の大軍を率いてメッカに向かう。メッカの人々は当然疑念を抱き、市の手前で彼らを足止めし、翌年ムハンマドと信者たちが巡礼を行なう間メッカを開放するという協定を取り決めた。協定の締結を待つ間、ムハンマドは信者たちを木の下に集め、忠誠を誓わせた。このいわゆる満悦（リドワーン）の誓いは、メディナでの国家の確立に向けたさらなる一歩になった。ホッブズが予見したように、リヴァイアサンはみずからの意志に人々を従わせる必要がある。メディナの人々の、何があろうともムハンマドの命令に従うという合意が、まさにこれだった。この時点でもまだ正式な立法府や行政府はなかったが、ムハンマドは新しい国家の事実上の支配者だった。

ムハンマドが亡くなる二年前の六三〇年に起こったできごとが、その権威の大きさを物語っている。ムハンマドは国家の勢力範囲をさらに拡大し、改宗者を増やすことをめざした。そのために、北方の都市タブークへの遠征を決め、メディナのすべてのムスリムに宗教上の務めとして、襲撃への参加を要請したのだ。ムハンマドはいまや最高司令官だった。

ムハンマドの新しいイスラム国家創設の物語には、本章の主要な考えのいくつかが凝縮されている。ムハンマドが預言者として現れるまで、アラブ世界には国家らしい国家はなく、部族があるだけだった。メッカやメディナのような都市化が進んだ地域にさえ、本当の意味での中央集権的政府は存在しなかった。そのせいで、暴力や治安悪化をはじめとする問題が多発していた。荒涼たる広大なアラビア砂漠を遊牧していた頃は、すべての部族が悠々と暮らしていける空間があったが、メディナの窮屈なオアシスやメッカの聖なるカアバの周辺では、他人とうまく暮らしていく方法を見つけなくてはならなかった。中央集権的権威を生み出すのは、明白な解決策の一つだった。だがほかのクランや部族に主導権を譲り渡さずにそれをする方法はあるだろうか?

そんななか現れたのが、ムハンマドと、彼が天使ジブリールから得た啓示だった。メディナの人々はその教えに苦境への解決策を見出し、クランや部族の紛争の調停者として彼を迎えた。ムハンマドは首尾よく和平をもたらし、メディナの住民は明らかに大きな恩恵を得た。だが話はそこで終わらない。ムハンマドと移住者は初めのうちこそ少数派だったかもしれないが、多くの人が加わり、寄付に同意するうちに、数と権力、富を増していった。これが、アラブ世界における政治的階級の誕生である。六二八年には満悦の誓いにより、メディナでのムハンマドの権威はゆるぎないものになった。二年後のタブークの戦いでは、オアシスの住民全員に北進を命じることができた。

メディナの人々は八年間で大きな変化を遂げた。もとは内部の紛争解決のために中央集権的な権威を受け入れたのだが、それによって国家形成のプロセスを始動させ、危険な坂道に乗ることになった。人々は二度と坂道を脱することはなかった。ムハンマドは国家建設プロジェクトに邁進（まいしん）した。その目的の一つは、自分と信者たちの手に権威を集中させ、その過程で紛争解決の方法だけでなく、規範や慣習を含む社会のあり方そのものを変容させることにあった。見事な成功だった。一〇年とたたずに強力なイスラム国家と中東全域におよぶ巨大帝国、そして新しくめざましい文明の種をまいたのである。

あなたの強みは何？

イスラムの誕生は、人類学者が「初期国家形成」と呼ぶもの――政治的階級や中央集権的権威が存在しなかった場所にそれらが新しく形成されるプロセス――の一例である。またこの事例は、それにまつわる重要な問題や困難を明らかにしている。

最も重要なものが、前章で見た、危険な坂道である。中央集権的権威が多くの国家なき社会で現れにくい理由は、社会が紛争を解決するためだけでなく、人々が強くなりすぎないようにするための規範や慣習を発達させているからだ。だがある個人や集団が、紛争を調停し、重大な脅威から人々を保護することができるほどの力をいったん蓄えてしまえば、彼らが一段と力を高め、生活のあらゆる面にわたって人々に指図し始めるのを止めるのは難しくなる。メディナで起こったのがまさにこれだった。国家やカリスマ的で強力な指導者の権威に全面的に服従せずに、国家をもたないことの不都合を軽減するような体制を構築できるはずだと、メディナの人々は考えていた。だができなかった。中央集権的権威をもたずに始まったほかのいくつかの社会もやはり失敗し、威圧的なリヴァイアサンに向かって危険な坂道を転がり落ちていったのである。

なぜ国家なき社会が発達させた規範などの統制手段は、国家建設を試みる者を阻止できない場合があるのだろう？　第一に、ドイツの哲学者フリードリヒ・ニーチェが「力への意志」と呼んだもの——他者に対する支配や権威を、規範に逆らってでも高めたいという、男性（ときには女性）や集団の欲求——が存在する。そのせいで、どんなに円満に見える国家なき社会にも、他者を支配するためにより大きな力や富、能力を獲得しようとする、野心的な個人がいる。また、社会を異なる方法で再編成するというビジョンをもち、そのためにより大きな力を獲得しようとする個人や集団もいる。こうした成り上がり者の多くは、社会の支配的な規範や人々の行動に妨げられて目的を達成できないが、なかには成功する者も出てくる。

国家建設をもくろむ者が成功し、それを抑制するはずの規範を骨抜きにできる可能性が高いのは、「強み」をもっている場合——何か特別なものをもち、それによって独自の方法で障害を乗り越えられる場合である。ムハンマドの強みは宗教に由来した。宗教的思想をもち、それが紛争解決者としての役割に正当な権威を与えた。また思想を通して信者に影響力を行使し、新しい共同体を築くことができた。この宗教的思想は、いったん解き放たれると、止めようのない推進力となって権威をさらに集中させたのである。

ほかの大きな強みには、組織的なものがある。より大きな支配力や軍事力を行使するために、新たな連合やより有効な組織を形成する能力である。この可能性がよく表れているのが、次に見る南部アフリカのズールー国家の形成の事例だ。また本章の後半で議論するもう一つの可能性は、技術的な強みであり、ハワイのカメハメハ大王の成功した国家建設プロジェクトの例を引いて説明する。カメハメハ大王は銃という、敵がもたない軍事技術を多用した。またこれらの事例のすべてで、個人のカリスマ的な魅力や、その他の正当性の根拠、たとえば家系や過去の模範的、英雄的行動、純然たる個性なども役に立つ。

初期国家形成の例の多くに共通する最後の重要な特徴は、ムハンマドの台頭が物語るように、政治的階級が出現したあとの社会の再編成である。前章で見たとおり、一般に中央集権的権威のない社会は、紛争を──また人々の生活のあらゆる面を──規制・抑制する複雑な規範を通して組織される。いったん国家形成のプロセスが始まると、国家建設者はこうした規範を破壊したい、または少なくとも自分の目的に合わせてつくり変えたいと思い始める。その理由は、規範の檻を緩めて自由を解き放とうとするからではなく、政治的階級を抑制、制限する規範が、より大きな力をめざすうえで邪魔になるからだ。ムハンマドにとって、排除すべき標的は、メディナとメッカを支配していた血縁的関係であり、イスラムの教えを通して、新しい共同体を親族集団の上に位置づけることにより、これを排除した。次に見るシャカの事例で標的とされたのは、呪術医の権威だった。

雄牛の角

イギリスの将校ホレス・スミス＝ドリエンは一八七九年一月二二日のできごとについて、回顧録でこう語っている。

深夜一二時頃、ズールー族の大軍が……またしても大胆不敵に姿を現し、丘を越えて平原に降りてきたため、しばらくの間銃とライフルで応戦した……何が起こっているのかはよくわからなかったが、激しい銃撃戦が起こった。ズールー族が大軍であることはいまや疑いようがなかった。平原の向こうから南東に向かって展開し〔角を投げ〕、わが野営地の右後方をめざしているように見えた。

スミス＝ドリエンは、現在の南アフリカ共和国クワズール・ナタール州の一部にあたる、ズールーランド（図5）に派遣された、チェルムスフォード子爵フレデリック・セシジャー率いる遠征軍の一員だった。チェルムスフォードの軍は拡大中の植民地帝国の前衛隊として、当時国王セテワヨの統治下にあった独立国、ズールー国家の撲滅をめざしていた。イギリスの侵攻に対する国王の反応は単純明快だった。国王は軍にこう伝えた。

ゆっくり行進し、夜明けに攻撃して、赤兵を一気に全滅させるのだ。

ズールー軍が一月二二日に行なったのがこれだった。チェルムスフォードは部隊を分割するという間違いを犯し、イサンドルワナの岩のふもとの野営地に、第二四歩兵連隊を中心とする約一三〇〇の兵と二基の大砲を残した。自信過剰で準備不足の赤兵〔赤い軍服を着用する兵士〕は、二万のズールー軍に迎えられた。ズールー軍は過去六〇年間で南部アフリカの大部分を支配し、巨大な国家を築いて

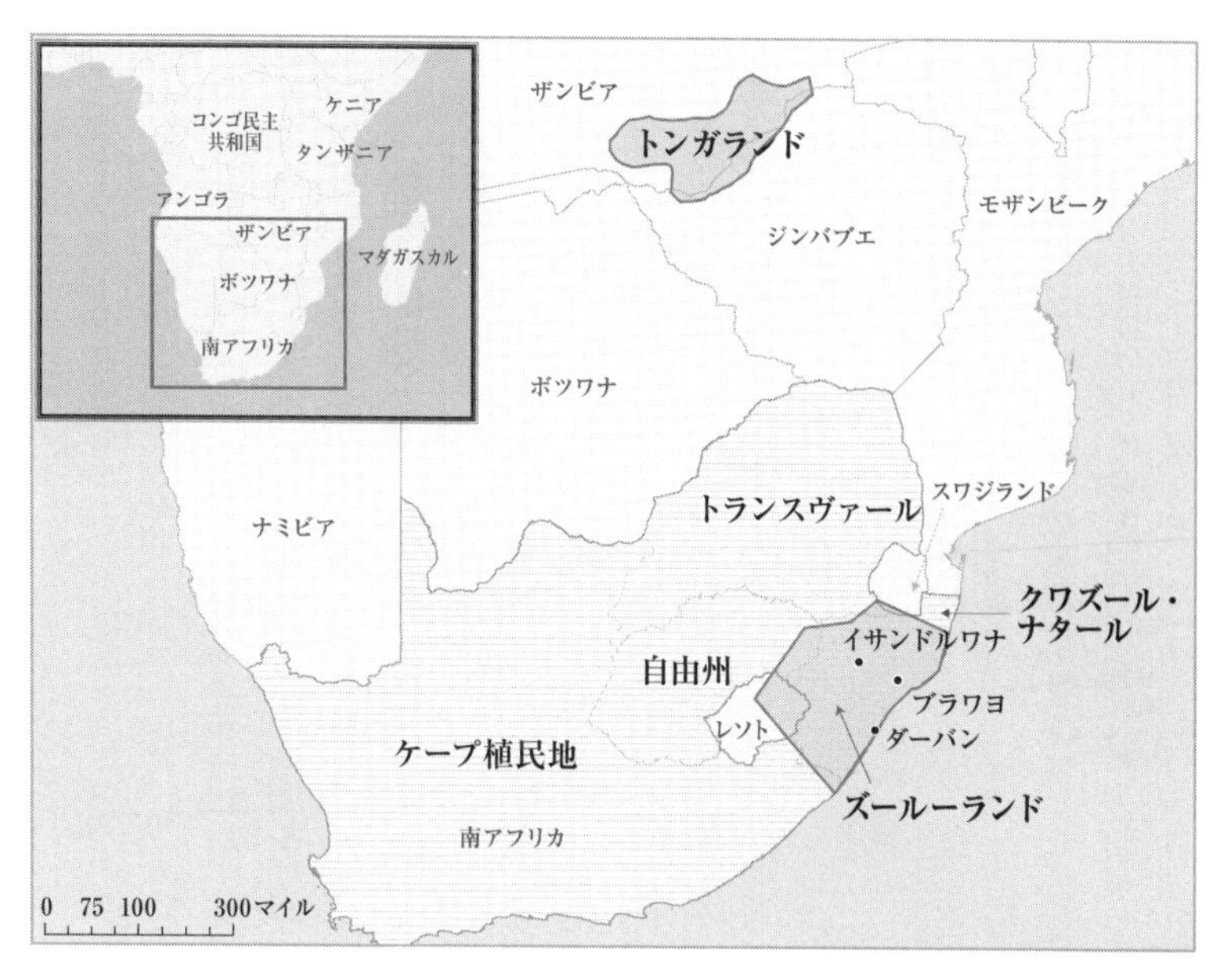

図５　アフリカ南部：ズールーとトンガの領土、南アフリカの四植民地

いた。その領土は広大で（図５）、現代のボツワナ、レソト、モザンビーク、スワジランド、ザンビア、ジンバブエを含む地域全体を恐怖に陥れていた。

スミス＝ドリエンはこう記している。

押し寄せるズールーの戦列……は壮観だった。戦列という戦列が散開隊形をとり、前進しながら発砲した。銃の不足を補うために、勢いよく前進してきた。このときまだわれわれの前線から一マイル（約一・六キロ）ほどしか離れていなかった大砲部隊が砲撃していたが、突然砲撃が止んだかと思うと、ダンフォードの部隊の主にソト族からなる残兵が馬を駆ってわれわれの位置の右に戻ってきた。実際に何が起こったのかは、おそらく永遠にわからないだろう。この土地には「涸(か)れ川」が走っており、その中にラッセルと大砲部隊がはまり、誰一人として生還することはなかった。あとから聞いたことだが、勇敢な指導者のダンフォードは、命からがら野営地に戻り、戦いながらその場に崩れ落ちたという。

その日のうちにイギリス軍は壊滅させられた。スミス＝ドリエンは濃紺の軍服を着ていたおかげで助かった。ズールー兵は、黒服の人は一般人や聖職者だから殺してはならないと命じられていたのだ。だが戦いから生還して、イギリスがアフリカの植民地化で喫した最大の軍事的敗北を伝えることができた者は、スミス＝ドリエン以外にはほとんどいなかったのである。

ズールー軍を冷静に観察していたスミス＝ドリエンは、ズールー国家を強力にした斬新な戦術の一つ、「猛牛の角」を目の当たりにした。これは王国の建国者シャカ・ズールーが考案した陣形で、兵が四つの陣形をつくり、猛牛の胸にあたる中央部隊と、その後ろに控える腰、敵を包囲する両翼の角を構成した。スミス＝ドリエンはシャカのほかのイノベーションも目撃した――伝統的な儀式集団を軍隊に再編して、規律ある連隊をつくりあげ、従来使われていたアセガイと呼ばれる投げ槍の代わりに、短槍のイクルワを装備させた。

法を知らぬ暴れ者

シャカは一七八七年頃、ズールーの首長の庶子として生まれた。当時ズールーは、南アフリカの南部地帯に点在する小さな首長国の一つにすぎなかった。私生児を抱え外れ者になったシャカの母は、近隣のムテトワ族に庇護を求めた。一八〇〇年、ディンギスワヨがムテトワの新しい首長になった。

ディンギスワヨはシャカがのちに行なった改革のいくつかに先鞭をつけ、軍事力と領土を大きく拡大し始め、ズールーを含む周辺の約三〇の部族を征服した。若きシャカはムテトワ軍に召集されると、最も有能な戦士の一人となり、まもなくその勇猛さと残虐さで知られるようになる。ディンギスワヨは倒した敵に寛大であろうとしたが、シャカはさにあらず、敵を殲滅することを好んだ。こうしたふるまいから、「法を知らぬ暴れ者」の異名をとった。シャカは瞬く間にのし上がり、とうとう部隊の指揮を任されるまでになった。一八一六年に実父が世を去ると、シャカはディンギスワヨの後ろ楯のもとにズールーの新しい首長に即位した。

シャカはただちにズールーと征服した部族の社会を、新しい種類の社会体制に再編し始めた。まず全成人男子を召集して四つの連隊に分け、初めての猛牛の胸、腰、両翼の角とした。このとき集まった男子は、おそらく四〇〇人ほどでしかなかった。シャカは鍛冶屋につくらせた短槍のイクルワと新しい楯の使い方を兵たちに訓練し始めた。すばやく移動するためにサンダルを履かせず裸足で歩かせた。こうして初めての本格的な軍隊の戦闘準備を整えると、周辺地域の征服を開始した。最初の標的エランゲニはたちまち降伏し、支配下に入った。次のブテレジは抗戦して虐殺された。シャカの軍勢は一年もたたずに二〇〇〇に増えた。翌年ディンギスワヨが殺されると、シャカがムテトワの王に即位した。シャカは容赦のない戦術で部族を次々と征服し、その多くを拡大中のズールー国家に統合していった。ある口述歴史では次のように語られている。

> ブテレジ、アマクンゲベ、イムブエニ、アマクヌ、マジョラ、クスル、シカカネはすべて近隣にあった部族である……シャカはこれらの部族を襲い、壊滅させた。シャカは夜に忍び寄った。その先にあった部族はアマンバタ、ガサ、クマロ、フルビ、クワベ、ドゥベ、ランゲニ、テンブ、

ズング、マコバである。

「壊滅させた」という言い回しは、場合によって違う意味をもっていた。たとえばブテレジなどについては起こったことを文字どおり表しているようだが、拡大中のズールー国家に組み込まれただけの部族もあった。あるいはより距離を置きながらズールーの属国を宣言し、家畜と若い女性の「税」を納めた部族もあった。一八一九年には、約二六〇〇平方キロだったズールーの領土を約三万平方キロにまで拡大し、総勢二万の兵を擁していた。

シャカはブラワヨ（図5）に新しい首都を建設した。ここを実際に訪れた人の記述がある。一八二四年に現在のダーバンにあたるポート・ナタールをイギリスの貿易商の一行が訪問し、その一人ヘンリー・フリンがこんな手記を残している。

柵を巡らせた放牧場に入ると、戦いの装束をまとった八万人ほどの先住民に周りを取り囲まれているのに気づいた……シャカが手にもった棒を振り上げ、右と左に打ち下ろしながら首長たちの間から現れると、全員がもち場を離れて陣形をつくった。一部は川や周りの丘に向かって走り、残りは円形になり、シャカを中心にして踊り始めた。それは血湧き肉躍る光景で、「野蛮」と呼ばれる国がこれほど統制が取れていることに驚かされた。八〇〇〇人から一万人の少女の連隊が手に細い旗竿（はたざお）をもち、女性隊長に率いられて中央に入場した。少女らも踊りに加わり、それが二時間ほど続いた。

シャカは既存の規範を変えるプロセスも開始した。シャカの国家は血縁やクランではなく、二つの新しい軸をもとに編成された。一つめの軸は年齢である。アフリカの多くの地域やその他の地域で、少年少女は一定の年齢に達すると社会の奥義を伝授される。このプロセスは、割礼と瘢痕文身(はんこんぶんしん)を伴うのが一般的である。それから人里離れた場所に長期間隔離され、さまざまな試練を課される。アフリカの一部の社会では、通過儀礼は高度に制度化されていて、通過儀礼を受けた少年、時には少女も「年齢組」（または「年齢階梯(かいてい)」）と呼ばれる集団に入れられ、同じ集団に一生所属する。

東部アフリカの多くの地域では、民族全体が血縁や国家ではなく、年齢階梯の序列を中心に編成されている。年齢を経るにつれ階梯が担う役割も変わっていき、たとえば若い男性は戦士として人々や家畜を守り、年長になって新しい年齢集団が入ってくれば、結婚と農業などの経済活動に移るといった具合だ。ズールーやその他の南部アフリカの関連する民族の間では、こうした社会構造が、原初的な形態だがすでに存在した。シャカはそれを軍に再編した。年齢階梯を戦隊に編成して、草原の兵舎で階梯ごとに共同生活を行なわせた。また征服した民族の若者を兵士に採用し始めた。これらの戦隊が、家族のつながりを断ち切り、人々を新しい国家に統合する手段になったのである。年齢組が新しいズールーのアイデンティティの創出に役立ったことは、ある年のウムコシと呼ばれる収穫祭でのやりとりからも明らかだ。このとき国王に無礼講で質問をすることが許され、生意気な兵士がシャカに「なぜよそ者がズールーの長たちを差し置いて登用されるのですか」と尋ねた。シャカはこう返したという。「ズールー軍に加わる者は誰でもズールーになる。その後は来歴を問わず、純粋に実力で登用されるのだ」

二つめの新しい軸は、地理である。シャカは領土を郡に分け、これからは王の意志に仕えることをはっきりさせた上で首長たちにそのまま統治させるか、または自軍の忠実な兵士を長に据えることもあった。

シャカはこの過程で多くの役割を一手に握った。それまで収穫祭のウムコシは地域で広く行なわれ、各地の首長が祭儀を執り行なっていた。いまやこの年中行事を取り仕切るのは、シャカ一人になった。中央裁判所も設置した。首長たちが地域の紛争を裁定し問題を解決したが、人々はブラワヨのシャカに上訴することもできた。

この体制は、主に征服した民族に物資を貢納させ、それを支援者の間で分配することで支えられていた。シャカは周辺部族を征服・従属させると、膨大な数の牛と女性を強制的に差し出させた。牛は部隊に軍役の報酬として与え、女性は年齢集団に編成して隔離し、男性にシャカの許しが出るまで結婚と性交渉を禁じた。

もちろん、この国家は近代国家のように官僚化されていたわけではない。シャカに相談役はいたが、国家を運営していたのは軍隊とシャカが任命した首長たちで、また文字をもたないために法や規則は口伝されていた。だが官僚化されていようがいまいが、シャカの国家建設プロジェクトでは、政治的階級と自身の権威の出現を阻んでいた規範の檻の部分が破壊されなくてはならなかった。こうした規範の柱をなしていたのが、第二章で見たティヴの規範と同じ、のさばりすぎた人々に制裁を与えるために多用されていた、数々の超自然的信仰だった。

よく知られている事件として、シャカがズールーの国王に就位してまもなく、凶兆が現れるようになり、シャカは対応を迫られた。シュモクドリがシャカの村の上を飛んだ。続いてヤマアラシが村に迷い込み、それからカラスが柵に止まって人間の言葉をしゃべり始めた。これらの凶兆を退けるために、ノベラという女性が率いる呪術医の集団が呼ばれた。ノベラは人々をヌーの尻尾で叩いて魔女を見破ることができた。ティヴのハエ払いとよく似ている。ティヴとの共通点はそこで終わらない。ズールーの人々を一列に並ばせ、ノベラたちは凶兆をもたらした魔女を「嗅ぎつけ」始めた。標的にされたのは羽振りのいい人々だった。倹約して金持ちになった人。牛糞を肥料にして、隣人をはるかにしのぐ収穫を上げた人。畜産に長け、よい雄牛を選び世話をよくして、家畜をすばらしく殖やした人。だが金持ちを引きずり下ろすだけではすまなかった。ノベラは政治権力をもつ人々も狙っていたのだ。手始めに、シャカの信頼する補佐官のムドゥラカとムゴボジを「嗅ぎつけ」た。だがシャカはこうなることを見越して、魔女の疑いをかけられたら保護を求めるように指示を与えて、二人を自分の両脇に立たせておいた。目撃者はこう報告している。

ハイエナの邪悪な笑いをまねた気味の悪い笑い声を上げて、五人の呪術医は一斉に立ち上がった。ノベラはヌーの尻尾を目にもとまらぬ速さで左右に振り、ムドゥラカとムゴボジの肩越しにそれを投げた。助手たちも、ノベラの目の前の男を尻尾で叩き、頭上高くに投げ上げた。

だがシャカも黙ってはいなかった。なにしろ彼はズールーランド一の権力者であり、力への意志をはばかりなく行使していたのだ。次に嗅ぎつけられるのは自分かもしれない。シャカはムドゥラカとムゴボジに保護を与えた。そして二人に魔女の濡れ衣を着せた罪でノベラを告発し、償いとして呪術医のうちの二人を殺せと命じ、卜骨を投げて二人を選ばせた。呪術医たちは慌ててシャカに保護を求めた。シャカは「二度と私を欺くな、そのときはどこにも逃げ場はないぞ」という条件で手を打った。その日を境に、「嗅ぎつけ」にはシャカの承認が必要になった。シャカは呪術医の力を破ったのだ。同様にして雨乞い師も一人残らず追放した。このすべては国家建設の一環として行なわれた。行く手を阻む規範の檻の部分は、ことごとく解体される必要があった。

シャカが築いた制度が今も永らえていることは、現在のズールーの人口に最もよく表れている。ズールーは一八一六年に総勢二〇〇〇人ほどのクランとして始まった。現在南アフリカ共和国（人口五七〇〇〇万人）でズールーを自認する人々は一〇〇〇万人から一一〇〇万人おり、クワズール＝ナタール州を支配している。もとは一人の男性の子孫たちだった「ズールー」は、今ではもとのズールーと遺伝的にまったく無関係な一〇〇〇万人を擁する大規模な社会となっているのだ。

赤い口の銃

人類はアジアを出ると、広大な海域に点在するポリネシアの島々に数千年かけて広がっていった。最後に定住した島々はハワイ群島で、それはおそらく八〇〇年頃のことだった。ポリネシア諸島はすべて同じ文化と宗教、言語、技術、政治・経済制度をもって始まったが、さまざまなイノベーションが起こり定着するうちに、徐々に分岐していった。考古学者や歴史民族誌学者の再構成によれば、先史ポリネシア人の社会は、シャカ以前のズールーランドのような血縁社会とそう変わらなかった。それらは血縁を中心に構成された小規模な首長国で、争いに対処し、強力になりそうな者たちを阻むための規範がやはり発達していた。

初めての「よそ者」ジェイムズ・クック船長がハワイ諸島を偶然発見した一七七八年一月には、伝統的な体制は崩れ始めていた。この頃もう島々は初期国家形成の段階を過ぎ、三つの敵対する原初国家を中心とした体制ができていた。土地は私有財産としては所有されず、土地の利用と支配権は血縁集団や出自集団に属していたが、首長たちはすでにすべての土地の所有権を握っていた。主要作物のタロイモとサゴを栽培する人々は、貢納と労役と引き換えに首長から土地の利用権を与えられていた。一九世紀初頭にハワイアン（ハワイ先住民）として初めて西洋教育を受け、読み書きができるようになった一人で、ハワイ史研究者のデイヴィッド・マロは、次のように記録している。

庶民の生活の実態は首長への隷属であり、重労働を課され、重い負担と抑圧を強いられ、ときには死に追いやられることもあった。ひたすら堪（た）え忍び、首長の歓心を買うためにいいなりになった……しかし首長が食料や衣服、住居、その他多くのものを得ていたのは、庶民からである。首長が戦に出陣すれば、一部の庶民は首長の側について戦った……土地のいっさいの仕事を請け負っていたのはマカアイナナだった。なのに彼らが土地から得た収穫は、すべて首長のものになった。また彼らを土地から追放し、財産を没収する力は、首長にあった。

マカアイナナとは、社会の圧倒的多数を占めていた庶民である。

この時期ハワイに存在した三つの原初国家は、オアフ、マウイ、そして首長カラニオプウの統治する「ビッグアイランド」ことハワイだった（図6）。クックが最初に訪れたのは、オアフに属するカウアイ島だった。同じ年の終わりに、クックは探検と測量を進めるためにディスカバリー号とレゾリューション号の二隻を率いて再び来航した。まずマウイ島に上陸し、その後東に艦を進めて、当時マウイの支配をめぐって交戦中だったカラニオプウと面会した。カラニオプウは甥で軍指揮官のカメハメハを連れて、クックの艦に乗船した。クックはそれからハワイ島に行き、島の西側に錨（いかり）を下ろした。そこで再びカラニオプウとカメハメハの訪問を受けた。カメハメハはこのとき初めてすばらしいものを目にした――銃器の力である。クック船長に同行していた画家ジョン・ウェバーによる、戦船で到着したカラニオプウを描いた版画を口絵に載せた。銃器が披露されたのは、二月一四日のことだった。前夜に艦から盗まれた小型のカッターボートを取り戻すために、クックはみずから沿岸隊を指揮して

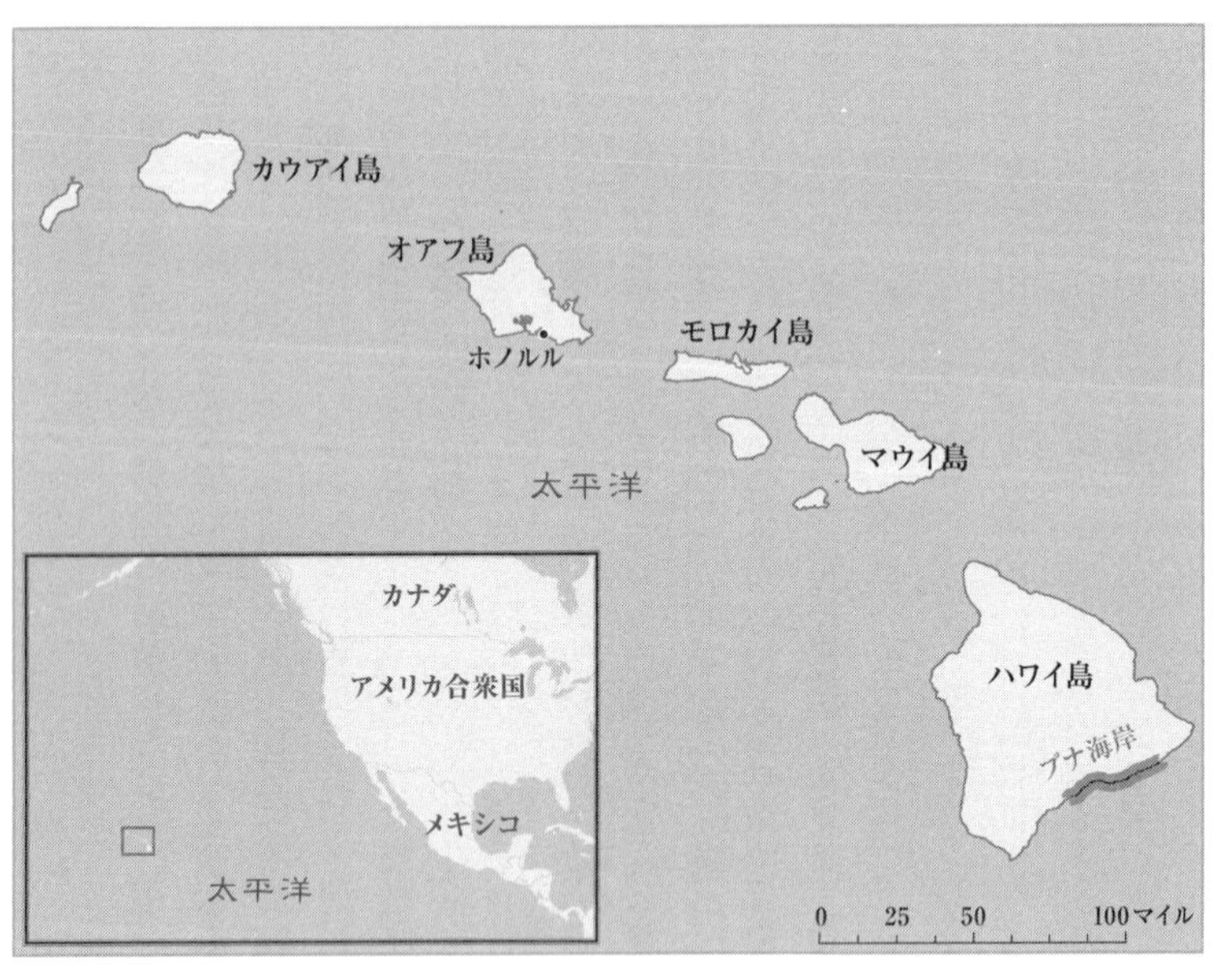

図６　ハワイ諸島およびプナ海岸

浜に降り、銃で抗戦したのちに殺されたのである。

ディスカバリー号とレゾリューション号が去ったあと、老齢のカラニオプウは王国を息子の一人に譲ることに決めたが、カメハメハには戦いの神の管理を任せた。これは大変な栄誉だった。二人の若者はまもなく不和になった。一七八二年に戦を交え、カメハメハが勝利した。その後起こった王位継承争いで、カラニオプウの兄弟の一人がハワイ東部で独立国家を宣言し、カラニオプウの別の息子が南部で独立を宣言した。ビッグアイランドの支配をめぐって、三つどもえの戦いが始まった。

勝敗を決めたのは、カメハメハが獲得した強みだった。彼は火薬武器の威力をその目で見ていた。それからというもの、ハワイ中の首長という首長がそうした武器を交易で得ようとした。だがそれを手に入れるのと、使いこなせるようになるのは別の話だ。この点でいち早く助けを得たのがカメハメハで、それはアイザック・デイヴィスという人物によって差し伸べられた。デイヴィスは一七九〇年初めにハワイ島を訪問した大砲装備の帆船、フェアー・アメリカン号の乗組員だった。この船は西岸で停泊中、以前に来た船との争いから西洋人に恨みをもっていた地元の首長の襲撃を受け、一人だけ生き残ったデイヴィスをカメハメハが保護した。また同じ頃エレノア号という別の船が、クックが命を落としたのと同じ場所に投錨（とうびょう）した。甲板長のジョン・ヤングという若いイギリス人は、上陸したところをカメハメハの部下にとらえられた。デイヴィスとヤングの二人は丁重に扱われ、カメハメハの腹心の相談役になった。なおよいことに、二人は火器の管理・利用法に精通していた。カメハメハは強みを獲得した。

デイヴィスとヤングという軍事顧問を得たカメハメハは、マウイに侵攻し、ハワイを度重なる攻撃から守ることに成功し、その間に「赤い口の銃」と呼ばれる画期的な勝利を挙げた。赤い口の銃とは、新しい火薬武器の銃口から発する火煙への畏怖を表す、現地の人々の言葉だ。カメハメハはまもなくハワイに対する絶対的支配を確立し、それから数年の間は、支配を強化し、新しい国家の制度を構築することに腐心した。一七九五年にはデイヴィスとヤングとともに大規模な艦隊を率いてマウイを制圧し、その後オアフも征服した。最西部のカウアイ島は、荒海や疫病のおかげでカメハメハの進撃から逃れていたが、とうとう一八一〇年に服属させられ、これをもって初めてハワイ全島の統一が完了する。カメハメハはその後、広大な海域に広がる巨大な諸島国家を統治するための新しい政治制度を生み出した。各島に知事を任命し、ヤングがビッグアイランドの知事に任じられた。

タブーを破る

ムハンマドとシャカは、社会にあった規範の檻の一部を壊さなくてはならなかった。規範の多くが政治的権威の出現や行使を制約するものだったからだ。たとえばムハンマドは血縁的関係に対抗し、シャカは敵対勢力を根本から弱めるべく血縁的関係と超自然的信仰を変革した。カメハメハとその支持者たちも同じく、行く手を阻む規範を解体する必要があった。

ポリネシア社会の規範の根幹をなしていたのが、「タプ」の規則である。この言葉はクック船長によって初めて記録され、それをもとに英語のタブーという言葉ができた。タプはポリネシア全域に見られる制度で、それがハワイで発達したものが「カプ」である。英語のタブーには、禁じられたものごとや聖なるものごとという意味がある。ポリネシアでは、ハワイで初めての偉大な近代民族誌学者エドワード・ハンディによると、次の意味があった。

タプ（カプ）は、基本的な意味では主に形容詞として用いられ、身体的危険をおよぼすために制限され、禁止され、隔離され、回避されるべきものという意味があった。それらは（a）神聖なため、庶民や穢(けが)れた者たちからそれ自体隔離される必要があった、または（b）穢れていて庶民や神々に危険をおよぼすため、隔離する必要があった。

一言でいえば、タプは禁止や制限を意味した。タプはポリネシア社会の至る所にあった。タプが重要視されたのは、「マナ」を保護すると考えられたからだ。マナとは、人間界における超自然的力の現れである。ハンディはこう説明する。

マナは、人間、力、強さ、威信、評判、技能、力強い個性、知性のかたちをとって現れた。モノ、効力、「運」として現れた。ひと言でいえば、能力として現れた。

だが具体的にどうやってマナを保護するのだろう？　数ある制限のなかでもよく知られたものに、「食のタブー」がある。男女は一緒に食事をしてはならず、男女の食事は別々に調理されなくてはならず、女性が食べてはいけないもの（豚肉、特定の魚、バナナなど）があった。制限されていたのは食事だけではない。衣服や、生活のほかの多くの面もである。最も有名なものが「ひれ伏しのタブー」で、首長の面前では、庶民はただちに上衣を脱ぎ、地面にひれ伏すことになっていた。一九世紀のハワイの歴史家ケペリノは、次のように記録している。

首長のひれ伏しのタブでは、首長が出かける際に、告知係が行き先に先回りして「タブである！身を伏せよ！」と触れ回り、首長のタプを宣言した。すると首長の通り道にいた全員がひれ伏し、そのなかを羽毛のマントと兜で着飾ったタプの首長たちがやってくるのだった。

規範の檻をめぐる私たちの議論からわかるように、規範は必ずしも万人に平等に適用されなかった。なぜなら一部の規範は、ポリネシア社会の力関係によってかたちづくられていたからだ。首長は庶民よりずっと大きなマナをもっていた——だからこそひれ伏すわけだ。ハワイでタプをカプに変えたのも、このような首長の力だった。首長はただ神とそのマナを保護していたのではない。彼らは神の直系の子孫と見なされており、カプはその支配を神聖化するためのものだった。マナは根本ではティヴのツァヴとあまり変わらない。思い出してほしい、ツァヴもマナと同じで、生活に起こるさまざまな現象――なぜ成功する人としない人がいるのか、なぜ人と違う行動を取る人がいるのか、など――を説明するのに役立てられた。ただし、ツァヴの場合、大成功している人はもともと才能があったのかもしれないし、たんに魔女だからかもしれないのに対し、マナの場合は、成功するのは神に選ばれし者だった。この大きな違いがあったが、それでもカプの制度全体が、エリートの行動を縛る多種多様な規制や制約によってできていた。ハワイでは政治的階級がすでに現れ始めていたが、それはのちにカメハメハの支配下で形成されるものとはまだほど遠かった。

　政治的階級を抑制していた規範は、カメハメハの下で崩壊し始めた。カメハメハは息子のリホリホを後継者に指名し、その死後、一八一九年にリホリホがカメハメハ二世として即位した。リホリホは新しいハワイ王国を引き継ぐやいなや、カプ制度の廃止を決定した。それまでどの首長もなし得なかったことをやり遂げる力が自分にはあると、リホリホは考えた。そこで、まず食事に関する禁忌を一掃することにした。王位に就いてまもなく晩餐を主催した。当時の人がこう記している。

> 客人たちが着席して食事を始めると、国王は供されている食事を確かめるかのように各テーブルを二、三度回った。そして、秘密を知らされていた人々以外には何の予告もなく、いきなり女性のテーブルの空いている席に着くと、猛然と食事を始めたが、国王がひどく動揺しているのは傍目にも明らかだった。客人たちはそのふるまいに唖然としながらも、手を叩き、「アイ・ノア――食のタブが破られた」と叫んだ。

動乱の時代

ここまで、政治的階級がまったく、またはほとんど存在しなかったところに出現したケースに焦点を当ててきた。力への意志が政治的階級への抵抗を崩し、社会を危険な坂道に向かわせるのは、何も遠い昔に限った話ではない。力への意志とその影響は、国家機関が存在するが社会を統制できない、現代のケースにも見られる。その一例が、一九九〇年代初めのグルジア（現ジョージア）だ。

ソヴィエト連邦が崩壊の一途をたどっていた一九八〇年代末、エストニアやラトヴィア、リトアニア、そしてグルジアを含むソヴィエト連邦の共和国の多くで、独立をめざす動きが進行していた。一九九〇年にはグルジアで初めて複数政党制の下で選挙が行なわれ、「円卓会議‐自由グルジア」と称する連合が、三分の二の得票を得てグルジア共産党を破った。一九九一年五月、グルジアはソヴィエト連邦からの独立を宣言し、円卓会議の指導者ズヴィアド・ガムサフルディアが得票率八五％で大統領に選出された。ガムサフルディアが引き継いだのは、分裂や対立する展望に苦しめられ、国家運営に関してほとんどコンセンサスがない国だった。マイノリティ集団の多くがグルジア人によって支配されることを懸念して、分離独立を唱え始めた。一九九二年一月、ガムサフルディアはクーデターによって国から追放され、首都トビリシは、民兵組織ムヘトリオーニのジャバ・イオセリアーニと国家警備隊のテンギス・キトヴァニという、二人の軍閥指導者によって掌握された。一時期、トビリシだけでも一二もの民兵組織や武装集団があった（白鷲（しろわし）、森林同胞団など派手な名前がついていた）。グルジアにはこの時点で国家（のようなもの）はあったが、状況は闘争の状態とそう変わらなかった。

テンギス・キトヴァニは、ガムサフルディアによって解任された前首相であり、混乱を利用して首相への返り咲きに成功した。他方、追放されたガムサフルディアは別の武装集団ズヴァイディストを結成した。有効に機能する国家がないなか、首都では暴力と略奪、犯罪、レイプが相次いだ。南オセチアとアブハジアが独立を宣言してグルジアの支配を脱したほか、アジャリアやサムツヘ＝ジャヴァヘティなどの地域は完全な自治を維持していた。そんな状況で内戦が勃発した。ジョージア人はこんにち、これを動乱の時代と呼んでいる。

一九九三年春頃になると、軍閥指導者は混乱からの脱出口を模索し始めた。イオセリアーニとキトヴァニがグルジア国家の残骸を掌握したが、紛争が頻発し、秩序回復に向けた前進は見られなかった。同じく重要なことに、正当な国家として認められ、海外からの援助や投資を得るためには、信頼できる「顔」を国際社会に見せる必要があった。そこでもち上がったのが、エドゥアルド・シェワルナゼを大統領に担ぎ出す計画である。グルジア生まれのシェワルナゼは、ミハイル・ゴルバチョフの下で、一九九〇年一二月に辞任するまで約六年間、ソ連の外相を務めた人物だ。一九九二年当時、シェワルナゼはグルジア国会議長を務めていた。広い人脈と国際舞台での豊かな経験をもち、新しい国家の顔にうってつけだった。軍閥指導者の計画は単純だった。シェワルナゼを国家元首に担ぎ出して、自分たちは裏で糸を引こうというのだ。そこで国家評議会を創設し、シェワルナゼを暫定議長に据えた。評議会は当初イオセリアーニとキトヴァニを含む四人で構成され、全会一致でのみ決議を行なうことができた。つまり彼らはシェワルナゼの行動に対して拒否権をもっていた。シェワルナゼはキトヴァニを国防相に、イオセリアーニを国軍の自律的な部隊である緊急時対応部隊の長官に任命した。イオセリアーニの腹心の一人が内務相になり、シェワルナゼは三人とともにたびたび公（おおやけ）の場に出た。しかし、ここで危険な坂道が始まったのである。

国家評議会を創設した法律は、現評議員の三分の二の賛成があれば新評議員を選出できると定めていた。シェワルナゼは評議会の拡大を盛んに唱え始めたが、とくに当たり障りのない提案と見なされていた。まもなく評議会は、軍閥指導者と政治エリートからなる、はるかに規模が大きく、シェワルナゼにとって御しやすい組織になった。次にシェワルナゼは民兵組織の隊員を次々と国家機関に登用し、彼らの忠誠をイオセリアーニとキトヴァニから自分に向けようとした。また権限や管轄が複雑に重複する、数々の軍事部隊を新設した。国境警備隊、特別緊急対応部隊、トビリシ特殊救難隊、政府警備隊、総務省国内軍、特殊アルファ部隊、ＣＩＡの訓練を受けた大統領警備隊。一九九五年当時、内務省にはこれらの組織で働く職員が三万人もいて、その多くが以前の民兵組織からの任用者だった。それとともに腐敗と不処罰がはびこった。元民兵は好き勝手に税を取り立て、賄賂を引き出すことができたからだ。

シェワルナゼは、権力の座につけられたそもそもの目的によって支配力を高めていった。その目的とは、海外から援助や支援を呼び込むために、政権の国際的な信用を高めることだ。たしかに信用は高まり、それはシェワルナゼによってもたらされた。真に信用のある国になるには、市場経済の導入が欠かせず、そのためには民営化と規制が必要だった。シェワルナゼはそのすべてを欲しいままに操作することによって、増え続ける支持者たちに見返りを与えることができた。シェワルナゼはきわめて精巧でうまみの大きい、「分割統治」を行なっていたも同然だった。その権力は強大化し、一九九四年九月には民兵組織ムヘトリオーニを利用してキトヴァニを逮捕させ、その翌年には組織自身の指導者であるイオセリアーニを逮捕させた。そして最終的にみずからの暗殺未遂事件を利用して、主に非公式なものだった自身の権力を強化する新憲法をまんまと通過させた。グルジアの国家は再び姿を現し、国家建設のプロセスを意のままに掌握できると高をくくっていた軍閥たちは、危険な坂道を一気に転げ落とされたのである。

なぜ力への意志に足枷をはめられないのか

ここまで、リヴァイアサンを抑制するための規範が、力への意志によって消し去られた事例を見てきた。ムハンマドとシェワルナゼは、避けがたい紛争を解決する外部者として迎えられた。両者はこの役割を見事に果たし、秩序と平和をもたらし、紛争解決の確かな担い手になった。しかし彼らを制御することが当初予想していたよりもはるかに難しいことを、当初の同盟者たちは知るのだった。シャカはズールーの国王という地位を踏み台に、きわめて強力な軍を創設し、国家権力と自身の権威を拡大し、その過程で国家建設の取り組みを抑制することを狙う規範を骨抜きにした。カメハメハは火薬技術を使いこなしてライバルを制圧し、この島が経験したことのない強力な統一国家をハワイに建設することができた。

これらの事例のなかで、その後足枷のリヴァイアサンへの移行が見られたものは一つもないし、過去に不在のリヴァイアサンの下で政治的階級が出現したほかの無数の社会にもほとんどない。また自由を拡大する目的で、規範の檻が壊された事例もない。どの事例でも、規範の檻は政治的階級の拡大の妨げとなるものを排除するために壊された。例外はもちろん、暗黒時代後のアテナイだ。第二章で見たように、アテナイは紛争を解決し、報復行為を抑制し、公共サービスを提供するための国家能力を高めると同時に、社会による国家の統制を強化し、支配的な規範をつくり変えることに成功した。ではなぜほかの社会にはそれができなかったのだろう？　その答えは、社会が国家建設のプロセスを開始する時点で存在する規範と制度の性質と関係がある。多くの場合、国家なき社会は、強みをもつカリスマ的リーダーの力への意志に屈してしまうのだ。こうした指導者の多くを駆り立てるのは、足枷のリヴァイアサンをつくろうとする意欲でも、自由を促進しようとする意欲でも、エリートと市民の力の不均衡を正そうとする意欲でもない。彼らを駆り立てるのは、自身の権力と社会支配を強めたいという欲求なのだ。この視点から見ると、アテナイのソロンは例外的存在だった。ソロンは富裕な一族やエリートの過剰な影響力の抑制をめざして政権に就いたため、リヴァイアサンの足枷を強化することは公約の一環だった。だがほかの国家建設者の場合、そうはいかなかった。

　だがおそらくより根本的なこととして、ソロンの時代のアテナイ社会がほかと違っていたのは、政治権力の分配や紛争解決を調整する何らかの正式な制度をすでに生み出していた点である。不完全とはいえ、こうした制度を土台として、ソロンやその後のクレイステネスらは、民衆の政治参加を拡大し、社会的・政治的階級を抑制していた既存の規範をさらに強化することができた。だからこそ、強力な個人がのさばりすぎないようにする、ヒュブリスとオストラキスモスの法を制定することができたのだ（また同時に、足枷のリヴァイアサンの発展を阻むような規範を弱めることもできた）。そのような制度はティヴにも、メディナとメッカ、ズールー、カメハメハ時代のハワイにも存在しなかった。むしろ足枷のリヴァイアサンにとって不利なことに、これらの社会が強力な個人による権力掌握を阻止するために用いた手段は、呪術や血縁的関係、カプ制度といった、紛争を抑制し、政治的階級に歯止めをかけるための複雑な規範だった。だがいったんこうした規範が力への意志によって突破されると、新興国家の力への有効な対抗勢力になりうるものは、ほとんど残らなかった。またすでに見たように、国家建設者も自分たちの目的に合わせて規範をすばやくつくり変えた。私たちの概念的枠組みをまとめた第二章の主題図1に戻ると、これらの状況に対応するのは左下の、国家と社会の両方がもともと弱い状態だとわかる。国家建設がいったん軌道に乗り始めたとき、そのプロセスを抑制できる規範や制度が社会になければ、回廊は出現しない。したがって、社会は力への意志を前にしたとき、専横のリヴァイアサンに向かうしかないのである。

だが悪いことばかりではなかった。これまで見てきた萌芽(ほうが)的なリヴァイアサンのなかには、紛争解決能力を改善し、秩序をもたらし、規範の檻の最も悪質な面を破壊したものもあるのだ——たとえその結果として、さらに多くの階層を生み出し、国家なき社会の恐怖と暴力の可能性の代わりに、新たな専横のリヴァイアサンの支配をもたらしたとしても。経済的帰結も悪くはなく、資源配分を改善し、原初的な経済成長を促進した。次章ではこれを説明するために、不在のリヴァイアサンの下での経済の性質と、そうした社会の規範の檻について考察し、それを専横のリヴァイアサンの下で生まれる経済と比較しよう。

第四章

回廊の外の経済

穀倉の幽霊

一九七二年、人類学者のエリザベス・コルソンは、グェンベ・トンガに交じってフィールドワークを行なっていた。グェンベ・トンガはザンビア南部に住む（前章の図5）、イギリスがこの地を征服するまで国家をもっていなかった人々である。コルソンが農家で情報を集めていると、女性が訪ねてきて、その家の主婦に、麦を分けてもらえないでしょうかと尋ねた。二人は同じクランに属してはいたが、家は遠く離れていて顔見知り程度だった。主婦が求めに応じて穀倉に行き、カゴにあふれんばかりの麦を入れてやると、訪問者は満足して帰っていった。

クランや親族、その他の集団でのこうした食料の惜しみない分かち合いは、多くの国家なき社会に一般的な慣行である。ほとんどの人類学者と多くの経済学者は、これを深く根づいた協力と互恵の慣習と規範の表れと解釈している。また経済的にも明らかに理にかなっている。いまクランの仲間を助けておけば、いつか自分が困ったときに助けてもらえるだろう。コルソンも最初は、この大げさなほどの寛大さをそのように解釈していた。

現実はかなり違っていることにコルソンが気づいたのは、あとになってようやくのことだった。きっかけは、村の若い男性が家から気がかりな手紙を受け取ったことだ。コルソンはフィールドノートにこう記している。「ある晩、男性の家の穀倉に明かりが灯っているのが目撃された。あとで彼の妻と兄が調べてみると、幽霊が穀物の上に放尿した跡が見つかった。幽霊がこうした悪さをするのは、魔術師によって送り込まれたときだと、トンガ人の間では信じられている」。魔術師はおそらく、男性と家族を殺そうとしたのだろう。男性は「前の年の野心が——広い畑に種をまき、朝から晩まで働いたことが——憎しみの収穫しかもたらさなかった」ことを嘆いた。その場に居合わせた例の主婦は、すぐに事情を察した。コルソンはこう書いている。「誰かが彼の農場にやってきて、麦でいっぱいの穀倉を見たにちがいないと主婦は考え、誰かにじっと見つめられたり、食料を分けてほしいと頼まれたり、たっぷりの食料のことで何かいわれたことはありませんかと、男性に尋ねた」。主婦はこう結論づけた。

断るのは危険です。この前来た女性に私が麦を分けてあげるのを見たでしょう。麦を欲しいといわれて、断れるはずがないじゃありませんか。もしかしたら仕返しはされないかもしれませんが、どうなるかはわかりません。とにかく、与えるしかないんです。

与えなければ魔術や暴力を振るわれるかもしれない。与えるように仕向けたのは、思いやりなどという漠然とした概念ではなく、規範を破れば報復と暴力を受けるかもしれないという恐れだったのだ。この種の脅威はトンガ社会に蔓延していて、クランの成り立ちにまで組み込まれている。たとえば近隣の高地トンガには一四のクランがあり、それぞれに「トーテム」——食べてはいけない動物——がある。バヤンバのトーテムは、ハイエナ、サイ、ブタ、アリ、魚で、このクランの人々はこれらの動物を食べることができない。バテンダはゾウ、ヒツジ、カバをトーテムにしている。ほかの禁じられた動物には、ヒョウ（バンサカ）やカエル（バフム）、白いハゲタカ（バンタンガ）などがある。こうした食事の禁忌の起源は、トンガの伝説によれば、遠い昔にある集団の人々がヒョウを食べていたところ、ほかの人々が豊富な食べ物をねたみ、呪いをかけてヒョウを食べられないようにしたことにあるという。その呪われた人々の子孫が、いまのクランなのだ。

つまり、トンガのもてなしと思いやりの規範が生まれ、守られていたのは、何かの道義的な責任感や経済的利益のためなどではなく、人々が暴力と魔術を恐れ、またもちろん、規範を逸脱した場合の社会的排斥や暴力を伴わない報復におびえていたからだった。トンガの人々が住む社会には国家がなく、したがって人々を守り、争いを解決してくれる警官も役人もいなかった。それでも、争いを防止し抑止する規範のおかげで、暴力の蔓延を免れていた。訪問者が訪れ、主婦は惜しみなく与え、潜在的な争いは避けられた。

勤労の余地がない

中央集権的権威がなければ社会は闘争状態に陥ると、ホッブズは考えた。また第一章で見たように、ホッブズは闘争が経済的インセンティブを破壊することを予見して、「そのような状況には勤労の余地がない。なぜなら、勤労の成果が不確実だからである」と述べた。現代経済学の用語でいえば、紛争と不確実性のせいで、個人が投資の成果や生産物、狩猟採集物に対する確実な財産権をもつことができず、そのことが経済活動を阻むのだ。

闘争が経済におよぼす影響を理解するために、コンゴ民主共和国にしばし戻ろう。第一章の冒頭で見たように、この国の東部、とくにキヴ地方は民兵組織や武装集団に苦しめられている。実際キヴでは、ホッブズが随所で示唆しているように闘争が個人の間で見られるだけでなく、集団間にも見られる。コンゴ東部の武装集団の一つに、ゴマ市に本拠を置くＲＣＤ‐ゴマがある。この集団はコンゴ民主主義運動（フランス語の名称 Rassemblement Congolais pour la Démocratie の頭文字をとってＲＣＤと呼ばれる）から分裂した派閥の一つで、一九九六年から二〇〇三年にかけての第一次・第二次コンゴ戦争（まとめてアフリカ大戦とも呼ばれる）中に結成された。ようやく和平合意が結ばれても、RCD-ゴマを含む多くの組織はまだ戦い続け、地元民を脅かしていた。二〇〇四年一二月、RCD-ゴマの部隊が北キヴ州の町ニャビオンドに押し寄せた。この町は別の武装集団マイマイによって保護されていた。RCDは一二月一九日に攻撃を仕掛けた。捕らえられたマイマイの戦闘員は縛られて火あぶりにされた。住民は早朝の靄（もや）に紛れて野原や森林に逃げ込んだため、当初民間人の死者は少なかった。だがRCDは住民を探し出して捕らえた。たった数日で一九一人が無残に殺された。まだ一五歳のウィリーという少年が、アムネスティ・インターナショナルの調査員にこう語った。

兵士は車か徒歩で来て、殺人と略奪をはたらきました。制服の奴らもいましたが、私服もいました……町の住民は森に向かってまっしぐらに逃げました。僕は母と近所の人や親戚の一五人の集団の中にいました。兵士に見つかると、地面に寝かされて、ライフル銃の台尻で殴られました。僕らのなかにバロキ［地元の首長］がいましたが、兵士に連れて行かれました。一週間後の一二月二五日に、バロキの死体を見ました。頭に銃弾を撃ち込まれていました。体には縛られ鞭（むち）で打たれた跡がありました。死体は地面に投げ出されていたんです。

下は八歳までの少女がレイプされ、最終的に二万五〇〇〇人が町を追われた。持ち物は壊され、家は焼き払われた。ニャビオンドは根こそぎ略奪され、屋根瓦まで剝がされた。

これこそが闘争であり、人的被害は明白で凄惨だった。経済的被害も同じくらい明らかだった。キヴの経済は壊滅し、コンゴのほかの大半の地域も同様だった。その結果はすさまじい貧困である。コンゴの一人当たり国民所得は、一九六〇年の独立当時の水準の約四〇％でしかない。四〇〇ドルというその額はアメリカの一%にも満たず、世界最貧国の一つとなっている。平均余命はアメリカより二〇年も短い。コンゴ民主共和国ではホッブズのいうとおり、人間の生活は「貧困で、過酷で、野蛮なものになり、寿命は短くなる」。女性はこれに輪をかけてひどい状況に置かれている。

一方トンガは、キヴや、ホッブズが描いた国家なき闘争状態の人々とはかけ離れているように見える。トンガの人々は協調ともてなし、思いやりを支える規範の下で、人間が「協調的な種族」だという主張を絵に描いたような社会で暮らしている。だが第一章ですでに見たように、その代償として規範の檻にとらわれることが多い。しかし、ここまでの議論からもうわかると思うが、檻は人々の社会的選択だけでなく、経済的生活をも束縛するのだ。

このことは、精を出して働いたのに、成功をねたまれ、幽霊と魔術師に穀倉を襲われた、トンガの若い男性の例にも明らかだ。この種の規範が経済的インセンティブにおよぼす悪影響は、そうした被害だけにとどまらない。たとえホッブズが国家なき社会の経済として描いたほど明白なかたちをとらなかったとしても、財産権をも侵害するのだ。たとえばあなたが投資をして、生産量を増やしたとしよう。財産権が保障されていれば、増えた分の生産物から利益を得て、好きに使うことができる。人に与えるのが好きな人にとっては、与えるのも見返りのうちだ。だがトンガの社会では、規範の檻に支配されたほかの多くの経済と同様、増えた分の生産物は人に与えなくてはならない。そうしたいから与えるのではなく、規範に反した場合に受けるかもしれない社会的報復や暴力を恐れるから与えるのだ。たとえそうした取り立てが、思いやりの慣習にくるまれて自発的なものに見えたとしても、増えた分の収入を取り立てられるのだから、実質的には確実な財産権がないも同然である。その帰結は、ホッブズが説明したものとほとんど変わらない。そこに「勤労の余地はない」のだ。

このことは、終わりなき飢餓というかたちで、トンガ社会にはっきり表れている。飢えと物乞いだ。

コルソンはギリギリの生活を送る人々の様子について書いている。

家に蓄えた食料が尽きてしまうか、尽きそうになると、近くに住む親戚や友人から食料を得ようとする。まずは子どもや体の不自由な家族が、まだ食料のある地域の親戚の家まで使いに出される。男たちは家を離れられない家族に食べ物を残すために働きに出るが、外で食事を与えられても、家族が空腹でいることを思えば心は安まらない。地域の食料が尽きると、人々は何キロも歩いて遠方の親族にすがりに行く。向かう先はたいてい高原地帯だが、そこではイナゴの大群ほどの歓迎しか受けない。

経済学の父アダム・スミスは、人間には「取引し、交易し、交換する」性向があることを強調した。トンガランドでは取引、交易、交換よりも、物乞いの方が一般的だった。コルソンはこう指摘する。「山間（やまあい）の地域には、域内の交易を取り仕切る仲介人もいなければ、市場もなかった。また地域共通の交換手段もなかった」。交易らしきものはあったが、コルソンによればそれは次のようなものだった。

交換のほとんどが、取引の当事者間に存在する制度化された関係に伴う義務的なものである。一方の当事者に受け取る権利があり、他方に与える義務がある。

その結果、社会は食べていけるだけしか作物をつくらなくなり、ありとあらゆる経済不調や災難の影響にさらされやすくなった。技術は停滞し、後退した。植民地化以前のトンガ社会では、車輪は土器の製造にも輸送にも使われていなかった。地域の主力産業である農業は生産性が低かったが、それは土地がやせていたからではなく、地面を耕すのに鋤ではなく棒を使っていたからだ。

前に見たように、トンガの規範の檻の起源は、ホッブズの主張と無関係ではない。この種の規範が多くの場所で発達してきた理由の一つは、平等主義は明らかに政治的に意味があるからだ。平等主義の規範は現状を維持するのに役立つ。そうした規範が弱いか存在しないと、階層が出現し、危険な坂道が始まり、国家なき状態に終止符が打たれるのだ。したがって、現存する国家なき社会は、強力で根深い平等主義の規範をもつ社会であることが多い。そうした規範は、紛争を抑制する助けにもなる。もしも紛争が暴力や報復に発展する恐れがあるのなら、筋書きの決まった経済活動に甘んじる方がましだ。新しい経済活動や新しい機会、新しい不平等には新しい紛争がつきものだが、既存の規範ではなかなか対処できない。闘争のリスクは避けるに越したことはない。現状維持が得策だ。

檻に入れられた経済

この状態は、いうまでもなくティヴによく似ている。第二章で見たように、ティヴは危険な坂道を何としても避けるための規範を発達させた。力を蓄えて権威を振るおうとした者は、誰であっても魔女狩りに遭い、身の程を思い知らされた。ティヴの規範とそれが生み出した檻は、経済にも同様の効果をおよぼし、「檻に入れられた」経済を事実上形成したのだ。

ティヴは血縁や血筋に基づく社会だった。前に見たように、一人の祖先の子孫が占有する土地は「タール」と呼ばれ、タール内で伝統的ティヴ社会に存在したわずかな権威を振るうのは、長老たちだった。長老はタールの人々に、家族を養うのに十分な土地を割り当てた。十分といっても、それ以上ではない。人類学者のポールとローラのボハナン夫妻が指摘するように、もしも誰かが「領内のほかの人より多くの金や品を得ようとして、妻と子どもたちに必要な量をはるかに上回るヤムイモを植えようとしても、おそらく許可されないだろう」。

またティヴランドには労働力を売買できる市場はなく、土地や資本の市場もなかった。農業生産に利用できる手段は、家族の労働力とタールだけだった。男性も女性も農作業に携わったが、男女が栽培できる作物はそれぞれ決まっていて、主食のヤムイモを栽培できるのは女性だけだった。妻が耕作する土地を提供するのは夫だったが、夫婦は生産物に対する権利を自動的に得るわけではなかった。一部の生産物の市場はあったが、ボハナン夫妻はこう指摘している。

> ティヴの市場の最も特徴的な性質は、おそらくそれが極度に制限されていて、社会のほかの制度に波及する傾向がほとんど見られないことにある。

実際、ティヴに自由市場はなく、あるのは檻に入れられた市場だった――市場は取引を円滑化するためではなく、危険な坂道を避けるためにつくられていたのだ。

これが最も明白に表れているのは、おそらく財の交換の概念だろう。交換は厳しく制限されていた。経済はいくつかの部門に分かれていて、部門内での取引はできても、部門をまたぐ取引はできなかった。最も柔軟な部門は食料と生活必需品の市場で、たとえばニワトリ、ヤギ、ヒツジ、家庭用品、それ以外の工芸品・用品（モルタル、砥石、ひょうたん、鍋、カゴなど）が含まれた。これらの品の生産に必要な原材料が含まれることもあった。これらの品は地域で定期的に開かれる市で取引され、価格には弾力性があり、値切ることができた。こうした市場での取引は利用可能な貨幣量にすでに適応していた。しかしこの部門は、市場で取引できない威信財とは完全に分離されていた。威信財には肉牛、ウマ、トゥグンドゥという特殊な白布、薬、呪具、真鍮棒が含まれた。かつては奴隷もこの種の財に数えられた。威信財部門では貨幣は用いられず、異なる財の間に等価性が存在した。たとえばかつて奴隷の価格は乳牛と真鍮棒で、肉牛の価格はトゥグンドゥの布で、それぞれ表された。

第二章に登場したティヴの長老アキガは、さまざまな威信財の交換方法を次のように説明した。「鉄棒一本はトゥグンドゥ一枚で買えた。あの頃はトゥグンドゥ五枚が、雄牛一頭と等価だった。乳牛一頭が、トゥグンドゥ一〇枚分だ。真鍮棒一本は、トゥグンドゥ布一枚にほぼ相当した。だから真鍮棒五本には、雄牛一頭分の価値があった」

近代的な交易のようなものが起こるまで、交換条件は厳格に固定され、変更されることはなかった。威信財はこのようにして交換されたが、売買されたわけではない。ボハナン夫妻も「ティヴは市場で乳牛やウマを買わない」と述べている。

では威信財はどうやって手に入れるのだろう？　生活必需品から威信財への移行は、ボハナン夫妻が「変換」と呼んだプロセスにあたる。ティヴの理解では、生活必需品は勤勉によって獲得できるが、威信財はそうではなかった。威信財を得るためには「勤勉以上のもの――『強い心』が必要」だった。上方への変換が可能なのは、誰かが既存の威信財をすべて処分する必要があり、したがって下方変換する意志があるときだ。だが「人々は変換したがる人を思いとどまらせようとする」。なぜならそのような人物は「恐れ敬われるからだ。もしもその人物が同族の人々の懇願に逆らえるほど強力なら……潜在的に邪悪な、特別な力（ツァヴ）をもつ人として恐れられる」。

こうしてまたツァヴに話が戻った！　ティヴの規範は経済を檻に入れ、生産要素市場を消し去り、家族を主要な生産要素にした。その見返りとして、血縁集団間の均衡を保ち、危険な坂道を避け、現状を長く持続させたのだ。

トンガの強制された思いやりと同様、ティヴの檻に入れられた経済は明らかな悪影響をおよぼした。経済を効率的に運営するにも、繁栄を実現するにも、市場は欠かせない。だがティヴの間では市場は機能することを許されなかった。交易が起こるまでは、相対価格はたいてい固定されていた。その結果としてティヴランドに生じたのは、トンガの場合と同じ、極度の貧困である。ティヴ社会の制度は、掘り棒などの単純な道具や食品加工の道具という形態のものを除けば、資本を蓄積するインセンティブをほとんど生まなかった。実際、ただ貯蓄するだけでも邪悪なツァヴをもっているとして告発されることがあったため、報復の恐れのせいで蓄積は危険になった。その結果、ティヴランドがイギリスに征服された当時、人々の所得はほぼ生存水準で、平均余命は約三〇年だったのだ。

イブン・ハルドゥーンと専制のサイクル

トンガとティヴをめぐる私たちの議論から、ホッブズが国家なき状態の経済的帰結として分析したことが、必ずしも正しくなかったことがわかる。国家なき社会は、経済的インセンティブを壊滅させるほどのたえまない暴力や紛争から抜け出せなかったわけではない。もちろん、コンゴのキヴは、中央集権的権威がない社会にも、壊滅的な紛争にとらわれた例が多くあることを思い出させてくれる。それでも、ホッブズの結論は完全に外れていたわけでもない。なぜなら、こうした社会が紛争を抑制するために生み出した規範は、結局のところ非常に歪んだインセンティブを生み出したのだから。

それでは、専横のリヴァイアサンは安全と予測可能性、秩序を生み出すから、経済的インセンティブによい影響を与える、というホッブズの見解も正しかったのだろうか？　ここでもホッブズは部分的に——部分的にだけ——正しかった。専横のリヴァイアサンが生み出す経済の二面的な性質を理解するには、アラブの偉大な学者イブン・ハルドゥーンの著書が格好の出発点になる。一三三二年にチュニスに生まれたハルドゥーンは、イエメン出身のムハンマドという男性を祖先にもつ。ハルドゥーンは波乱に富んだ人生を送った人物で、モンゴルの征服者ティムールと会見したこともあった。最も有名な著書は、キターブ・アル＝イバル（『イバルの書』）、いわゆる『教訓の書』であり、その第一巻『序説（ムカディマ）』は、専横国家が経済に与える影響を理解する上で、とくに有用である。

ハルドゥーンの『序説』は豊かな思想に満ちている。アラビア半島での国家の誕生が経済に与えた影響をたどるほか、社会における二組の基本的な対立を明らかにし、それらを土台とした政治制度の力学に関する理論を提唱している。第一の対立は、砂漠の遊牧生活と都会の定住社会の対立である。第二は、統治する者とされる者の対立だ。ハルドゥーンによれば、第一の対立では、砂漠の過酷で貧しい生活が生み出した社会の特質により、砂漠民が優位に立つ。砂漠民の社会を特徴づけていたのは、アサビーヤと呼ばれる社会的結束や連帯意識だった。アサビーヤは、読者にはもうおなじみの概念だろう。それは国家なき社会の規範の檻の一部だった。だがハルドゥーンはこうした規範を新しい角度からとらえ直した。私たちのこれまでの視点に立てば、アサビーヤは遊牧社会の紛争を抑制し、政治的平等を維持する助けになる。だがアサビーヤは、近隣の都市の住民を従属させるのにも大いに役立つと、ハルドゥーンは指摘したのだ。

前章で見たように、ムハンマドの国家建設の取り組みでは、イスラムが強みになった。またムハンマドがこの取り組みで頼ったベドウィンの諸部族は、強いアサビーヤをもっており、ムハンマドと信者たちはそれを二つめの強みとして、イスラム帝国を巨大な帝国に拡大することができたのだ。ハルドゥーンの説明によれば、この強みを生み出したのは、砂漠生活の経済的苦難だけでなく、砂漠の過酷な生活環境で互いを助け合うために発達した、血族の緊密なネットワークでもあった。砂漠民はつねに定住世界の住民に打ち勝ち、新しい国家や王朝を形成する運命にあった。

しかしハルドゥーンによれば、砂漠民はアサビーヤに助けられて「文明化された土地」を征服し、権力を握ることができたものの、権威に内在する力学のせいで、アサビーヤはおのずと衰え、ベドウィンなどの集団が創設した国家はやがて崩壊するに至った。続いて、砂漠から来た新しい集団が崩壊しつつあった国家にとって代わり、またサイクルが一から始まった。ハルドゥーンは次のような言葉で自身の三世代論を説明する。

王朝の存続期間は、一般に三世代を超えることはない。第一世代は砂漠的な性格と砂漠の強靱性、砂漠の野蛮性を保っており……まだ連帯意識の力を保持している……第二世代は砂漠的な姿勢から定住生活の文化へ……全員が栄誉を分かち合う状態から、ある者がすべての栄誉を独占する状態へと変わる……人々は身分が低く従属した状態に慣れる……第三世代は……砂漠の生活の時代を完全に忘れてしまう……彼らは……連帯意識をすでに失っているが、それは力による支配を受けているからだ……誰かに何かを要求されると、それをはねつけることができない。

ハルドゥーンの分析は、統治する側とされる側の対立が果たす役割についても、鋭い洞察力で明らかにしている。砂漠からやってきてしばらくたつと、「ある者がすべての栄誉を独占」する一方で、大多数の人々は「身分が低く従属した状態に慣れる」のだ。ハルドゥーンは新しい王朝の寿命を、一二〇年ほどと見ていた。

——————

こうした政治力学とその経済的影響を掘り下げる前に、第三章で見た歴史の続きをたどり、ムハンマドの死後に何が起こったかを見ておくことが役に立つ。ムハンマドによって開始されたアラブの征服は、その死後、最初はムハンマドとの親しい個人的関係から権威を得ていた四人の〔正統〕カリフと呼ばれる指導者たちによって続けられた。四人とは、アブー＝バクル、ウマル、ウスマーン、そしてムハンマドの従弟であり娘婿で六六一年に暗殺されたアリーである。アリーの死をもって、この新興国家の統治方法をめぐる論争の時代に終止符が打たれた。ウスマーンは新興国家の中央集権的支配を強引に進めようとした末に、反乱兵士たちに殺された。ウスマーンの死後、アリーがカリフ位を継承すると、ウスマーンの従弟でシリア総督のムアーウィヤが異議を唱えた。これが長い内戦を招き、アリーの暗殺とムアーウィヤのカリフ就任によってようやく終結した。ムアーウィヤはウマイヤ朝を開き、この王朝が、七五〇年にムハンマドの叔父アッバースにちなんで名づけられたアッバース朝に滅ぼされるまで、一〇〇年近くにわたって帝国を支配した。ウマイヤ朝が支配を開始した時点で、すでにイラン、イラク、シリア、エジプトが征服され、北アフリカの征服もかなり進行していた。北アフリカは七一一年にとうとう征服される。帝国は八世紀半ばにはスペインの大部分を征服し、内陸アジアの広大な地域も領土に加えていた。

これらの征服地で、当初ウマイヤ朝は（シリア、パレスティナ、イスラエル、エジプトでは）ビザンティン帝国と、（イラクとイランでは）サーサーン朝の既存制度を土台とし、その上にアラブ戦士階級による支配を課そうとした。ウマイヤ朝が新首都ダマスカスを本拠とする、より特徴的な国家制度を築き始めたのは、六八五年にアブドゥルマリクがカリフに即位してからのことだ。しかし、ウマイヤ朝は真に有効な中央集権国家を構築することはできず、後継のアッバース朝にもそれはかなわなかった。ウマイヤ朝の軍隊はきわめて強力で、広大な地域を占領したが、占領を真の統治体制につくり変え、占領地民の忠誠を得るのは、それよりずっと難しいことがわかった。そのためウマイヤ朝と続くアッバース朝は、地方の統治と徴税、秩序維持に関して、現地のエリートへの依存を高めざるを得なかった。そこで現地エリートを抱き込むために「徴税請負制」を導入し、各地域において徴税する権利を一定の金額で売却した。ダマスカスによって、またアッバース朝ではバグダードによって、徴税権を付与された請負人は、地域に好き勝手な税を課すことができた。これが法外に高い税率とエリートによる土地占有を招いたのは、必然の成り行きだろう。なぜならエリートは課した税金を払えなくなった人々から土地を取り上げたからだ。帝国のこうした政治構造は、やがてみずからの破滅を招いた。現地エリートは世襲の知事の地位を要求し、治安維持のために私兵を擁するようになった。バグダードはまもなく彼らを制御できなくなった。帝国は内部から瓦解し、とうとう九四五年に実質的な権力を失ったのである。

これらの展開のどれ一つとして、ハルドゥーンにとっては驚きでなかった。ハルドゥーンは力への意志を強く信じており、こう述べている。

人間はいかなる社会的組織においても、その成員たちの争いを阻止するために、抑制力を行使し、調停者としての役割を果たす者を必要とする。この人物は必然的に連帯集団内で、ほかの者たちを支配するような者でなくてはならない。そうでなければ抑制力を行使することができない。

そうした人物はいったん人々に認められると、メディナでのムハンマドと同様、指導者になった。「指導権とは統率を意味し、指導者は人々の服従を得る。だがみずからの統治を受け入れることを人々に強制する力はもたない」。しかし、指導者がただ存在するというだけで、社会がたちまち危険な坂道を転げ落ちる恐れがあることを、ハルドゥーンは理解していた。実際、「連帯意識をもつ集団の長が統率の段階に到達し、服従を要求するようになれば、次は支配と拘束力への道が開けていることを知り、その道を進むだろう」と書いている。つまり、連帯意識は、すべての人に平等に備わっているわけではないために、否応なく王権につながる傾向にあった。この場合の王権とは、「拘束力と強制統治権を意味する」。

だが新しい王朝の統治者はいったん権力の座に就くと、「権力を維持するためにそれほど連帯意識を必要としなくなる。王権への服従が、あたかも変えることも反対することも許されない、神の啓示の書のようになるからだ」。そのため、ハルドゥーンは自身の世代論をもとに、こう主張した。王朝の統治者は、自分たちが権力の座に就くのを助けてくれた者たちと次第に距離を置くようになり、帝国内の新しい集団と関係を築き始めたと。これは新たな征服地に帝国を構築する際には必ず起こることだ。これらの土地はすでに地元のエリートや有力者によって占領・支配されていることが多かったため、新しい王朝は彼らと何らかの合意を結び忠誠を得るか、さもなければ反乱の頻発に直面することになった。王朝の性質が変容し、アサビーヤが衰えるうちに、専横が姿を現した。ハルドゥーンの言葉で言えば「アラブ人の連帯意識が消滅し、アラブの種族が絶滅し、アラブ主義が完全に崩壊するとともに、カリフ制国家はアイデンティティを失った。政体は純粋かつ単純な王権と化してしまった」。これがもたらした影響も単純だった。

宗教の抑制力が弱くなっていた。政府と連帯集団による抑制力が必要になった。……
王権は支配と拘束力を必然的に伴う……支配者による決定は、したがって正しい決定から逸脱するのがつねである。そうした決定は、支配下にある人々の生活状態を破滅させるものとなる。なぜなら支配者は一般に、みずからの意図と欲望を人々に押しつけるが、それが人々の能力以上のことかもしれないからだ。……不服従が目立つようになり、その結果、騒動や流血が生じる。

ここでハルドゥーンは、新しい王朝の創造が経済におよぼす影響を示唆している。初期には連帯意識の力と「宗教の抑制力」のおかげで、繁栄の可能性があった。だがその後「王権」が確立すると、経済政策は「人々の生活状態を破滅させるもの」となったのだ。ハルドゥーンの世代論の経済的な意味が最もよく表れているのが、税をめぐる議論である。次にそれを見ていこう。

イブン・ハルドゥーン、ラッファー曲線を発見する

徴税は、王朝の初期には低率の課税であっても収入が大きい。王朝の末期には、高率の課税であっても、収入は少ない。このことを知っておく必要がある。

この言葉によって、ハルドゥーンはレーガノミクスを予見した。レーガノミクスとは、一九八〇年代初頭にアメリカ大統領ロナルド・レーガンによって広められた経済学説である。レーガノミクスの柱の一つは、ワシントンD・Cのツー・コンチネンツ・レストランで、経済学者アーサー・ラッファーによって、初めてナプキンの上に描かれた。このときラッファーは、共和党の成長株だったドナルド・ラムズフェルドとディック・チェイニー、そしてジャーナリストのジュード・ワニスキーを相手に、自身の考える財政政策の基本原理を説明しようとしていた。その原理とは、政府が課す税率と税収の間の逆U字型の関係である。税率が低いうちは、税率を上げるにつれて税収は増える傾向にある。これは人々の所得における政府の取り分が増えるからという、単純な理由による。だが税率が高くな

りすぎると、勤労や努力、投資のインセンティブがそがれる。なぜなら活動によって生み出される利益のほとんどが、政府に徴収されてしまうからだ。その結果、税率が懲罰的に高くなると、経済活動のみならず税収までもが低下し始める。これは極端な例を考えるとわかりやすい。税率が一〇〇％に近づくと、政府にほとんどすべてを召し上げられるため、収入を得ようというインセンティブはほとんど消え失せてしまうから、税率が非常に高いのに税収はほとんど得られなくなる。ワニスキーはこの逆U字型の関係を、それを描いた人物にちなんで「ラッファー曲線」と命名した。ラムズフェルドとチェイニーにとってこの曲線は、税率を下げても減税が生む強力なインセンティブに人々が反応するため、かえって税収を増やせる、というすばらしすぎる展望を意味した――史上最高のウィン・ウィンの状況だ。それはただちにレーガン大統領の経済政策に組み込まれた。

いまさらいうまでもないが、レーガンの大統領就任当時のアメリカのように、税率が一〇〇％よりかなり低い世界で、減税が実際に税収増をもたらすかどうかは疑わしい。

中東で生み出された経済力学に関するハルドゥーンの分析は、よりしっかりした実証的根拠に根ざしていた。またハルドゥーンの考えたラッファー曲線は、ラッファーがラムズフェルドとチェイニーに説明したものとはいくぶん違っていた。それはハルドゥーンならではの世代論に基づいていた。第一に、王朝の初期にはまだアサビーヤがあるため、「宗教法によって規定されている救貧税や地租、人頭税などの税だけが課される」。これは経済によい影響があった、なぜなら「人民に割り当てられる税額や分担額が少なければ、人民の労働への意欲と欲求は高まる。文化事業が大きく伸び、数も増える……文化事業が伸びれば……個人に対する割当額の総和である税収が増加する」からだ。

ここでハルドゥーンが指摘しているのは、低い税率が「文化事業」、つまり経済活動を促す結果、ラッファー曲線が示すように税収が増えるということだ。まさにこれがアラブの征服の結果起こったことを、証拠は示唆している。ウマイヤ朝は、ムハンマドの教えから生まれた共通の法体系をもって、広大な領土を一つの言語、一つの宗教、一つの統治体制のもとにまとめた。この巨大国家が経済におよぼした最初のかつ最も明白な影響は、交易と商業活動の拡大である。何といってもムハンマドは、商人の出身だったのだ。地理学者のアル＝ムカダシは、バグダードと現イラン北東部のホラサーン＝トランスオクサニアの間で一〇世紀に交易されていた品目をまとめた。リストはネイシャブール産の「絹や平織り布などの高級布でできたヴェールやターバンなどの一一種類の衣服と衣料品、ブレスレット、高級毛糸で編んだ衣服、鉄」から始まり、続いてハラット産の「布、並の絹織物、タフタ、干しブドウ、糖蜜、鋼鉄、ピスタチオ、砂糖菓子」などの品目が何ページにもわたって続き、最後はサマルカンド産の「銀色の織物［シムガン］」、サマルカンドの品々、銅器、装飾を施したゴブレット、テント、あぶみ、くつわ、手綱」で終わっている。交易は広範な移動を伴った。その最も強烈なイメージが、毎年のメッカ巡礼、ハッジだろう。帝国中から何十万人もの信者が集まるハッジは、宗教的献身だけでなく交易の絶好の機会にもなった。

カリフ制国家の台頭が経済におよぼした好影響を示す別の証拠に、農業革命がある。これには、交易拡大によって、従来の市場規模をはるかに超える巨大市場が生まれたことも関係している。アラブの征服により、それまで栽培されていなかった多様な種類の農作物が地域全体に普及した。米、ソルガム、硬質小麦、サトウキビ、綿花、スイカ、ナス、ホウレンソウ、アーティチョーク、ダイダイ、レモン、ライム、バナナ、オオバコ、マンゴー、ココヤシ。こうした作物の多くは熱帯原産だったため、寒暖差が大きく乾燥した中東地域での栽培は容易ではなく、農業の大改革が必要になった。従来の作物の生育期は冬期で、収穫は春に行ない、暑い夏期は土地を休ませていた。だが新しい作物は熱帯産で夏期に生育したため、それに合わせて生産体制が再編、集約化された。アラブ人の中東征服まで、ビザンティンでは作付けは隔年で行なわれていた。今では二毛作になり、たとえば冬には小麦、夏にはソルガムや綿花、米が栽培されるようになった。そしてこれらイノベーションのすべてが、アラブの農業便覧に記録されたおかげで、帝国全体にベストプラクティスが広まった。

農業の集約化には、肥料と灌漑(かんがい)も欠かせなかった。アラブ人が征服した土地にはすでに多様な種類の灌漑システムが存在したが、ビザンティンとサーサーン朝ペルシアのシステムは老朽化がかなり進んでいる場合が多かった。アラブ人はこれらを刷新し、新しいダムや、地下水を遠方まで運ぶ地下水路、川や運河、貯水池の水を汲(く)み上げる水車など、多くの新しい公共インフラを構築した。こうしたインフラ投資は新技術を利用したものではなく、既存の技術的ノウハウを導入・配備するものだったが、それでも経済の生産能力を大いに高めたのである。

ムハンマドの政治的指導力が生み出した国家は、刷新された灌漑システムを構築し維持する重要な役割を果たした。また民間人にも補完的な投資を促した。こうしたことができた理由は、カリフ制国家が出現し、政治が相対的に安定したからというだけではない。メディナはオアシス地帯であり、ムハンマドは紛争解決者という立場上、水や灌漑をめぐる紛争に対処する必要があった。そこで一連の先例を示し、それが土台となって投資を円滑化するための法制度ができたのだ。とくに重要なことに、こうした裁定では、水利権がまとめて部族やクランに与えられるのではなく、個人に与えられた。これがインセンティブを高めるとともに、個人間の紛争を軽減した。そのほか生産を直接奨励する法律もできた。たとえば新たに開墾した土地の所有を認め、開墾地への課税を収穫の一〇分の一に制限する法律などがあった。

だがこのような初期の恩恵とそれがもたらす税収増加は、すぐに消え去ってしまう。ハルドゥーンは初期の経済的発展が長続きしないことを、実に明快に述べている。

王朝の支配が続き、その支配者が次々と継承していくうちに……ベドウィンの節度や自制といった特性が消えてしまう。王権の横暴と定住的文化が……姿を現すと……人民や耕作者、農民、その他のすべての納税民に課される割当額と分担額が上がり……商品に関税が課され、都市の城門で徴収されるようになる。……やがて税金は人民に重くのしかかり、過度の負担になる……その結果、人民の文化事業に対する意欲が失われてしまう。人民は自分の支出や税金を、自分の得た収入や利益と比較して、利益が少ないことを知り、すべての希望を失ってしまうからだ。そして彼らの多くが、いっさいの文化活動をさし控えるようになる。その結果、税収の総額が減少するのである。

税収が減ると、「支配者は新しい種類の税を導入しなくてはならない。通商に課税し、市場で売られる商品の価格に一定の税額を上乗せし、都市の城門から入ってくる商品に課税するようになる……事業活動は停滞する……状況はますます悪化し、やがて王朝は分解するに至る。このようなことの多くは、かつてアッバース朝とファーティマ朝のそれぞれの末期に起こった」（ファーティマ朝はイスラム帝国の三番目のカリフ制国家で――その名はムハンマドの娘ファーティマに由来する――一〇世紀初頭から一二世紀末まで北アフリカを支配した）。

ハルドゥーンの説明は、既存の証拠によって裏付けられている。アラブの征服後、土地税は容赦なく引き上げられたようだが、その一方で税収は減少した。たとえばイラクからの税収は、征服前の一二八〇万ディナールからウマイヤ朝末期には八三〇万ディナール、八一九年には五〇〇万ディナール、そして八七〇年には三〇〇万ディナール強へと、減少の一途をたどった。エジプトとメソポタミアのデータも、同様の状況を示している。

よくある対応として、「[支配者自身]が収入を増やそうとして、みずから商業や農業に従事すること」があった。だがハルドゥーンは、これが社会の人々に大きな害をおよぼすと考えた。なぜなら「人民よりはるかに多くの資金をもっている支配者が競争に加われば、人民は誰一人として欲しいものを手に入れることができなくなり、誰もが心配し、不幸になる。そのうえ支配者は出回っている農産物や商品の大部分を手に入れることができる……権力によってそうすることもできるし、最も安い価格で買い上げることもできる。支配者と競り合おうとする人など誰もいない。だから支配者は売り手に売値を下げるよう強制することができるのだ」。他方、支配者が売り手の場合は、すべての買い手に高い価格で強制的に買い取らせる。そんなわけで支配者は競争に加わることにより、「農民が農耕をやめ、商人が商売を断念する」ような状況を生み出してしまうのだ。

ウマイヤ朝とアッバース朝の国家が分解するうちに、徴税請負制の影響で、また有効な官僚機構を生み出せなかったせいもあって、インフラが荒廃した。また農民が地方エリートに食い物にされたせいで、投資が減退した。実際、困窮を極めた一般の農民は土地を捨てて、町や都市に移ったようだ。エリートの経済参入は、ハルドゥーンの指摘したとおりの影響をおよぼしたのである。

ハルドゥーンはみずからの説が、アッバース朝の崩壊を説明すると明言している。

アラブ人の連帯意識は、アル・ムタシムとその息子アル・ワーシクの治世までには崩壊していた。彼らはその後ペルシア人やトルコ人、ダイラム人、セルジューク人、その他の家臣の助けを得て、支配権を維持しようとした。だがペルシア人（非アラブ人）と家臣たちは、領土の諸州で権力を獲得してしまった。王国の勢力はますます衰え、もはやバグダード周辺を超えてはおよばなくなったのである。

二つの顔をもつ専横的成長

ハルドゥーンの説は、専横国家の形成が経済に与える影響を見事に表している。それは、ハルドゥーンの提唱したような、よいことのあとには必ず悪いことが起こるというサイクルが、何らかの「歴史的法則」だからではなく、専横下の経済がつねに内包するよいことと悪いことの両方を明らかにしているからだ。

国家は秩序と安全、平和の増大という点で、多くの利益を提供することができる。法を執行し、経済取引につきものの紛争をわかりやすく予測可能にできる。市場や取引の拡大を手助けできる。また、国家とそれを運営する国家建設者は、ラッファー曲線と同じ理屈から、財産権を強化することが自分たちの利益になると考えるかもしれない。財産権がなく、国家政策が予測不能な状況は、誰もが一〇〇％近い税率を課され、生産、労働、取引、投資のインセンティブを失っている状態も同然であり、結果として国家の税収はほとんどなくなってしまうが、これは望ましい結果とはいいがたい。だから税率を低く抑えた方が利益になるという理屈だ。これが実際に起こるとき、経済活動は繁栄し、社会にも、専横のリヴァイアサンにも、多くの恩恵がおよぶ可能性がある。また、国家建設者が生産性や経済活動の向上を促すために公共サービスやインフラ、ときには教育を提供することが自分たちの利益になると考える理由の根底にも、同じ理屈がある。

こうしたすべてを考え合わせると、専横のリヴァイアサンは、闘争や規範の檻よりもよい経済的機会とインセンティブを生むのかもしれない。専横のリヴァイアサンは、ことによると社会を組織し、法を整備し、投資を実行して、経済成長を直接促進することさえあるかもしれない。これが、「専横的成長」と私たちが呼ぶものの本質である。

この種の成長は、イスラム国家の歴史にはっきり表れている。軍閥に代わってメディナを支配したムハンマドは、紛争解決と法執行の能力を発揮して、経済活動に弾みをつけた。ムハンマドの国家が紛争の激化を抑え、またムハンマドがアラブの諸部族を統一してからは部族間の襲撃が収まったために、メディナ人の財産権はいっそう強化された。同じ要因が交易を円滑化した。また、いま見たように、この準国家はダムや地下用水路、その他の灌漑施設などの新しい公共インフラに投資し、農業生産を大いに増やした。全体として見ると、ムハンマドの登場前にメディナが向かいつつあった状態とは大違いだ。

とはいえ、リヴァイアサンと同様、専横的成長にも二つの顔がある。ハルドゥーンはこのことも明敏に理解していた。専横国家には民衆による統制がおよばず、説明責任の仕組みもないため、政治権力がますますその手に集中する傾向にある。そして国家は権力を強めるうちに、経済的利益をますます独占し、本来保護すべき財産権を侵害したい誘惑に駆られるようになる。こうして、税率や没収リスクが高すぎて、市民の生計はもちろん、国家の税収までもが危うくなる場所に向かって、ラッファー曲線をひそかに滑り降りていく。実際、ハルドゥーンは国家が社会に敵対し始めるこの段階を、避けて通れないものと見なしていた。そこでは、専横的成長の果実がいつか枯渇する予感だけでなく、リヴァイアサンがやがて恐ろしい顔を向ける予感のせいで、成長が生み出した恩恵がさらに早い段階で失われる。ハルドゥーンは詩的な言葉でこれを表している。

糸を紡いだ挙げ句の果てに

みずから紡いだ繭（まゆ）のなかで終わりを迎える蚕（かいこ）のように。

専横的成長に限界がある第二の理由も、同じくらい根源的なものだ。私たちが前著『国家はなぜ衰退するのか』で論じたように、持続的な経済成長には、安全な財産権、通商、投資があればよいというものではない。さらに重要なことに、イノベーションと生産性の継続的な向上も欠かせない。専横のリヴァイアサンの恐ろしいまなざしに射すくめられながらこれらを果たすのは、ずっと難しい。イノベーションには創造性が必要で、創造性には自由が必要だ——人々が恐れずに行動し、実験し、人に疎（うと）まれようが自分の道を自分の考えで決めることができなくてはならない。専横の下でこれをやり抜くのは至難のわざだ。一つの集団が社会全体を支配するとき、機会は万人に開かれないし、自由な社会は多様な道や実験に対して寛容ではない。

私たちは前著で、本書の「専横的成長」とよく似た「収奪的成長」には限界があり、持続的な長期の繁栄の基盤になることはまずないと論じたが、その理由はまさにいま挙げたことである。前著では、収奪的成長には本質的に限界があることを、いくつかの例を挙げて論じた。最もわかりやすい例が、ソ連の奇跡的成長の変遷だ。ソ連は経済を組織して、まず製造業に、続いて宇宙開発競争と軍事技術に資源と莫大な資金を注ぎ込むことができた。だがそれでも十分なイノベーションと生産性向上を実現することはできず、やがて経済は停滞し、崩壊するに至ったのである。収奪的成長が起こるのは、制度にも社会にも抑制されない支配者が、成長を促進することが自己の利益になると考えるときだということを、この例は示している。だがその場合であっても、支配者はイノベーションを計画や命令によって生み出すことはできない。人々の創造性を最大限に引き出すために、計画的に機会を幅広く行き渡らせることもできない。専横のリヴァイアサンによって生み出される専横的成長についても、民衆による統制と社会の積極的な政治参加、真の自由がない以上、同じことがいえる。

折れた櫂の法

専横的成長が国家建設者に利益をもたらすことは、ハワイ諸島統一をめざしていたカメハメハ大王も重々認識していた。征服完了後、大王が初めて制定した法は、折れた櫂の法だった。

わが民よ、なんじの神を称えよ
偉大な者にも貧しい者にも、［その権利に］同じだけの敬意を払おう
老人であれ、女性であれ、子どもであれ
誰もが恐れや危険を感じることなく、
路傍に横たわり休むことができるようにしよう
これに反した者は死すべし

この法はハワイの歴史上きわめて意義深いと見なされ、一九七八年にハワイ州の憲法にも組み込まれた。憲法第九条一〇節にはこうある。

公共安全。カメハメハ一世によって布告された折れた櫂の法、ママラホエ・カナヴィ――すべての老人、女性、子どもに路傍で安全に休息させせよ――は、当州の公共安全のユニークな生ける象徴である。

州は人々の身体や財産を犯罪から守る権限を有する。

折れた櫂の法のそもそもの意図は、新しい国家が人々や財産に対するいわれのない攻撃を決して容認しない、という姿勢を示すことにあった。この名称は、カメハメハが若い戦士だった頃に起こったできごとに由来する。カメハメハはハワイ島南東部のプナ海岸（第三章図6）の襲撃に参加し、漁師たちを襲って獲物を奪おうとしたが、カヌーを降りて海岸に飛び出したとたん、溶岩の裂け目に足を挟まれて動けなくなってしまった。これを見た漁師の一人が勇気を振り絞り、カメハメハを櫂で殴りつけると、櫂は真っ二つに折れたという。カメハメハが、のちに襲撃が正しいことではなかったと認め、そのような行動をなくそうとする意向を知らしめようとしたことを、この名は示している。

カメハメハはハワイ先住民の身体や財産に対するいわれのない攻撃だけでなく、外国人への攻撃も懸念していた。自分の新しい島嶼（とうしょ）王国の繁栄が、外部世界と通商上の関係を深められるかどうかにかかっていることを理解していた。ハワイ諸島統一が進む間も、外国船への物資補給にかかわる取引が盛んに行なわれていたが、それは敵対的行為によってつねに脅かされていた。ハワイアンはとくに外国船の錨を盗むのが好きだった。第三章で見たように、クック船長の死に至る一連のできごとのきっかけは、クックの艦からカッターボートが盗まれたことだった。早くも一七九三年に、カメハメハは探検家ジョージ・ヴァンクーヴァーの遠征隊の一員、ミスター・ベルなる人物に宣言した。

〔カメハメハは〕ケアラケクアやその所在地に来航するどんなに弱い船にも、決して危害を与えたり妨害したりせず、滞在を快適にするためにあらゆる手段を講じることを厳粛に誓った。

カメハメハはこのことにも、専横的成長の促進にも、本気で取り組んだ。まもなく、島への立ち寄りに消極的だった外国の貿易業者が来航するようになった。通商は莫大な利益機会を提供し、カメハメハは抜かりなくそれをものにした。庶民に外国人との通商を禁じる新しいカプの規制を導入して、外国貿易を独占した。市場を完全に牛耳り、外国人との交易条件を意のままに決め、補給に必要な物資に高価格を設定することもできた。物資補給も実入りが大きかったが、白檀の輸出はさらにうまみが大きいことを、カメハメハはすぐに知った。一八一二年にボストンの商船の船長ウィンシップ兄弟およびW・H・デイヴィスとの間で、ハワイの白檀輸出を王家の独占事業とする協定を結んだ。協定は一〇年間有効で、カメハメハ自身が利益の二五％を得た。イブン・ハルドゥーンなら、この協定がもたらす繁栄が長くは続かないことを見抜いただろう。繁栄はたしかに長続きせず、まさにハルドゥーンが予期したであろう方法で終わりを迎えたのだ。

内陸に向かうサメ

スウェーデンの偉大なハワイ史学者のエイブラハム・フォーナンダーは、一八三八年にハワイ諸島に来訪し、現地の言語を習得し、現地の女性と結婚し、ハワイ社会の研究に情熱を注いだ。一八八七年に亡くなったが、一九二〇年代に遺稿がハワイのビショップ博物館によって出版された。フォーナンダーはこんな詠唱を書き記している。

内陸に向かうサメが私の首長
すべての土地を食い尽くすとても強いサメだ

真っ赤なエラのサメが首長
島ごとのみ込んでも詰まらない喉をもっている

このチャントは（カメハメハの時代以前の）ハワイの首長を、「内陸に向かうサメ」になぞらえている。それは適切で略奪的なたとえだった。

ほかの専横的成長の事例とまったく同様に、カメハメハの下でのハワイ国家の創設は、ほどなくして以前の首長たちと同じ道をたどった――サメは内陸に向かったのだ。そのプロセスの様子を説明したのが、やはり自国社会の歴史家としていち早く名をなしたハワイアンの一人、サミュエル・カマカウである。第三章でみずからの目で見た証拠を収集したデイヴィッド・マロと同じく、カマカウも自分の記録したできごとや聞き取った話の多くをじかに目撃している。カマカウの報告はカメハメハの国家建設のよい面を取り上げつつも、不都合な側面にも容赦なく触れている。

この国は、全体として見れば、一人の長の支配の下に統一されたことに恩恵を得ているが、カメハメハの下の首長や地主のほとんどは、庶民を抑圧して土地を取り上げ、土地所有者を奴隷に変えてしまった……多少によらず、すべての所有財産が課税され、税はひっきりなしに追加された。国土地主が大勢いたうえに、そのまた下にも地主がいて、それぞれが貢納を要求したからだ……国土の統一は過度の課税をもたらした……「どんな小さな区画も課税される」……といわれたものだ。

サメの――またはサメたちの、というのも、カメハメハとその後継者の下の首長たちもすぐに分け前に与るようになったからだ——進行は、現存する一八四六年の文書に生々しく説明されている。この文書は、カメハメハ三世による土地所有権の整理・再分配の試みに関連するものだ。このときハワイ人一人と外国人二人からなる三人の委員会によって、所有権を確立するための「原則」が定められた。原則はこう定めている。「政府を代表する国王は、かつて国土の唯一の所有者であったことから……現在もそのように見なされるべきである」。もちろん、すでに見たように、王は土地を西洋的な意味では「所有」していなかった。それでも文書には続いてこう書かれている。

カメハメハ一世は諸島を征服したとき、代々の国王の例に倣い、主要な軍閥に土地を分け与えたが、一部は手元に残し、直属の家臣や従者に耕作または管理させた。主要な首長はそれぞれの土地を新たに分割して下位の首長や貴族に与え、彼らがその土地をまた分割し、最終的に国王から最下級の借地人に至るまでに四、五人、ないしは六人の手を経た。これらの全員が、土地とその生産物の所有権を有するものと見なされた。

すべての人が……国王が意のままに定めた土地税だけでなく、国王が最上位から最下位までのすべての階級に任意に求める労役を課され、それを納めた。また毎年の税に加えて、土地の生産物の一定割合の貢献を課され、それを納めた。いかなるときも従順を求められた。

ここでの言い回しが重要である。いまや貢納と労役はマカアイナナ（庶民）だけでなく全員に——「最上位から最下位までのすべての階級に」——課された。もう一つ注目に値するのは、「（王が）任意に求める労役」への言及だ。王領地では強制労働が広く利用されていた。ハワイ諸島と頻繁にやりとりをしていた露米会社のＦ・Ｉ・シェメリンは、「国王は人々の労役に何の対価も支払わないいばかりか、食事さえ与えない」と報告している。またカマカウの記録によれば、白檀の木こりは「野草やシダの茎」まで食べていた。

カメハメハの死後の一八二〇年代に白檀の需要が増大すると、強制労働の重要性はさらに高まる。白檀が自生する森は耕作地から遠く離れた山間地の斜面にあることが多く、王や首長は強制的に召集した数百人、ときには数千人からなる大規模な伐採隊を組織して、白檀の木の発見、伐採、海岸への輸送を命じた。作業には何週間もかかることがあった。イギリスの宣教師タイヤーマンとベネットは、一八二二年にハワイ（オアフ島）のカイルアにある王の倉庫に二〇〇〇人もの男たちが白檀を運び込むのを見ている。男たちは賃金も食事も与えられず、その土地で採れるものを食べるしかなかった。強制労働とそれに伴う強制転居のせいで、農業生産はたちまち大きく落ち込み、飢饉に近い状況が続いた。この時代にハワイを訪れた人は次のように記している。

この島で食料がこれほどまでに不足しているのは、人々がここ数カ月間白檀の伐採にかかりきりになっていて、当然ながら土地の耕作がおろそかになっているせいだ。

オアフ島北部のコックスという首長のふるまいが、くわしく報告されている。一八二〇年代前半、コックスはオアフ島北部のアナフル川流域を囲む高原森林から白檀を手に入れるために、遠征隊を組織した。貿易業者のギルバート・マシソンがこの大規模な取り組みと強制労働の過酷さを目撃している。マシソンはこう書いた。

コックスは数百人の民に、白檀伐採のために指定日までに森へ行くよう命じた。全員が命令に従ったが、一人だけ愚かにもまた大胆にも拒否した者がいた。男の家は火をつけられ、その日のうちに焼け落ちてしまった。それでも男は行こうとしなかった。次の段階として、財産を没収され、妻と家族は土地から追放された。

マシソンが目の当たりにしたコックスの領地の運営方法には、カメハメハの死後、国家がどれほど収奪的になったかが明白に表れている。一例として、コックスに土地を与えられたあるアメリカ人の船員は、土地にいかなる改良を加えることも恐れていた。コックスの注意を引くようなことがあれば、すべてを没収されるからだ。一八二四年に、ある地元民が説教師のジェイムズ・イーリーに語った。

私たちはすっかりやる気をなくしています。働く動機がまったくないのに、働くのを思いとどまる理由だけは山ほどあるのです。意欲的に動けば首長に目をつけられ、得た富は没収されます。ブタやヒツジ、ヤギ、ニワトリを飼えば、首長の気分次第で取り上げられ、取り上げられます。農作物を売れば、代わりに得た金品は取り上げられます。やる気を出せば出すほど抑えつけられるのです。

白檀伐採のための強制労役はますます強化され、一八二〇年代末には王のための労働日数は週一日から週三日に増えていた。一八三〇年代までに白檀の森が伐採し尽くされると、王と首長は次に農業にも強制労働を利用し始めた。一八四〇年代に宣教師ウィリアム・ロバーツが推定したところによれば、農民はさまざまな義務的な労役に加えて、平均すると生産物の三分の二を王や首長に差し出していたという。

この収奪的な制度が頂点を迎えたのが、いま見たように、一八四八年にカメハメハ三世が実施したグレート・マヘレと呼ばれる抜本的な土地分配である。その結果、ハワイ諸島の土地の二四％が王領地となり、さらに三六％が官有地となった――これも実質的に王のものである。さらに三九％が、二五二人いた首長たちの領地になり、残りの人口には一％足らずの土地しか残されなかった。

サメはこのときまでに内陸深くに達し、土地をむさぼり食っていたのだ。

他人をむさぼる鳥

ズールー国家が経済におよぼした影響もこれと似ていた。一八二〇年代に、のちにクワズール・ナタール州となる地域にひしめいていた多くの小規模な首長国は、トウモロコシやキビの生産と放牧に頼っていた。通商活動はほとんど行なわれず、外国の奴隷商人はアフリカのこの地域には足を踏み入れたことがなかった。植民地時代以前のほとんどのアフリカ社会と同様、一族や拡大家族が、決まった土地で耕作・放牧する利用権をもっていた。牛も作物も一族の私有物だった。ズールー経済は、難病の睡眠病を媒介するツェツェバエが存在するせいで牛がほとんどいなかったティヴランドの経済と多くの点で違っていたが、やはり檻に入れられていたことを示す証拠がある。たとえば牛は威信財で、きわめて特殊で異例な状況でしか売ることができなかった。

シャカは国家建設に取り組む過程で経済を再編し、行く手を阻む規範の檻の一部を壊した。すべての土地が自身に属すると宣言し、当初の現状からの抜本的な脱却を図った。口述歴史は次のように伝えている。

ズールーランドの土地は、全土を統一したシャカに属する。シャカは気に入った者がいると、首長の土地を征服した際に、［シャカが］示した場所に家を建てることをその者に許した。家臣たちはそうしてシャカから土地を授かり、誰が住んでいようがそこを占有する許可を与えられた。

土地だけでなく、家畜もシャカのものだった。とはいえ、当時の経済はまだかなり単純だった。シャカは武器、とくに自軍で使う槍と楯を独占的に製造してはいたが、それを除けば製造活動はほとんど行なわれていなかった。人類学者のマックス・グラックマンは、このような社会では不平等が表れるといってもたかが知れていると強調する。

ズールーの首長はトウモロコシ粥を食べられるといっても、食べられる量は知れている。

それでも、シャカの治世の国家形成期には不平等が大きく拡大し、主に利益を得たのはシャカとその親族、王家を構成するズールーの主要クランの成員だった。たとえ食べられる粥の量は知れていても、シャカは権力を完全に掌握することが可能で、実際に掌握して、民への絶対的支配を確立した。土地と牛の所有権を握っただけでなく、女性と結婚の統制を通じて社会をコントロールした。沿岸に停泊中のヨーロッパ船との拡大しつつあった貿易も独占した。ヨーロッパ人との貿易を一手に握り、輸出用の貴重な象牙を買い占めた。

だがシャカはただ収奪に耽(ふけ)っていただけではなかった。ズールー国家を生み出した戦いが収まると、シャカはカメハメハと同様、民の助けになる紛争解決の法制度や中央集権的制度を確立するとともに、経済的インセンティブの改善にも努めた。口述歴史によれば、ディンギスワヨが当初領土拡張を計画したのは、中小のクランや首長の領内で頻発していた争いや紛争を止める意図があったためだという。

実際に、シャカの国家に組み入れられた社会には秩序がもたらされたし、シャカのおかげで周囲の首長国による襲撃や攻撃の脅威から人々が守られていたことも間違いない。王国内の犯罪も大幅に減少したように思われる。シャカが支配する前に横行していた家畜の窃盗は、無法者に科された厳罰のおかげで影を潜めた。

これまで見てきた他の事例と同様、ズールーランドの秩序は専横的経済成長を生み、それは社会にある程度の恩恵をもたらしつつも、シャカとその取り巻きの懐を大いに潤したのである。

バラ革命の経済

グルジアでは、共産主義政権崩壊後の人々が自由を謳歌（おうか）していた時代に、民間の輸送部門が爆発的な成長を遂げた。たとえばマルシュルートカと呼ばれる乗り合いバスは、厳しく規制されていた従来の交通システムに比べ、非常に安価で使い勝手がよく、大人気を博した。だが第三章で政権に就くまでのいきさつを見たエドゥアルド・シェワルナゼの政権は、規制にも――大いに――長けていることをすぐに見せつけるようになった。

マルシュルートカの運転手は、酒気を帯びていないことと高血圧でないことを証明するために、毎日健康診断を受けることを義務づけられていた。健康診断書を提示できなければ免許を剥奪される恐れがあった。シェワルナゼが国家元首に就任した当時、首都トビリシには数百台、数千台のマルシュルートカが運行していた。シェワルナゼ政権が細かい口出しをしたのはマルシュルートカの運転手にだけではなかった。零細露天商の屋台にまで建築基準を課した。マルシュルートカの運転手と同様、露天商は年に二度の免許更新を義務づけられた。これらの規制は氷山の一角でしかない。ガソリンスタンドの立地も通りから一定の距離を置くことを定められた。

これだけの措置を実施できたのだから、シェワルナゼの国家は大幅に能力を高めていたにちがいない。ある意味ではそうだったが、普通にいう意味での能力拡大ではなかった。実際、これらの規制や類似の数多くの規制は、もともと守られることを想定していなかったのだ。マルシュルートカの運転手が毎日健康診断を受けることなど、誰も期待していなかった。だがこうした規則を設けることにより、グルジア国家はマルシュルートカ運転手の集団全体を訴追する口実をたちまち手に入れた。それがいやなら、運転手は賄賂を払うしかなかった。露天商もだ。ガソリンスタンドも。

グルジア人から金や賄賂を搾り取ろうとするシェワルナゼのなりふり構わぬ行動は、ハルドゥーンの説明する世代論とは少し違っていた。世代論では、まず専横がいくらかの経済成長を促し、それから収奪が本格化するとされる――このパターンはカリフ制国家とハワイ、ズールーランドで起こったことと一致するようだ。だがシェワルナゼの国家は最初のステップを飛ばして、いきなりたかりに走った。なぜなのだろう?

この問いに答えるためにまず押さえておきたいのは、マルシュルートカ運転手の扱いが、より体系的な政策（それを政策と呼べるのであれば）の一環だったということだ。そしてその政策を動かしていたのは経済原理ではなく、政治の論理――経済秩序を乱すことによって権力を握り続けるという論理――だった。

シェワルナゼがこうした行動を取ったのは、本章と前章で見たほかの国家建設者に比べ、はるかに弱い立場にあったことも大きい。シェワルナゼは軍閥を出し抜いたあとも、グルジア国内の強力な地域勢力を抑える必要があった。有能な国家を建設していたというより、権力を奪われまいと必死で、そのために有力な勢力に富を（最低でも賄賂を）与えて懐柔しようとしたのだ。腐敗は発展途上国では日常茶飯で、マルシュルートカの運転手が役人に袖の下を使うのは別段珍しくもない。だがグルジアで起こったことは、その手の腐敗とは少し違っていた。シェワルナゼはシステムを操作して、運転手が法律を破らざるを得なくなるように仕向け、そうすることで警察のすぐ手の届くところに果実を置いた。つまり、違法行為を避けられないようにして、腐敗を促すようなシステムをつくったのだ。

その主な目的は、社会にたえず違法行為をさせて、操りやすくすることにあった。今日は賄賂を払って法律を守らずにすんでも、国家にいつ逮捕されるかわからない。だがこの仕組みには、有力になり得るもう一つの集団、官僚を締めつける効果もあった――収賄は違法だから、国家はその気になれば官僚らを逮捕することもできたのだ。

シェワルナゼはこの「低腐敗」とでも呼べるシステムに、同じくらい入り組んだ「高腐敗」のシステムを組み合わせた。高級エリート、国会議員、上級官僚は全員、同様の仕組みに取り込まれた。彼らもシェワルナゼ政権の分け前に与った。主に海外の提供者から政府に流れ込んだ資金を分け与えられたのだ。だがそうした分け前に与れるのも、シェワルナゼが政権にとどまり続ければこそだ。だから彼らはシェワルナゼをしっかり引き立てる必要があった。シェワルナゼは数々の手法を駆使して企てを実行した。グルジアの共産主義の歴史が、大きな強みを与えていた。経済の最も生産性の高い部門のほとんどが、政府によって所有されていたのだ。過去の民営化は名ばかりで、シェワルナゼが政権に就くまで、ほとんどの資産が手つかずのまま残っていた。そこでシェワルナゼは、ロシア方式の民営化に励んだ――有力者や懐柔したい相手に、えり抜きの資産を安く払い下げたのである（この民営化方式がロシアでどのようにして行なわれたかは第九章で見ていく）。総仕上げとして、彼らの所有企業の規制を担当する大臣に、当人たちを任命することもよくあった。この方式で次々と独占企業を生み出していった。最下層への規制と同様、最上層に対する規制も、政治戦略の一環をなしていた。

たとえば政府は車両に特定の消火器の設置を義務づけたが、その消火器は内相の親戚が独占的に輸入していたものだった。

シェワルナゼの家族も加担していた。ほとんどの国民が停電の頻発に悩まされている間、大統領の家族が所有する二社の商社が国営電力会社の電力をひそかに売却し、年三〇〇〇万ドルもの法外な利益を得ていた。輸出入は厳しく規制されていたため、密輸は非常にうまみが大きく、大々的に行なわれていた。議会委員会の二〇〇三年の試算によると、グルジアは小麦粉の全消費量の九〇％、ガソリンの四〇％、タバコの四〇％を密輸に頼っていた。これが巨額の賄賂の流れを生み出したが、違法貿易にエリート、とくに政府内の多くのエリートがかかわっていたため、マルシュルートカ運転手の健康診断を担当する交通警察と同様、国家はエリートたちを追放できる攻撃材料をたっぷり手に入れることもできた。違法行為を促すのも戦略のうちだった。

大臣のポストがいかに懐柔と腐敗の手段に利用されていたかを示す例として、シェワルナゼが所属政党の議員を初めて大臣に任命したのは、就任から八年もたった二〇〇〇年のことだった。ちなみにその人物は、法務大臣に任命されたミハイル・サーカシビリだ。サーカシビリは懐柔を拒否したため、すぐに解任されたが、二〇〇三年一一月のバラ革命の旗手の一人となり、シェワルナゼを辞任に追い込んだのである。

シェワルナゼが経済におよぼした影響は明らかに有害だった。しかしその理由は、独占や規制に阻まれて、市場が生産的活動のインセンティブや機会を生み出せなくなったからというだけではない。シェワルナゼがすべてを一手に取り仕切ったせいで、不確実性が増したからでもあるのだ。経済を混乱させた目的は、誰も彼もを不安定な立場に置くことにあった。今日は実入りのいい独占事業を支配している大臣も、明日になってシェワルナゼの気が変われば、すべてを取り上げられるかもしれない。

大統領への依存度を極度に高め、人々を完全に丸め込むのが、シェワルナゼの狙いだったのだ。これが絶大な効果を上げ、シェワルナゼはまる一〇年もの間政権を維持することができた。だが不確実性と予測不能性は人々の投資意欲を激しく損なった。その直接の帰結として、グルジアでは経済成長が、専横的成長というかたちでさえいっさい起こらなかったのである。

シェワルナゼがすばやく開発し、完成させた政治戦略は、グルジアのお家芸ではない。ここまで見てきたように、専横とは政治的・社会的・経済的決定への社会の関与を排除・阻害することであり、それによって専横的権力を行使することが可能になる。それでも、専横者の地位は安泰とは限らない。なぜなら強大で抑制されない国家支配がもたらす政治的・経済的利益に魅入られる者がほかに現れる恐れがつねにあるからだ。権力を失うことを恐れる支配者は、効率性を高めるためではなく、政敵を懐柔し不賛同者を排除するための経済制度を構築しようとする。これを、シェワルナゼはあれほどの短期間でやり遂げたのだった。

シェワルナゼの事例に表れているのは、専横的成長の最悪の側面である。そうはいっても、このエピソードとほかの事例をつなぐ共通点を理解しておくことが重要だ。専横的成長がなぜもろいかといえば、それが支配者とその取り巻きの利益になる限りにおいてしか持続しないからだ。グルジアの問題は、経済成長がそもそもシェワルナゼの優先事項ではなかったことにある。シェワルナゼは社会を弱体化させ、腐敗を生み出し、グルジアのほかの有力者を取り込むことに専心し、予想どおり繁栄を著しく阻害したのだ。

檻に入れられた経済と専横の経済

回廊外の経済の実績は、まちまちとしかいいようがない。リヴァイアサンがいない生活は悲惨である。とくにホッブズが予見したように「万人の万人に対する」紛争が頻発し、インセンティブはほとんどなく、そのせいで「勤労の余地がない」状態に陥るかもしれない。また、社会が規範と慣習を通して紛争をくい止め、暴力を抑制しようとすれば、規範でがんじがらめにされ、貧困の終結にはおよそ役に立たない歪んだ経済的インセンティブに満ちた、檻に入れられた経済が生まれがちである。

これらに比べれば、専横はましな結果をもたらすだろう。少なくとも、ホッブズはそう考えた。闘争や檻に入れられた経済に比べて、専横のリヴァイアサンには明らかな強みがある。この国家は専横的とはいえ、争いを防ぎ、紛争を解決し、経済取引を円滑にする法律を課し、公共インフラに投資し、経済活動の創出を促進することができる。そのうえ、経済活動を制約する規範を緩めて、経済を活性化させることさえあるかもしれない。カリフ制国家の例が示すように、専横のリヴァイアサンは秩序を課し、生産性を高める投資を実行・奨励して、莫大な経済的ポテンシャルを解き放つことがある。これが専横的成長の最良の状態だ。だがそれは本質的にもろく、限定的である。なぜもろいかといえば、ハルドゥーンが予見したように、専横のリヴァイアサンは社会からますます多くの金を搾り取り、ますます多くの貴重な資源を独占し、ますます身勝手で不当にふるまいたい誘惑にたえず駆られているからだ。それがもろいもう一つの理由は、国家の力が――シェワルナゼが実行したように――専横者の地位に対する挑戦を回避・阻止するために、非効率この上ないシステムを構築することに利用される場合があるからだ。また持続的な経済成長を支える能力がごく限られている理由は、社会の最も生産的な側面を――社会が自由に活動し、幅広い機会と経済活動のインセンティブを生み出し、投資や実験、イノベーションを促す能力を――活性化・育成しないからだ。そうした働きに関しては、自由と足枷のリヴァイアサンの出現を待たねばならない。

第五章

善政の寓意

カンポ広場のフレスコ画

イタリア中部の都市シエナの中心部にある、貝殻のようなかたちで有名なカンポ広場に入ると、プッブリコ宮殿が頭上にそびえて見える。宮殿の建設が始まったのは一二九七年で、もとはシエナ政府の中央庁舎として建てられた。この政府で最強の権力をもつ機関は、九人の執政官（コンスル）で構成された。九を意味する「ノーヴェ」と呼ばれたその機関は、宮殿の「ノーヴェの間」と呼ばれる部屋で会合を開いていた。部屋の窓は広場に面した側だけにあり、残りの三方の壁は、三枚のすばらしいフレスコ画で覆われている。ノーヴェに依頼されて、アンブロージョ・ロレンツェッティが一三三八年二月から一三三九年五月にかけて描いたものだ。光を背にして立つと、最初に目に飛び込んでくるのは窓の反対側の壁にかけられた、「善政の寓意」である（口絵に写真を収録した）。

この複雑な芸術作品のなかでまず目を引くのは、右の方にすわっている、支配者か王に見える人物だ。その周りには、重要な徳の擬人像が居並んでいる。不屈、思慮、平和が左に、節制、公正、寛容が右に。するとこの支配者は、公正で寛容ということなのだろうか？　「善政の寓意」のなかに支配者が描かれているのは不思議な気がする。一三三八年当時、シエナに支配者はいなかったのだし、ノーヴェがそうした人物の存在に賛成したはずもない。この謎を解くカギは、支配者に見える人物がシエナのシンボルカラーの黒と白の衣に身を包んでいることにある。それに、足下にはシエナのもう一つのシンボル、狼に育てられたという神話の双子ロムルスとレムスがいる。目を上げて支配者の頭上を見ると、C. S. C. V. のイニシャルが見える。これはラテン語の「Commune Senarum Civitas Virginis」、訳して「シエナのコムーネ、聖母の都市」の略である。シエナはモンタペルティの戦いでフィレンツェを破る直前の一二六〇年に、聖母マリアを守護聖人に選んだ。つまりこの絵の支配者は、実はシエナのコムーネを表しているのだ。

フレスコ画に描かれた情景は、「力への意志」やそれがもたらす帰結とはかけ離れている。支配者たちは背景にとどまり、社会の代表としてのコムーネが最前面に出ている。そしてシエナの人々はこの組織形態について、特別な何かを認識していた。それは「善政」が強調されていることに表れている。シエナをはじめ、この時期、イタリア全土で生まれたコムーネの際立った特徴は、自由の度合いがきわめて大きかったことにある。この特徴が、まったく異なる種類の経済、すなわち幅広いインセンティブと機会をもたらし、繁栄への道を開く経済を支えていたのだ。

コムーネの概念は、イタリアで九世紀末から一〇世紀にかけて徐々に生まれたようだ。この頃北イタリア全体で、市民が司教や教会、領主の権威に対抗し、打倒しようとした（図7）。代わって市民が構築したのが、さまざまな形態の共和制的な自治組織だった。初期に起こっていたことの全貌はまだ明らかにされておらず、断片的なことしかわかっていない。たとえば、八九一年にモデナで司教に対する「民衆の陰謀」が起こったという記録がある。同様のできごとが八九〇年代にトリノで、九二四年にクレモナでも起こっている。九九七年にはトレヴィーゾで、司教は「すべての指導者と判事、そしてトレヴィーゾの全市民の承諾を得た場合」にのみ行動する、と定められた。一〇三八年にブレシアの司祭が、一五四人の実名の男性と「ブレシアに住むその他の自由人」に対し、譲歩を行なった。教会に関する史料が多いのは、おそらく教会の記録管理が向上したためだろう。だが非聖職者の権威にも異議が唱えられていたことは、ほぼ間違いない。

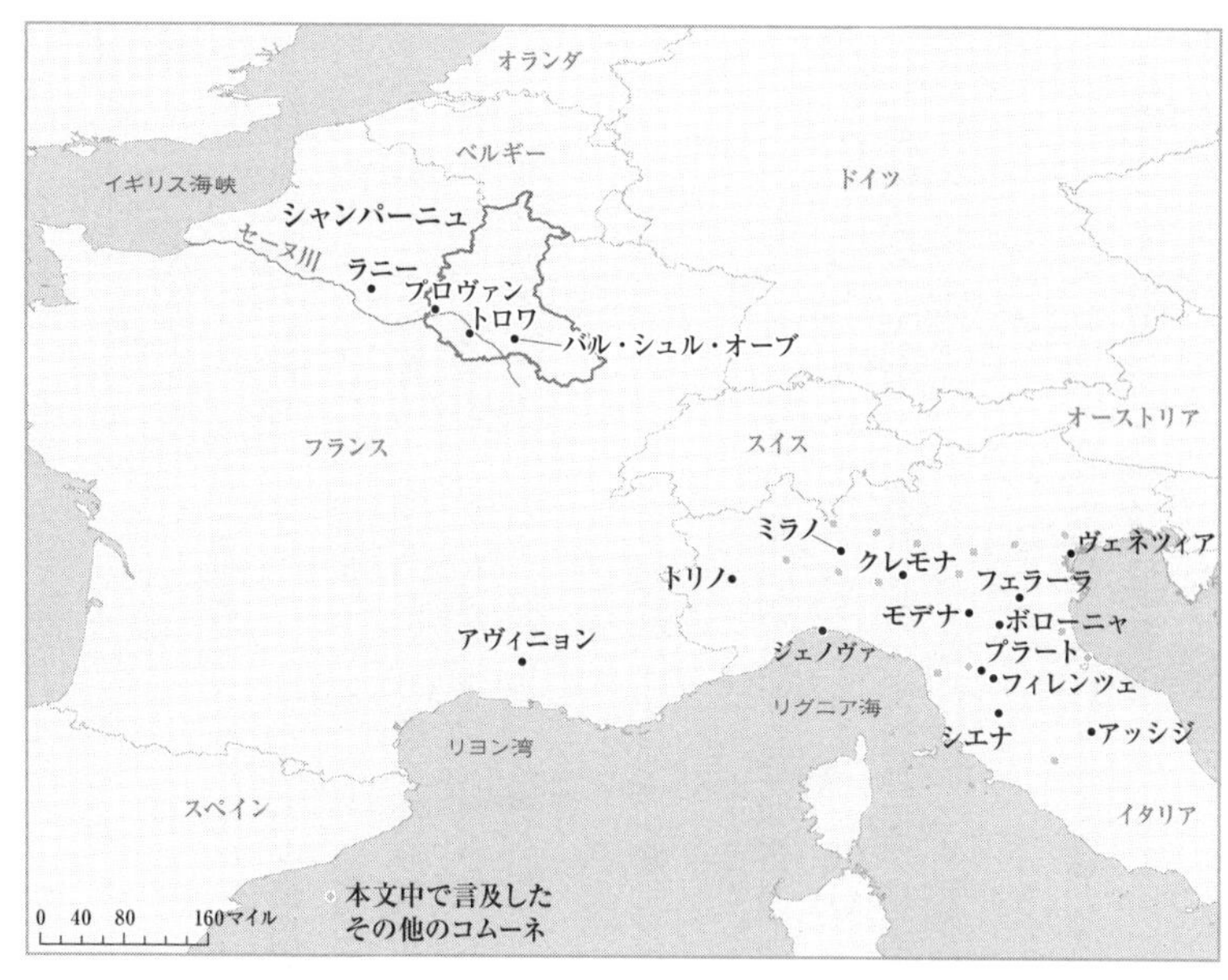

図7　イタリアのコムーネとシャンパーニュの大市

　この新しい統治形態の決定的な特徴は、市政を一定期間運営する執政官が、市民によって選ばれていたことだ。一〇八五年当時、ピサには市民集会で選ばれた一二人の執政官がいた。シエナではそれより少し遅い一一二五年に執政官がいたことがわかっている。この時期、イタリア北中部全体にコムーネが現れた。ミラノには一〇九七年、ジェノヴァ一〇九九年、パヴィア一一一二年、ベルガモ一一一七年、ボローニャ一一二三年。こうしたコムーネは、名目上は神聖ローマ帝国に属していたが、一一八三年に〔ロンバルディア同盟と〕皇帝フリードリヒ一世（バルバロッサ）との間で結ばれたコンスタンツの和議で、コムーネの自治が事実上認められた。この取り決めでは、おそらく成り行き上やむを得ず、要塞を建設する権利までもがコムーネに与えられた。バルバロッサ自身、取り決めには不満だったが、それでも皇帝は、コムーネの自由への試みがもつ意味を理解していた。バルバロッサの叔父であるフライジングのオットー司教は『フリードリヒ一世伝』のなかで、バルバロッサがコムーネの処遇に苦労していた様子について書いている。

彼らは都市の統治において……また公共の事項において……自由を強く求め……君主よりも執政官の意志によって統治されている……そして傲慢を抑えるために、執政官は……各階級から選出される。また権力への渇望から一線を踏み越えることのないように、ほぼ毎年交代する。このようにして、地域のほぼ全体が都市に分割されている……都市の自治を認めない貴族や有力者は、付近の領地にはほとんどいない。

オットー司教は、コムーネの政治的自治と繁栄とのつながりも理解していた。

その結果、コムーネは世界のほかのすべての国家を、富においても、力においてもはるかにしのいでいるのである。コムーネをこの点で支えているのが、よくいわれるように、特色ある産業である。また大公［つまり皇帝］がつねにアルプスの向こう側にいて、この地にいないことにも助けられている。

コムーネの自治的な政治体制を理解するには、ノーヴェの時代の共和制シエナの政治機構をくわしく見ていくことが役に立つ。最も基本をなしていたのが、すべての成人男性市民が参加する全市民集会である。この集会は、フレスコ画を描いたロレンツェッティの時代にはすでに衰えていたものの、シエナの憲法にはまだ定められており、たとえば新しい執政長官であるポデスタの就任といった、特別な機会に開催されていたようだ。一四世紀半ばには、集会の役割は「鐘の評議会」によって置き換えられていた。この名称は、鐘を鳴らして招集されたことに由来する。鐘の評議会は三〇〇人の男性市民で構成され、シエナの三つの主要なテルツォ（行政区画）から毎年一〇〇人ずつが選出された。この機関の選挙人団は、ポデスタ、ノーヴェと国家のその他の高官、たとえば出納官や、「提供者」と呼ばれる四人の主要財務官、国家の任命する裁判官などによって構成された。政府の主要機能を遂行するのはポデスタとノーヴェで、そのほかに強力な商人ギルドや貴族の旧家などの特定の利益団体を代表する執政官の小集団があった。

　ポデスタはほとんどのイタリアのコムーネに共通する、興味深い制度だった。この名称は「力」を意味するラテン語の「ポテスタス」に由来する。コムーネの一族や派閥に対する独立性を保つため、この地位にはシエナの外部から来た人が就く必要があった。ポデスタの任務は、司法機能を遂行し、鐘の評議会を招集して議長を務めることだった。ポデスタは単独で行動したわけではなく、任務遂行に必要な役人をみずから採用した。たとえば一二九五年にシエナのポデスタに就いたベルナルド・ド・ヴェラーノは、七人の判事、三人の騎士、二人の公証人、六人の従者、六〇人の警察官を故郷から引き連れてきた。ポデスタの任期は当初六カ月だったが、一三四〇年代には一年に延びた。連続しての再選は禁じられていた。次期ポデスタは、ノーヴェと、この目的のために選ばれた六〇人、そして商人ギルドの代表や騎士で構成される評議会によって、ノーヴェが推薦する四人の候補者のなかから選ばれた。

　ポデスタは市民から贈り物を受け取ることはおろか、一緒に食事をすることさえ禁じられていた。市から一日以上かかる場所に移動することは許されず、住む場所は三つのテルツォのもち回りとされた。任期終了後、ポデスタは二週間シエナにとどまり、在任中の行動を審査された。不正が発覚してポデスタに重い罰金が科されることもしばしばあった。

ノーヴェの制度は時とともに変化し、私たちがいま知る形態が現れ始めたのは一二九二年以降である。一二三六年から一二七一年までの間は「二四人評議会」があり、その後「三六人評議会」に代わった。一三世紀の間に一五人、九人、一八人、六人の評議会が試されたこともある。各テルッォが同数ずつの代表を送る必要があったため、評議会の人数はつねに三で割り切れる数でなくてはならなかった。ロレンツェッティにフレスコ画を依頼したノーヴェを選出したのは、その前任のノーヴェとポデスタ、商人ギルドの代表、そしてカピターノ・デル・ポポロ（ポポロ、つまり民衆を代表するために置かれた要職）だった。ノーヴェの任期は二カ月で、二〇カ月以上の間隔を置けば再選が許された。

ノーヴェの任務は、就任宣誓に要約されている。シエナのコムーネの「平和と調和」を保つことが誓われた。これは自由のきわめて重要な側面であるように思われるし、それには国家制度そのものによる支配からの自由も含まれる。実際、リヴァイアサンの力に――この場合でいえばノーヴェというかたちの――足枷をはめることが、この種の自由に不可欠であることを、宣誓はかなり明確に示しているのだ。ノーヴェの成員は、次に留意するものとされた。

なんじの治める市民や、なんじの治める人々が、司教や高官に差別されることがないよう図り、彼らに法と正義が適用され、行使されるよう取り計らわなくてはならない。またなんじのコムーネの法令や条例が、それを要求するすべての人のために順守されるよう計らわなくてはならない。

だがそれだけではない。経済的繁栄の起源において足枷のリヴァイアサンが果たす役割について私たちが主張してきたことをある意味で先取りするかのように、ノーヴェは経済を発展させる責任を負っていたのだ。

なんじはシエナの都市の増大と成長、保護をもたらさなくてはならない。

イタリア北中部のほかの数十のコムーネと比べてみても、シエナにはその制度がめざすものをはっきり伝えているあの美しいフレスコ画を除けば、何も特別なところはなかった。一部のコムーネでは、ノーヴェの時代のシエナでそうだったように、コムーネを生み出した民衆の運動は、裕福な一族が牛耳る寡頭体制に屈してしまっていた。また別のコムーネでは、力を増した全市民集会が、そうした寡頭集団の有効な対抗勢力として機能していた。だがほぼすべてのコムーネに、シエナのものに似た重要な特徴があった。コムーネは権限を厳しく制限された、公選の執政官と行政官によって運営された共和国だったのだ。全市民集会やその他の評議会をはじめとする代表機関が、国家やノーヴェなどの行政機関にはめる足枷の役割を果たしていた。代表機関は、いかなる貴族的・宗教的権威にも縛られなかった。新興国家の権力に対抗する力をもつ強力な社会に支えられた自治組織だった。旅行家のトゥデラのベンヤミンは、一一六五年頃にジェノヴァ、ルッカ、ピサを訪れた際、そうした特質に感銘を受け、次のように述べている。

彼らは支配者たる王も、諸侯ももたず、自身が任命した裁判官だけをもっている。

この特質は、まさに「善政の寓意」に見ることができる。前に述べたように、右側の支配者は六つの徳の擬人像に囲まれている。興味深いことに、そのうち最も左に離れているのが平和の女性像で、ちょうどフレスコ画の中央に位置するように描かれている。哲学者クェンティン・スキナーが、これらのフレスコ画に関する議論のなかで述べているように、平和は「私たちの普段の生活の中心にある」のだ。平和からさらに左に離れたところにいるのが、別の大きな擬人像の正義である。てんびんを手にもっているからすぐわかる。てんびんから下に垂れた二本のロープは、かつてシエナで執政官の役割を果たしていた二四人評議会を表す、二四人の市民の間を通って、絵の右側の支配者まで続いている。二四人評議会にこのロープを与えているのが、イスにすわったコンコルディア――「和」の意――である。コンコルディアは膝に大工道具の鉋(かんな)を置いている。鉋は材木のでこぼこした表面を滑らかにして水平面をつくるために使われるので、おそらく「法の支配」を――シエナでは法律が万人に平等に適用されるという事実を――表しているのだろう。

社会を代表する二四人評議会はロープをもっているが、ロープにつながれているのではないことが重要だ。これは、支配が社会によって与えられるのであって、社会に対して与えられるのではないことを意味しているのだろう。注目すべきことに、二本のロープは右の支配者まで来ると、その手首に巻かれる――リヴァイアサンは正義から発するロープによって、手枷をはめられているのだ。

実際、ノーヴェを抑制するための「ロープ」には、いろいろなものがあった。二カ月というごく限られた任期がその一つだ。またポデスタと同様、つねにシエナの外部から招聘(しょうへい)されるマッジョール・シンダコと呼ばれる高官がいて、いかなる憲法の改正案にも反対することができた。マッジョール・シンダコが反対した法案を通過させるには、二〇〇人以上の出席を得た上で、その出席者の四分の三の圧倒的多数の賛成を必要とした。

法律と制度のほかに、ノーヴェやその他の政治的有力者からコムーネを守るための規範があった。

たとえばヒュブリス法を考案したアテナイ人に倣い、のさばりすぎた政治家には――文字どおりの意味の――「悪名」が与えられることがあった。一一四一年から一一八〇年にかけてミラノの執政官を一四回務めた、ジラルド・カガピストの例がある。そのあだ名は糞を意味する「カガ」（「カカ」も同様）から始まる。「カガピスト」は糞のパスタソースという意味だ。糞を含むあだ名で呼ばれた政治家には、ほかにもグレゴリオとグイリエルモのカカイナルカ兄弟（箱の中の糞）や、一一四〇年から一一四四年まで執政官を務めたアルデリコ・カガイノーサ（パンツの中の糞）がいる。その他の有力な政治家一族に、カカインバジリカ（教会の中の糞）、カカラーナ（カエルに糞を引っかける）、カガレンティ（ゆっくり糞する）、それにカガトシチ（毒性の糞）までいた。力をもちすぎたり目に余る行動をとったりすると、カカのつく名前を頂戴する恐れがあったのだ。

フレスコ画にはほかにも特筆すべき点がある。支配者の足下の右に、鎧を着た二人の貴族がひざまずいている。彼らもまた正義によって縛られていることから、貴族階級に対するコムーネの権威を表象している。その背後に控える槍をもつ兵士の一団は、ノーヴェがシエナ近郊を警備させるために一三〇二年に雇った特別部隊を表しているのだろう。

こうしたすべては、（平和ゆえの）恐れからの自由と、（正義ゆえの）暴力からの自由、（国家とエリートが、法と市民の信任によって制約されているゆえの）支配からの自由にとても近いように思われる。そして絵の下にはこれを物語る銘文が書かれているのだ。

この聖なる徳［正義］がどこを支配しようとも
婦人は市民の多くの魂を一つに結び合わせる。
そしてこの目的のために集まった人々は

公共善（ベン・コムン）をその主人とする。
この国家を治める者は
周りの徳のすばらしい顔から
決して目をそらしてはいけない。
そのために、彼に勝利とともに与えられるのは
税金、貢納、土地の支配権である。
かくして、戦争も起こらず
一人ひとりの市民による
有益で不可欠で喜ばしい効果が得られるだろう。

この表現にはさまざまな意味が隠されている。公共善はコムーネを連想させる。コムーネの統治形態は公共善に資する。なぜなら支配者は正義につながれていて、正義と支配者をつなぐのは市民なのだから。このフレスコ画はしたがって、コムーネは社会によって支配されているからこそ、公共の利益に資する、ということを認識しているのだ。

善政の効果

第二章では、強力な国家が暴力と支配から人々を保護するだけでなく、公共サービスも提供できることを強調した。こうした重要な役割を、シエナの国家も果たしていた。ポデスタが連れてきた人々は、法を執行し、紛争を解決し、公証人などのビジネスサービスを提供する用意があった。一二五七

年上半期のコムーネの支出を記録した文書には、シエナ人が就いていた八六〇余の市の官職に関する記述がある。たとえば一七一人の夜警、一一四人の検問所および税関の監督者、一〇三人の地区行政官、九〇人の租税査定官がいた。そのほか計量・計測の監督者、穀物・塩販売の監督者、看守、絞首刑執行人、告知人、公共建築物の保守管理を行なう石工、噴水の管理人などもいた。酒場を監督して罰当たり(ばち)な言葉を防ぐ「善人」が六人、野生のロバやブタ、らい病〔こんにちのハンセン病〕患者を市から締め出す別の六人がいた。街頭で羊毛を紡ぐことが禁じられていたほか、さまざまな規制が市によって課されていた。城壁内のすべての新築工事に建築許可が必要で、レンガとタイルの大きさが定められていた。このような職位と規制の増殖はほかのコムーネにも見られた。

コムーネは徴税にも長けていた。なにしろこれだけの官職を誰かが賄う必要があったのだ。税収は公共サービスの提供にも使われた。サービスの一部、たとえば度量衡の統一などは上記の官職によって行なわれていたようだが、それ以外にも消防、安定的な通貨・貨幣制度、道路や橋の建設・維持管理など、多くのサービスが提供されていた。一二九二年にシエナには一人の「道路判断人」がいたが、すぐに三人の道路委員の補助がついた。人々の安全な移動を保証するために「幹線道路洗浄人」が任命されたが、ノーヴェが農村秩序を維持するためのずっと精巧な制度をつくったために、この職は廃止された。シエナの商人がどこにいても財産権と人権を保障されるように、市は「報復措置」を組織化し、シエナ人に対して罪を犯した他のコムーネの商人や市民に対する報復を実行した。

シエナほどの公共サービスと自由への支援は、この時代にはイタリア北中部以外の地域では類を見なかった。だがシエナ国家が推進したのはそれだけではない。幅広いインセンティブと経済的機会も提供したのだ。

それを見るために、「ノーヴェの間」の右側の壁に目を移そう。ロレンツェッティはそこにも巨大なフレスコ画の「善政の効果」を描いた（その一部を口絵写真に収録した）。このフレスコ画は都市と田園の生活をパノラマ的に描いたものだ。左側の都市は人でごった返している。一番手前で女性の集団が踊っているが、それより目を引くのは活発な経済活動だ。踊り手の右側では、店主が馬を連れた男性に靴を売りつけようとしている。そのまた右では司祭が説教をし、女性がオリーブオイルかワインの入ったビンを露台に並べている。薪を積んだラバを連れた男性が通りかかる。機織りをする人やヒツジの群れを連れた人もいる。カゴを頭に載せた女性と鳥をもった女性は、おそらく市場に向かっているのだろう。そして最後に、奥の方を商品を積んだ二頭の馬が歩いている。フレスコ画の一番上では左官たちが空を埋め尽くす塔をさらに増やそうとしている。

フレスコ画の右半分は田園での善政の効果に焦点を当てている。この絵にも、足枷のリヴァイアサンとそれがもたらす自由の際立った経済効果が表れている。田園風景の上の方では、「安全」の擬人像が繁栄と自由のつながりを直接知らしめる巻物をもっている。

> すべての人が恐れることなく自由に歩けるようにせよ
> すべての人を働かせ、種をまかせよ
> そのようなコムーネはこの婦人の支配のもとにあるだろう
> なぜなら婦人が罪人からすべての力を奪うからである

フレスコ画は、これらの言葉にふさわしい風景を描き出している。前景では農夫たちが実り豊かな麦畑の前で作業にいそしんでいる。狩りの集団が石畳の道を通って城門を出ていく。向こうからは、売り物の商品やブタをもち込もうとする商人たちが歩いてくる。背景には種まき、刈り入れ、脱穀をする人々がいる。畑や家々は手入れが行き届き、すべてが平和で豊かである。
メッセージは明らかだ――善政がもたらす多くのメリットの一つが経済的繁栄である。本当にそうなのだろうか、それともこれはロレンツェッティの想像の産物にすぎないのだろうか？　コムーネの政治体制と経済発展の間には、実際につながりがあったのだろうか？

聖フランチェスコの名前はどこから？

中世の最も有名な聖人の一人であるアッシジの聖フランチェスコの生涯が、この問いにいくつかの答えを示してくれる。フランチェスコは動物と自然を愛し、キリスト教信仰の重要なイメージの一つ、キリスト降誕の情景を後世に伝えたことでも知られる。名前の「アッシジ」の部分は、一一八二年頃に生を受けたイタリア中央部のコムーネから来ている。「フランチェスコ」の部分はもう少し謎めいている。生まれたときは、ジョヴァンニ・ディ・ピエトロ・ディ・ベルナルドーネと名づけられた。ではフランチェスコの名はどこから来たのだろう？

フランチェスコの父、ピエトロ・ディ・ベルナルドーネは裕福な絹織物商人で、ジョヴァンニが生まれたとき商用でフランスに滞在していた。ピエトロはプロヴァンスの女性でジョヴァンニの母、ピカ・ド・ブールモンと結婚していた。ピエトロはアッシジに帰ると、おそらくフランスへの愛を表すために、息子を「フランチェスコ」（フランス人）と呼び始めたのだ。

この愛は、ピエトロがフランスで従事していたビジネスと関係があるようだ。フランチェスコが生まれるほんの八年前の一一七四年に、イタリアの商人が初めてフランス北部の「シャンパーニュの大市（おおいち）」（図７）に参加した。この大市はシャンパーニュ州の四都市、バル・シュル・オーブ、ラニー、プロヴァン、トロワのもち回りで、年に六回開かれていた。大市は一回当たり六週間で、間の小休止を利用して商人たちは次の都市に移動した。こうしてシャンパーニュの大市は、ほぼ一年を通じて開かれる市場となった。

シャンパーニュが商取引の中心地になったのは、特別な魅力があったからだ。第一が地理的条件である。シャンパーニュはフランス全土の商人が集まる場となり、やがて成長著しいフランドルや北海沿岸の低地諸国の都市からも商人を集めるようになった。シャンパーニュの最も重要な強みは、通商を大いに円滑化したその経済制度にあった。一つには、シャンパーニュの諸侯の目配りが行き届いていたからだ。一一四八年にヴェズレイの両替商がプロヴァンの大市に向かう道中、強盗に襲われるという事件が起こった。このときシャンパーニュ伯ティボー二世は、両替商への補償を求める手紙をフランスの摂政に宛てて書いた。「このような侵害行為が処罰を免れるのを許すわけにはいきません。それはわが大市を損なうことにほかならないからです」。ティボー伯が大市を好んだのは、課税できるからだった。商人なきところに税収なし、である。一一七〇年代になると、地域の諸侯は大市における警察、規制、司法の権限をもつ専門の「市場監視員」を任命するようになり、それが魅力的な制度的環境を生み出した。ピエトロ・ディ・ベルナルドーネを含むイタリア人たちを、アルプスを越えてまで大市に行こうという気にさせたのは、おそらくこのイノベーションだったのだろう。だがそれに関わっていたのは諸侯だけではなかった。シャンパーニュの三都市プロヴァン、バル・シュル・オーブ、トロワは、それ自体コミューンとしての特権を持ち、当時地方裁判所を運営する権利を与えられていた。こうした裁判所が契約履行を強制し、商取引に伴う紛争を仲裁したのだ。

これらの初期の制度的イノベーションは、基本的な秩序と安全、紛争解決などの司法サービスを提供することに重点を置いていた。大市に参加するイタリア人が増えるにつれ、イノベーションははるばるイタリアにまで広まった。一二四二年から一二四三年にかけて、シャンパーニュの大市に向かうイタリアの商人が北イタリアのピアチェンツァの強盗に拉致、強奪される事件が頻発した。これはシャンパーニュ伯の望むところではなかった。伯はピアチェンツァの当局に手紙を書き、被害者がしかるべき補償を支払われない限り、ピアチェンツァの商人を大市に参加させないと脅した。秩序と紛争の問題が解決してからも、地域の当局はより踏み込んだ改革を進め、道路を改修し、セーヌ川とトロワの間に運河を設けるなどした。

シャンパーニュの大市は、いわゆる中世の商業革命の最もよく知られた例の一つだ。イタリアのコムーネはこの革命の中心にいた。これは偶然ではない。コムーネの政治体制が生み出した法律と経済制度は、五世紀末の西ローマ帝国滅亡以来、長らく停滞していた通商と経済活動の立ち直りを助けたのだ。イタリアはこの活況を利用しやすい好位置にあった。東と南にはビザンティン帝国と第四章で見たイスラムの新興国家があり、東洋のスパイスやさまざまな贅沢品を供給していた。北にはイングランドとフランドルがあった。イングランドは当時の世界最高品質の羊毛、フランドルは最も珍重された織物の産地だった。羊毛と織物を贅沢品やスパイスと交換する、巨大な交換システムのお膳立てが整った。南イタリア――一二世紀半ばにはノルマンの支配下にあった――とスペインは、位置的には有利だったが、自治的な政治体制をもたなかった。そのためどちらもイタリア北中部のコムーネのようには通商を掌握することはできなかった。コムーネにこれができたのは、通商に必要な制度を推進していたことが大きかった。

このことは、通商活動に必要不可欠な金融のイノベーションにはっきり表れている。先導役となったのがイタリアのコムーネだ。ヨーロッパ全体に活動の場を広げるうちに、コムーネの人々は通商活動を行なうあらゆる場所に拠点を設けた。より重要なことに、為替手形が発明され、中世の通商活動の重要な手段となった。たとえば、フィレンツェの織物製造者が、イングランドの良質なノーフォーク産羊毛を輸入する場合を考えよう。織物製造者はダカット金貨の袋をもってイングランドまで旅し、ロンドンでポンドに両替してくれる人を探し、羊毛を購入して、フィレンツェまで送り返すこともできる。あるいは、為替手形を利用することもできる。標準的な用語でいえば、手形の当事者は四人いる。このケースではフィレンツェの織物製造者である送金人、送金人のフィレンツェの取引銀行である振出人、フィレンツェの銀行のイギリスのコルレス銀行である名宛人、そしてフィレンツェの織物業者が羊毛を買おうとしているロンドンの羊毛業者である受取人だ。フィレンツェで送金人は振出人にダカット金貨を支払って手形を購入する。送金人はその手形をロンドンの受取人に送り、受取人はそれを名宛人のところにもっていってイギリスポンドを得る。そして受取人は羊毛をフィレンツェに送るというわけだ。フィレンツェでダカット金貨建てで購入された手形には、ロンドンで支払われるべき金額がポンド建てで指定されている。

フィレンツェの銀行はロンドンに支店をもつ必要さえなかった。ロンドンに支店をもつ別の銀行と取引できればそれでよかった。国際銀行と為替手形の存在は、国際取引を大いに円滑化した。為替手形には、融資が隠されていた。織物製造者は羊毛を手に入れるまでしばらく待たなければならず、実質ロンドンの羊毛業者に金を貸しているのと同じだった。これは「利子」の支払いによって補償された――ただし必ずしも利子とは呼ばれず、異なる為替レートを使用することで実行された。たとえば織物製造者がロンドンから一〇〇ポンド分の羊毛を買おうとし、フィレンツェでの為替レートではここれが一〇〇〇ダカットの支払いに相当したとしよう。すると、ロンドンでこの手形がポンドに両替される際には、それより不利な為替レートが適用された。イノベーティブなイタリア人は、まもなく新しい信用供与の手法として、「乾燥手形」を発明する。もはや商品の移動は意味をもたなくなり、異なる為替レートの使用があらかじめ指定された。

乾燥手形は一見、どうということのない仕組みのように思える。だがそれが巧妙だったのは、当時利子を取って金を貸すことは、ウズラ〔貸し手を不当にもうけさせる非道徳的な行為〕と見なされていたからだ。これは中世ヨーロッパ人の規範や慣習、信仰によって阻害され、ときには禁じられることさえあった、多くの経済活動のうちの一つである。イエスは「ルカによる福音書」のなかで、「何も当てにしないで貸してやりなさい」といわれた。そのため教会の教義では、利子を取って金を貸すことは、罪深いウズラと解釈されたのだ。これは有効な金融システムの発達を阻害する大問題だった。資本と富をもつ人がいれば、当然もたぬ人もいる。だがもたぬ人にはアイデアや投資機会があるかもしれない。有効に機能する金融システムがあれば、資金をもつ人がアイデアをもつ人に信用を供与することができる。そうした取引を促進して、貸し手にほかの機会を放棄することと不払いのリスクを負うことの埋め合わせをするのが、利子である。罪深いからという理由で貸し付けを禁じることは、金融システムの発達を阻害する。イタリアの商業革命の一面は、乾燥手形のようなイノベーションの利用により、罪やウズラとして非難されるリスクを負わずに、貸付と信用供与を行なえるようにしたことにもある。教会は罪だという見方を崩さなかったが、この種のイノベーションは規範の檻の重要な一面を緩め、投資と通商の著しい成長に道を開いたのである。規範の檻を迂回する手法を考案したのは、創意あふれるイタリア人だけではなかった。回廊内の生活が発展するうちに、社会的・経済的自由を制約し続けることはますます困難になっていき、教会さえもが檻を少々緩め始めた。たとえば聖トマス・アクィナスは、借り手が貸し手に「補償」を支払うことを条件つきで認め、このことが利子に似た金銭の授受を正当化するための、融通の利く根拠になった。また規範の檻が緩和されたことが、イタリア人にとって重要な経済上の比較優位の源泉となり、ヨーロッパ全体で金融仲介者の役割を担うようになった。こうしたすべてにおいて、決定的に重要な役割を果たしたのが、イタリアのコムーネの制度的環境だったのである。ほかの地域では、同じ活動がそれほど歓迎されなかった。たとえば一三九四年にアラゴン王は、バルセロナのイタリア商人全員を、ウズラに従事したかどで裁判にかけようとしている。

イタリア人はほかのイノベーションも先導した。貿易保険を発明して、第三者が貿易のリスクを引き受けられるようにした。ほかにも貿易を円滑にするための契約形態を開発した。その一つが、コメンダである。二者間で一時的な提携関係を結び、一方が貿易ミッションの資金の大半を提供し、もう一方がミッションを遂行した。ミッションが完了すると、二者間で利益を分配した。コメンダも、徴利禁止法を回避する方法の一つだった。またイタリア人は、合資会社の先駆けとして長らく利用されていた組織形態を発明したことでも知られる。これによって実際の事業活動に従事しない人が資本を提供し、配当のかたちで利益を得ることができるようになった。同じく重要なことに、財産権を規定する契約文書と公証人の利用に新たな重点が置かれた。一二八〇年代のミラノやボローニャなどの都市には、人口一〇〇〇人当たり二五人もの公証人がいた。

これほどの規模の貿易には、先進的な会計慣行が欠かせない。一二〇二年の著書でアラビア数字を簿記に応用することを提唱して、会計に革命をもたらしたのが、ピサのイタリア人レオナルド・フィボナッチだったのは偶然ではない。おかげで簿記計算が飛躍的に楽になった。一四世紀半ばにはイタリアで複式簿記が初めて登場した。

商業革命は大いなる経済成長を伴い、金融以外のイノベーションも促した。この時代の国民所得勘定を再構成できるほどの証拠はないものの、都市化率——人口五〇〇〇人以上の都市に居住する人口が総人口に占める割合——を代理指標として、経済発展の度合いを推定することができる。西ヨーロッパ全体の都市化率は、商業革命開始時の八〇〇年に約三%だったのが、一三〇〇年にはほぼ二倍の六%になっていた。この革命に深く関わった地域ではさらに急激な上昇が見られ、イタリア全土では同期間中に四%から一四%への上昇が見られた。だがこれは商業とコムーネの発展が見られなかった、南イタリアを含む数字だ。北イタリアの都市化率がこれよりずっと高かったことは間違いなく、トスカーナは二五%と推定されている。その他地域でも、フランドルなど低地諸国の都市化率は、革命以前の約三%から一三〇〇年に一二%、一四〇〇年には二三%へとめざましい上昇を見せた。

都市コムーネの活力を実感するには、ヨーロッパ全体と比較した相対的な人口規模を見るとよい。一〇五〇年当時、ヨーロッパの三〇大都市に数えられていたコムーネは、人口わずか一万五〇〇〇人のフィレンツェだけだった。一二〇〇年にフィレンツェの人口はそのほぼ四倍の六万人に達し、三〇大都市にはボローニャ、クレモナ、フェラーラ、ジェノヴァ、パヴィア、ヴェネツィアも含まれるようになった。一三三〇年になるとヨーロッパ三〇大都市の実に三分の一をイタリアのコムーネが占め、そのうち最も人口が多かったのがヴェネツィアの一一万人、次いでジェノヴァとミラノの一〇万人だった。この頃のシエナの人口は五万人である。当時ヨーロッパでヴェネツィア、ジェノヴァ、ミラノよりも人口が多かったのは、パリと、高度に都市化されたイスラム＝スペインの中心地グラナダの二都市だけだった。

経済成長のもう一つの証拠は、経済活動に不可欠なインプットである教育と労働者のスキルにも見られる。この時期の北イタリアで劇的な向上が見られたようだ。たとえば歴史家ジョヴァンニ・ヴィラーニの『新年代記』に記された一四世紀のフィレンツェの歴史では、一四世紀初頭にフィレンツェで小学校教育を受けていた男女の数は約八〇〇〇人から一万人、高等教育は五五〇人から六〇〇人、商業スキルを教える学校はさらに一〇〇〇人から二〇〇〇人と推定されている。もしこれが一般的な状況だったとすれば、当時のフィレンツェでは人口の約半数に上る人々が、何らかの正規の学校に通った計算になる。フィレンツェの一四二七年版のカタスト（土地台帳）と呼ばれる広範な人口調査は、成人男性の一〇人に七人は読み書きができたことを示唆している——この時代にしては驚くほど高い数字だ。一五八七年当時、ヴェネツィアの少年の三三％が読み書きができたという推定もある。

識字能力の拡大と経済発展は、書籍製作に関するデータにも表れている。九世紀に西ヨーロッパ全体で製作された二〇万二〇〇〇冊の写本のうち、イタリアで製作されたのはわずか一〇％だった。一四世紀になるとイタリアは西ヨーロッパ最大の写本製作国となり、ヨーロッパ全体で製作された二七四万七〇〇〇冊の三二％を占めた。またイタリアには西ヨーロッパのほかのどの地域よりも多くの大学があり、一四世紀にはヨーロッパの全大学の三九％がイタリアにあった。

この時期には技術の全般的な向上が見られた。船尾舵の普及による船体設計の向上（それまでの船は古代ローマ時代から変わらずオールで舵取りをしていた）など、商業革命にとって重要な技術進歩もあった。ほかにイタリアで生まれた技術には、世界初のメガネや、世界初の機械化された織物工場であるルッカの絹布工場がある。一三六〇年代にはジョヴァンニ・デ・ドンディが機械時計を製作した。ただし時計がそれよりかなり前から存在していたことがその論文からわかっている。

カナリア諸島の最初のネコ

コムーネがもたらしためざましい成果の一つが、高い社会的流動性である。この有名な例が、フランチェスコ・ディ・マルコ・ダティーニだ。故郷であるトスカーナのコムーネ、プラートに伝わる物語に、ダティーニが初めて商業的な成功を収めたいきさつが語られている。

伝説によれば、トスカーナの冒険的な商人たちがはるか遠くの島々に航海していた時代、プラートのある商人がカナリア島と呼ばれる離島にやってきたそうな。そこで島の王さまに晩餐（ばんさん）に招かれました。

商人はナプキンの置かれたテーブルを見ました。それぞれのテーブルには腕ほどの長さのこん棒が載っているのですが、いくら考えても、何のためのものかわかりません。でもテーブルに着いて、食事が運ばれてくると、においにひかれてネズミがわんさと出てきたではありませんか。客人たちは食事をするにはこん棒でネズミを追い払うしかありませんでした……そして次の日、夜のうちに船に戻った商人は、ネコを一匹袖のなかに隠しもってやってきました。食事が運ばれてくると、ネズミたちも現れました。そこで商人が袖からネコを放つと、ネコはたちまち二五匹か三〇匹ほどのネズミを仕留め、残りは逃げていきました。「何とすばらしい動物じゃ！」と王さまは叫びました。そこで商人は答えました。「陛下、大変なおもてなしをいただきましたので、お礼にこのネコを献上いたします」。王は喜んで贈り物を受け取りました。商人が島を去る前にもう一度呼び出して、スクード銀貨四〇〇〇枚分の宝石を与えました。次の年、商人が雄ネコを連れて戻ってくると、今度はもう六〇〇〇枚分を与えられました。こうしてプラートの商人は大金持ちになって戻ってきたのです。その商人の名を、フランチェスコ・ディ・マルコ・ダティーニといいます。

ダティーニが金持ちになった本当の経緯は、おそらくこんなものではないのだろう。実際、ダティーニがカナリア諸島に行ったという記録は残っていない。わかっているのは、一三三五年頃に宿屋を経営する貧しい家庭に生まれたことだ。まだ一三歳のときに、イタリアを襲った黒死病（腺ペスト）で両親と二人の兄弟を亡くした。家族で生き残ったのはダティーニと弟のステファノだけで、兄弟にはわずかな遺産と家、ささやかな土地、四七枚のフィオリーノ金貨が残された。

父の死から一年ほどたった頃、ダティーニはフィレンツェに移り、そこで徒弟奉公をするうちに、南フランスのアヴィニョンという都の繁栄ぶりを耳にするようになる。一三〇九年から一三七六年までの間、ローマ教皇の玉座は王位継承問題で対立したフランス国王によって、ローマからアヴィニョンに移されていた。教皇庁の存在が活気ある市場を生み出し、そこでイタリアの商人たちが大活躍していた。贅沢品の貿易と銀行業の大半を握っていたのが、この都市の居住区に住む六〇〇世帯ほどの裕福なイタリア人だった。ダティーニは一五歳の誕生日を迎えてまもなく、プラートのわずかな土地を売り払い、それを元手にアヴィニョンに移った。一三六一年、二六歳になる頃には、二人のトスカーナ人トーロ・ディ・ベルトとニッコロ・ディ・ベルナルドと共同事業を営んでいた。当初は主に武器を扱い、地域紛争の両陣営に武器を売ってもうけていたようだ。たとえば一三六八年の帳簿には、六四リーヴル相当の武器をフランス王軍司令官ベルトラン・デュ・ゲクランに売り上げたと記載され、同年にそのゲクランと抗戦していたフォンテのコムーネにもさまざまな品を売ったことが記録されている。これに先立つ一三六三年、ダティーニは最初の店を九四一金フィオリーノで購入し、そのうちの三〇〇金フィオリーノを「顧客の信用」で得たとされる。一三六七年にトーロ・ディ・ベルトとの共同出資関係を更新し、それぞれが二五〇〇金フィオリーノの資本を拠出して、店を三軒に増やした。一三七六年には塩の商売を始め、両替事業に進出し、銀器と美術品も扱うようになった。居酒屋と生地屋を開き、貿易のために従業員をナポリなどの遠隔地に派遣し始めた。この頃アヴィニョンの本店で扱っていた品には、フィレンツェの銀のベルトに金の結婚指輪、カタルーニャの鞍（くら）やラバの引き具などの皮革製品、イタリア各地の家庭用品、ジェノヴァのリネン、クレモナのファスティアン織、ルッカの深紅の特殊な絹織り地ゼンダードなどがあった。フィレンツェの店はこの頃には工芸品の活発な中継地となり、取扱品目は白、青、未染色の毛織物、縫い糸、絹のカーテン、カーテンリング、テーブルクロス、ナプキン、大型バスタオル、嫁入り道具の手塗りの長持ちに宝石箱などだった。

一三八二年にアヴィニョンから故郷に戻ると、プラートとフィレンツェを本拠に事業を興し、支店をピサとジェノヴァ、バルセロナ、ヴァレンシア、マヨルカ島、イビサ島に開設した。これらの拠点間で、ルーマニアと黒海からの船で鉄や鉛、ミョウバン、奴隷、スパイスを、サウサンプトンとロンドンからイングランド産羊毛を、サルディーニャとシチリアから小麦を、チュニスとコルドバから皮革を、ヴェネツィアから絹を、マラガからレーズンやイチジクを、ヴァレンシアからアーモンドやナツメヤシを、マルセイユからリンゴやサーディンを、ガエタからオリーブオイルを、イビサから塩を、マヨルカからスペイン産羊毛を、カタルーニャからオレンジやオリーブオイル、ワインを運んだ。ダティーニの残した商業文書には、ラテン語、フランス語、イタリア語、英語、フランドル語、カタルーニャ語、プロヴァンス語、ギリシア語、アラビア語、ヘブライ語の手紙が含まれている。たんに右から左へ商品を流すだけでなく、フィレンツェで織物業を始め、イギリスとスペインの羊毛を輸入して毛織物を輸出していた。

フランチェスコ・ディ・マルコ・ダティーニは、学歴も人脈も資本もいっさいもたず、有力者や独占権、政府の助けもいっさい借りずに、ただイタリアのコムーネが生み出した幅広い制度環境だけを頼りに、身代を築いたのである。

当然ながら、エリートの支配する旧体制の多くが、このような動きに当惑していた。フランチェスコ・ディ・マルコ・ダティーニは、エリートたちが恐れていたタイプののし上がりを絵に描いたような人物だった。赤髭王（バルバロッサ）フリードリヒ一世の叔父、オットー司教が憤慨していたのも、このことだ。司教はジェノヴァ人についてこんなことを書いている。

彼らは身分の低い若者たち、そして尊敬すべき高潔な人々から疫病のように出入りを禁じられている卑しい職業の者たちにさえ、恥とも思わずに爵位や名誉ある地位を与えているのだ。

オットー司教が嘆いていたのは、階級制度とそれを支えていた規範の崩壊である。だが、経済が発展するためには、そうした規範が緩むことがきわめて重要なのだ。なぜならそのような規範は、ダティーニのような才覚ある「名もなき者たち」がのし上がることを許さないからだ。イノベーションを実現するには、才能ある者たちに力を与え、多くの名もなき者たちが自分の進むべき道を描き、自分のアイデアを試すことのできる環境をつくることが絶対的に欠かせない。

この時代の有名な立身出世物語は、フランチェスコ・ディ・マルコ・ダティーニのものだけではない。ある計算によると、一三六九年にピサの港を利用していたフィレンツェの会社は一〇六社あり、うち五一社を「新参者」が所有していた。イタリア以外では、フィンチェールのゴドリック（のちの聖ゴドリック）の例がある。ゴドリックは一〇六五年頃、ノーフォークはウォルポールの貧しい家庭に生まれた。その伝記を記したダラムのレジナルドによれば、「父の名はエイルワード、母はエドウェンナで、ともに地位にも財産にも恵まれなかった」という。ゴドリックは、ノーフォークの地位も財産もない若者にとっての既定路線だった「農夫」にはならないと決めた。めざしたのは商人だった。元手がなかったから、下積みから始めなくてはならなかった。まず「遍歴商人」と呼ばれる行商人の流儀を学んだ。「ゴドリックは行商人の生活を始め、まずは簡単な交渉や廉価品の売買でもうける方法を身につけ、そこから若いながらもコツコツと叩き上げて、高価な品の売買で利益を上げる方法を学んでいった」。やがて十分な資本を蓄えたゴドリックは、野心的な冒険的事業を立ち上げた。「より大胆な道に乗り出し、船で周辺諸国をたびたび訪れるようになった。こうしてスコットランドとブリテンを頻繁に行き来してさまざまな品を扱うようになり、事業を通じて世事を知った……ゴドリックの大いなる努力と熱意はとうとう報われ、世俗的利益という果実をもたらしたのである」とレジナルドは述べている。一六年にわたって交易と商業活動で成功を収めた末に、ゴドリックは全財産を人々に分け与え、修道士になったのだ。

アッシジに話を戻すと、聖フランチェスコの父は、商人としてフランスで成功したとはいえ、貧しい生まれだったのはほぼ間違いない。聖フランチェスコは、のちに「フランチェスコ会」を創設し、同胞たちに、自分を「しがない日雇い農夫」と呼んでさげすんでほしいと頼み、こういった。「そう、それこそがピエトロ・ディ・ベルナルドーネの息子にふさわしい」。父のピエトロは、おそらく田舎の貧しい家の出で、フランチェスコ・ディ・マルコ・ダティーニやゴドリックと同じような方法で、アッシジとフランスで財をなしたのだろう。

回廊のなかの経済

前章で見た、国家なき社会の経済や専横の下での経済と比べてみると、中世後期のイタリアのコムーネはかなり様相が違うことがわかる。そこには、安全と自由を享受するコムーネの市民——民衆を抑圧・迫害するのではなく、公共サービスを提供する国家——だけでなく、足枷のリヴァイアサンによって生み出された、まったく異なる種類の経済的機会とインセンティブも見ることができる。

繁栄と経済成長は、いくつかの基本原理から生まれる。その一つが、投資し、実験し、イノベーションを起こすインセンティブを人々がもつことである。国家なきところには、そうしたインセンティブはほぼ存在しない。なぜなら争いに裁定を下すための法律がなく、紛争中は財産権が保護されず、また国家なき空白を埋めるようにして現れる規範が――社会の本質が経済的機会によってゆらぐことのないように――経済的インセンティブを歪め、経済活動を阻害するからだ。その結果、投資の果実は奪われ、浪費され、散逸しがちである。専横のリヴァイアサンは財産権を施行し、投資を保護することはあっても、それよりは重税を課し、資源を独占することの方にずっと関心がある場合が多い。そのため専横のリヴァイアサンの下の経済的インセンティブは往々にして、不在のリヴァイアサンよりは若干ましという程度にとどまる。

繁栄と経済成長を実現するには、ただ財産権が保障されればよいわけではない。決定的に重要なこととして、経済的機会が幅広く提供されなくてはならない。これは当たり前と思われがちなことだが、実は当たり前ではないし、また前章で見たように、経済は自然にそれを提供するようにはできていない。不在のリヴァイアサンの下では、規範の檻のせいで、どんな人の経済的機会も制約されがちである。専横のリヴァイアサンの下では、支配者とその取り巻きは財産権を保障されても（むしろ、どんな紛争にも勝てるよう過度に保障される）、一般市民はそうではない。このように不平等に分配された経済的機会も、経済的繁栄を下支えすることはできない。イノベーションや有効な投資のアイデアをもつ人なら誰でもそれを実行できるように、機会は幅広く公正に社会に分配されなくてはならないのだ。これは自由の重要かつ見過ごされがちな側面である。前に述べたように、一部の人が残りの人に対して圧倒的な経済支配力を行使したり、規範によって抑圧的な制約が課されたりするときにも、支配は生じる。したがって経済的領域での自由を確保するには、競争条件を平等にして、そうした制約を取り除くことが欠かせない。まさにこれが、イタリアのコムーネで社会的移動が生じた背景にあった。フランチェスコ・ディ・マルコ・ダティーニや、聖フランチェスコの父のような多くの人々は、経済的機会とそれがもたらした自由のおかげで、投資し、事業を立ち上げ、新しいアイデアを試し、イノベーションを起こし、「身分の低い」状態から身を起こして、裕福な商人になることができた。このボトムアップの試行錯誤と、それがもたらす社会的移動こそが、自由の経済的な果実なのだ。

そのような機会とインセンティブは、紛争解決と法執行の公正なシステム（あるいは「善政の寓意」が強調するように、正義）によって保護されなくてはならない。そのためには、国家と政治エリートが正義の執行に干渉して自分たちの有利にことを運べるほど力をもってはいけない（フレスコ画のようにロープをかける必要がある）。ここに、経済的繁栄の土台を築く上で足枷のリヴァイアサンが果たす、もう一つの決定的に重要な役割がある。もしもリヴァイアサンが足枷をはめられていなかったら、私たちはいったいどうやってリヴァイアサンや政治権力者に確実に法を適用できるだろう？「法の支配」とも呼ばれるものを実現できるかどうかは、リヴァイアサンの足枷にもかかっている。そしてその足枷をもたらすのは憲法や宣誓だけではない。フレスコ画が強調するように、それは社会が握るロープに根ざしているのだ。

機会とインセンティブが幅広く提供され、紛争が公正に解決されることが、ただ漠然と約束されているだけでは十分でない場合が多い。重要なインフラが欠けていたり、事業や仕事で成功するために必要な知識やスキルを少数の人しか利用できなければ、機会はやはり不平等に分配される。つまり公共サービスがなぜ重要かといえば、よりよい道路や運河、学校、規制を提供すれば市民の生活が改善されるからというだけでなく、公共サービスが幅広い機会を下支えするからでもあるのだ。これこそが、足枷のリヴァイアサンを築くことによって、イタリアのコムーネが達成したことであり、また

「善政の寓意」が見事に描き出したことなのである。

――――

私たちの前著『国家はなぜ衰退するのか』を読んでくれた読者は、いま説明したことと、前著の概念的枠組みとの間に、強い共通性があることに気づいたはずだ(少なくとも、以前の主張と完全に矛盾してはいない)。前著では、投資やイノベーション、生産性向上活動を行なう幅広い機会とインセンティブを提供する制度を、「包括的経済制度」と呼んだ。また、そのような経済制度が長期的に存続するには、「包括的政治制度」によって、社会の限られた集団による政治権力の独占を防ぐとともに、国家が法を執行できるようにすることが欠かせないと強調した。新しいイノベーションや技術、組織は、持続的な経済成長に不可欠であるにもかかわらず抵抗を受けがちだが、その理由は既存の体制を脅かす恐れがある(これを「政治に関する創造的破壊」と呼んだ)からだと論じた。一部の強力な主体が新しい技術を妨害して経済発展を踏みにじるような事態を最も確実に防ぐ方法は、どんな個人、どんな主体にも、それができるほどの力をもたせないことである。

この視点から見れば、本書の概念的枠組みは、『国家はなぜ衰退するのか』をさらに深めている。足枷のリヴァイアサンは、包括的経済制度を実現するために必要な包括的政治制度の集大成というだけではない。足枷のリヴァイアサンは、赤の女王効果にも――すなわち国家と政治エリートに対抗し、それらを制約し、抑制する社会の能力にも――決定的に依存するのだ。このことから、社会が組織化し、政治に参加し、必要とあらば国家とエリートに反逆するのを助ける規範の重要な役割が浮かび上がってくる。だが重要なのは足枷だけではない。法を執行し、紛争を解決し、公共サービスを提供し、経済的機会とインセンティブを生み出す経済制度を支えることができる力を、リヴァイアサンがもてるようにすることもまた重要なのだ。つまり、国家の能力も――社会がその能力をコントロールできるだけの力をもつ限りにおいて——同じくらい重要ということだ。

もう一つの新しい要素は、規範の檻を緩めることの重要性である。この主張は、規範や伝統、慣習に基づく制約が経済的機会とインセンティブを阻害する場合があり、経済成長を促すためにはそれらを緩める必要があるという、前章の議論に根ざしている。規範の檻は、人々が規範を迂回する方法を見つけたり、規範そのものが意味を失ったりするうちに、ある程度は自然に緩むこともある。だが第二章のギリシアをめぐる議論で見たように、足枷のリヴァイアサンの助けがあれば、大幅に緩めることができるのだ。このことは国家の能力が担う、いま一つの重要な役割を浮き彫りにしている——自由のための条件を生み出し、社会の政治参加を阻む要因を取り除くために、規範の檻を緩めるという役割である。きわめて重要なことに、リヴァイアサンは規範のその他の側面（とくに社会の組織化や、エリートに対して行動を起こす意欲にかかわる側面）によって抑制されている間にも、この役割を果たすことができるのだ。この知見は、第二章のアテナイの事例で見た、国家能力と規範の多面的な相互作用を改めて強調するものである。

悪政の効果

さて、「ノーヴェの間」の二つの壁面のもつ意味を検討したところで、左に目を移して、最後の壁面を調べてみよう。ここには悪政の経済的影響を描き出した、「悪政の寓意と効果」が飾られている。

このフレスコ画はほかの二つに比べて保存状態が悪いが、その意味するところは明らかだ。絵を占領しているのは、牙と角の生えた暴政（または本書でいう専横）の擬人像だ。足下には手足を縛られた「正義」がいる。暴政の周りには、寛容や不屈の美徳の代わりに、虚飾、裏切り、残虐、詐欺、騒乱の悪徳が舞っている。右端にすわっているのは、剣を掲げた「戦争」だ。その隣にいるのが「分裂」で、鉋の代わりに鋸(のこぎり)をもって何かを切ろうとしている様子から、共同体を引き裂き、戦争を起こすのは分裂だということがわかる。フレスコ画の背景にも、暴政の経済的影響が生々しく現れている。左側には荒廃した都市がある。瓦礫(がれき)が散乱し、家々は荒れ果て、壁やバルコニーには穴があいている。殺人が行なわれている。そこには交易も商業も見られない。また悪政が農村におよぼす影響である、田園地帯の荒廃と貧困も明らかだ。放置された田畑を軍隊が闊歩し、家々は燃え、木々は枯れ果てている。この絵は専横のリヴァイアサンの経済的影響をドラマチックに描写し、その原因が悪政にあることを鋭く示唆しているのだ。

トルティーヤはいかにして発明されたのか

足枷のリヴァイアサンと、それがもたらした経済的機会やインセンティブは、ヨーロッパだけのものではなかった。もう一つの歴史的事例を、紀元前五〇〇年頃の古代メキシコのオアハカ盆地に見ることができる。この頃オアハカで何が起こったかを理解するために、こんにちのメキシコ料理の主食、トルティーヤから話を始めよう。

人間によるトウモロコシの栽培化は、アメリカ大陸の長期的な経済発展における画期的瞬間だった。それが起こったのは紀元前五〇〇〇年頃か、もしかするともっと前かもしれない。トウモロコシの食べ方はいろいろある。軸つきのままあぶってから実をむしって食べてもいい。きょうびメキシコのどの街角でも売っているごちそうだ。つぶして粥にするのもありだ。もう一つの食べ方は、オアハカで紀元前五〇〇年頃発明された方法で、トウモロコシでトルティーヤをつくるのだ。このためには実をひいて粉にし、水と塩を入れてこね、メキシコ人がコマルと呼ぶ素焼きの円形の板に載せて焼かなくてはならない。現代のオアハカのコマルの写真を口絵に載せた。トルティーヤが紀元前五〇〇年頃に発明されたとわかるのは、その頃にオアハカ盆地でつくられたと見られる、世界最古のコマルを考古学者が発見したからだ。

トウモロコシをトルティーヤにするのは、軸がついたまま実をあぶるよりずっと手間がかかる。だがトウモロコシがずっと運びやすくなるという利点がある。トルティーヤにすることで、可食部分だけを取って残りを捨ててしまえるからだ。のちにサポテカと呼ばれるようになった盆地の民族は、なぜ突然トウモロコシを運ぶ必要に迫られたのだろう?

答えは盆地の政治史と関係がある。紀元前一〇〇〇年頃、盆地全体には約二〇〇〇人が住んでいた。地域に初めてできた真の都市圏であるサン・ホセ・モゴテの人口は、おそらくすでに一〇〇〇人に達していたはずだ。サン・ホセはまもなく新しい中心地との競争にさらされ始めた。とくに盆地東部のトラコルラの中心地イェグイと、南部のバジェ・グランデの中心地サン・マルティン・ティルカヘテである。考古学者はこれら三地域が首長国として敵対していたと考えているが、文化的には多くの共通点があった。どの地域も稲光と地震、獣人をシンボルにしていて、現在サポテカ語と呼ばれる言語から派生した言語を話していた。サポテカという言葉は、中央メキシコの支配言語だったナワトル語から来たと考えられており、果物のサポテにちなんだ「サポテの地の住民」を意味する。これら三つの中心地の中間の、現在のオアハカ市にあたる場所は、どこにも属さない、いわゆる緩衝地帯だった。盆地から四〇〇メートルの高さにそびえるモンテ・アルバン山があるのもこの場所だ。

モンテ・アルバンは天然の水源のない、とても寂れた土地で、盆地の最も肥沃(ひよく)な農地からも遠かった。紀元前五〇〇年になってもまだ人が住んでいなかった。その後まもなく、サン・ホセ・モゴテとイェグイ、サン・マルティン・ティルカヘテの三つの共同体が統合して山の上に都市を築くと、人口はすぐに七〇〇〇人に達した。この都市は新しい国家の首都となり、その国家は階層化された集落と行政センターを通じて、盆地全体を領土に組み入れた。考古学者がモンテ・アルバン前I期（前五〇〇年‐前三〇〇年頃）と呼ぶ初期に建てられた建造物のほとんどが、いまは後代の建造物の下に埋まっている。それでも発掘調査により、当初の中央広場を囲むようにして三つのバリオ（地区）があったことが明らかになっている。三つの共同体の人々は、それぞれ別々のバリオに移住したようだ。この時期、雨水をためる貯水槽が掘られるまでの間、集落のすべての水が人力で山に運び上げられなくてはならず、主食のトウモロコシも同様だった。ここでトルティーヤの出番となる。山腹に少しばかりの農地が切り拓かれたが、七〇〇〇人分、ましてや後I期（前三〇〇年‐前一〇〇年頃）にモンテ・アルバンに住んでいた一万七〇〇〇人分の食料を栽培するにはとても足りなかった。水と同様、食料も斜面を運び上げられなくてはならず、そしてトルティーヤがこれを容易にしたのだ。

　サン・ホセ・モゴテ、イェグイ、サン・マルティン・ティルカヘテの市民によるモンテ・アルバンの建造も、第三章ですでに論じた、何もない状態から国家を築く初期国家形成の事例である。だがそれは典型的な初期国家形成とは違っていた。シャカがズールーランドで行なったことや、古代エジプト文明の出現とともにナイル川流域で起こったこととは違って、この事例ではカリスマ的指導者や政治エリートの強力な集団が残りの社会に支配を課したのではなかった。むしろアテナイや合衆国などのように、社会がすでに強力で、国家とエリートの行動範囲を制約する力をもっていた状況での国家建設と、いくつかの点で非常によく似ていた。たとえば前に見たように合衆国では、フィラデルフィア憲法制定会議と憲法批准のあとで、連邦政府は首都を決定する必要に迫られた。連邦議会は当初ニューヨークで開かれていたが、首都の立地をめぐって北部諸州と南部諸州が対立していた。多くの候補地が審議された。ニューヨーク州民は首都をニューヨークにとどめることを望み、南部諸州は南部に近い場所を要求した。初代大統領ジョージ・ワシントンは、自身のマウントヴァーノンの邸宅からほんの少し川上の、ポトマック河畔の中立地帯に置くという妥協案を示した。一七九〇年にこの案が通ったが、それはジェイムズ・マディソンとアレクサンダー・ハミルトン、トーマス・ジェファーソンの間で結ばれた合意のおかげだった。南部諸州は、各州の過去の負債を新しい連邦政府が全額肩代わりする法案を成立させまいとしていた。だが、中央集権的な財政制度をもち、借り入れ能力を有する新しい国家の建設をめざすハミルトンにとって、これは譲れない点だった。南部諸州は首都をポトマック川河畔のワシントンが定める場所に置くことと引き換えに、連邦政府が州の負債を肩代わりする案をのんだ。これを受けてワシントンD・Cは、南部諸州と北部諸州という二つの対立する大集団の中間地点にあたる、中立的で未開発の土地に建設されたのである。

モンテ・アルバンの歴史を記録した史料は何もないが、そこで起こったことはアメリカの経験と多くの点でよく似ているように思われる。マディソンとハミルトンと同様、モンテ・アルバンの市民、少なくともサン・ホセ・モゴテ、イェグイ、サン・マルティン・ティルカヘテのエリートは、より有効な中央集権国家をつくることとの利益を認識していたはずだ。考古学的記録から、おそらく次のことが起こったことがわかっている。モンテ・アルバン建造後は紛争が減り、焼けた家や黒焦げの漆喰(しっくい)などの建材の残骸を示す証拠が減少する。また国家建設のこの時期に、交易が著しく拡大したことを示す証拠もある。バジェ・グランデ地域のある遺跡には、幅五五メートル、奥行き三八メートルの大きく広々とした足場のよい台がある。これは神殿ではなく、大きな岩で縁取られている。また陶器の失敗作や、欠けたチャート石や珪岩(けいがん)のまとまり、石英鉱山、研削や粉砕に使われていたかのように摩耗した岩、樹皮紙をつくるための石棒などの証拠から、生産の専門化が進んでいたことがわかっている。

この台は十中八九、市場だったのだろう。

　ではモンテ・アルバンの平和と経済の専門化を支えていたのは、どんな政治制度だったのだろう？こうした長らく忘れ去られていた国家の政治制度を知るには、強力な王の名や像、貴重品で埋まった王の墓といった、考古学的記録に頼るのが一般的だ。だがサポテカ人に関しては、そういうものはいっさい残っていない。初期の王が誰だったのか、いや王や王朝が存在したのかさえわからない。たとえ存在したとしても王たちの名はわからないし、精巧な墓や彫刻、宮殿も存在しない。権力の個人化は生じなかったようだ。サポテカの宗教で、モンテ・アルバン建造後重要な役割を果たしたのは、コヒコ教である。コヒコはサポテカ人にとって「稲妻・雲・雨」を表象するものだったが、そうしたイメージをとらえたり取り込んだりした個人はいなかった。「神なる王」はいなかった。これは先コロンブス期のメキシコではそう珍しいことではない。メキシコシティの北東にあり、最盛期には二〇万もの人口を擁した巨大都市テオティワカンも同様である。テオティワカンには名のついた王や王家の墓、宮殿はなかった。壁画にエリートのような人物が描かれるときは、必ずマスクをつけている。テオティワカンでは権力はひけらかされなかった。まるで統治者とエリートの支配を抑制する法や規範があったかのように――まるでリヴァイアサンがきつい足枷をはめられていたかのように。モンテ・アルバンやテオティワカンにどのような統治機構があったのかは正確にはわかっていないが、スペイン人が征服した当時のメキシコには多くの国家があり、評議会によってまとめて治められていたことがわかっている。くわしく記録されている例に、先コロンブス期のトラスカラ国家がある。トラスカラは一四世紀半ばに興り、スペイン人に征服されるまで存続した国家で、高度な共和的制度を構築し、民衆の政治参加が実現していた。考古学的証拠から見て、サポテカも同様の方法で統治されていた可能性が高い。したがってモンテ・アルバンに出現した国家も、同じく足枷をはめられていたと推測するのが妥当だろう。

モンテ・アルバンの制度的取り決めが、経済に深く好ましい影響を与えていたことも見て取れる。いま見たように、人々は平和を推進し、市場を振興したようであり、また交易の著しい増加を示す証拠がある。たとえば、人々は前ほど大きな食料貯蔵庫をつくらなくなったが、これはおそらく市場で食料品が手軽に買えるようになり、貯蔵の必要がなくなったからだろう。また住宅建設の質が大きく向上している。紀元前五〇〇年以前は、家は編み枝と泥でつくられることが多く、石や泥レンガの家はほとんどなかったが、紀元前五〇〇年以降は後者が主流になった。最も劇的な変化として、国家形成後は盆地の人口が大幅に増加した。前に見たように、紀元前一〇〇〇年頃の盆地の人口は二〇〇〇人程度で、前I期が始まるまでその水準で頭打ちとなっていた。モンテ・アルバンが建造され、その人口が七〇〇〇人になったことで、盆地全体の人口は一万四〇〇〇人にまで増加したと考えられる。その後モンテ・アルバンの人口は一万七〇〇〇人に達し、盆地全体では五万人を超えた。モンテ・アルバンが急激に成長する間も、サン・ホセ・モゴテ、イェグイ、サン・マルティン・ティルカヘテの人口に減少は見られなかった。つまり、これらの三地域からモンテ・アルバンに移住した人々もいたが、減少分はすぐに補充され、首都の人口は農村部からの人口流入によって増大したものと考えられる。おそらく出生率の著しい伸びと、盆地外の地域からの人口流入も見られたはずだ。その他の経済的変化には、陶器生産の増大や新種の陶器の導入、農業活動の大幅な集団化が挙げられる。耕作地は拡大し、灌漑への投資が初めて行なわれた。すべての証拠が、農業生産と消費の拡大を指し示しているのだ。

本章で見てきたことは、力への意志によって生み出された国家の様相とはかけ離れているし、もち

ろん、国家なき社会の弱く事実上不在の政治的階級ともまるで違っている。また第二章で予見したとおり、初期の足枷のリヴァイアサンが生み出す自由がはるかに大きいこと、そしてそれが非常に異質な経済的機会とインセンティブをもたらし、繁栄に向かう強い推進力を解き放つことを見てきた。

だが、このまったく違う種類の国家と社会の関係は、いったいどこから生まれるのだろう？　次はこの問いについて考えることとしよう。

第六章

ヨーロッパのハサミ

ヨーロッパが回廊に入る

世界の中で長続きする足枷のリヴァイアサンを発展させた地域はヨーロッパ、なかでも西欧と北欧だった。アテナイの足枷のリヴァイアサンは、マケドニア王国が拡大するとともに崩壊してしまった。同様にサポテカ国家は、オアハカ盆地がスペイン人に征服された頃には、回廊から出て消滅していた。これから見ていくように、有能でかつ社会によって制約された国家の発達は、ヨーロッパでは緩やかで痛みを伴う歴史的なプロセスだった。この初期段階に居合わせた人々は、これが自分たちの自由と政治、経済を大きく変容させることになるプロセスの始まりだということには、気づいていなかったはずだ。だがそれは進展するうちに自由をもたらし、国家制度の性質をつくり変え、人間社会がかつて経験したことのない繁栄の時代の幕を開いたのだ。なぜこのすべてはヨーロッパで起こったのだろう？

答えは自明ではない。歴史をさかのぼってみても、ヨーロッパの台頭は決して自明ではなかった。農業が始まったのはヨーロッパではなく、中東と肥沃な三日月地帯、そして中国だった。農業がヨーロッパ諸地域に広まったのは中東から来た人々の植民活動を通してであり、イギリスに達したのはレヴァントで農業が確立してから五〇〇〇年以上もたった、紀元前四〇〇〇年頃である。同様に、世界初の町や都市が現れたのはヨーロッパではなく、現代のイラクにあたるティグリス川とユーフラテス川の流域だった。ギルガメシュ問題が最初に起こったのは、前に見たようにアクスブリッジではなくウルクだった。歴史上のすべての大帝国にとって、西欧と北欧はせいぜい辺境でしかなかった。ローマ人は地中海を中心に高度な文明を築いたが、西欧と北欧の大部分にはほとんど無関心だった。例外は、蛮族と見なしていたゲルマン人と対決するために、現代のドイツの一部にあたる地域に進出したときだけだ（ただしガリアと現代のフランス、イギリスの一部は征服した）。ヨーロッパが世界の舞台に登場するのは、歴史がだいぶ進んでからようやくのことである。

それにもかかわらず、前章で論じたように、一一世紀にはヨーロッパの一部は共和主義的な統治機構を発達させ、爆発的な経済成長のまっただ中にあった。ヨーロッパはどうやってこの状態に達したのだろう？　こうした政府と社会、経済における革命はどのようにして起こり、一八世紀から一九世紀にかけての前例のない自由の台頭と技術・経済のめざましい進歩の道を開いたのだろう？　ヨーロッパの強みは何だったのか？

これらの問いへの答えは、今から一五〇〇年前に起こり、中央権力と一般男性（残念ながら女性ではない）との偶発的な力の均衡を生み出した、一連の特異な歴史的事件にある。この均衡こそが、ヨーロッパを回廊に導き入れ、国家と社会がしのぎを削る赤の女王効果を発動させたのだ。この均衡は、次の二つの要因によってもたらされた。第一に、ヨーロッパが五世紀末に、集会と合意的意思決定の規範に基礎を置く、民主的に組織された部族社会によって支配されたこと。第二に、ローマ帝国とキリスト教から取り入れられた国家制度と政治的階級の重要な要素の遺産が、五世紀末の西ローマ帝国崩壊後も中央集権化の推進力となり続けたことだ。この二つの要因を、ハサミの二枚の刃と考えることができる。どちらの刃も単独では西欧を新しい経路に乗せられたはずがない。だが蝶番（ちょうつがい）でつなぎ合わされたおかげで、ヨーロッパのハサミの二枚の刃は、足枷のリヴァイアサンと、それがもたらす経済的インセンティブと機会が発展するための布石になり得たのである。

長髪王の集会政治

ヨーロッパ人がどうやってこのすべてをやってのけたかを感じ取るために、ランス（フランス）のヒンクマール大司教が八八二年に記した集会の描写に目を向けよう。ヒンクマールの著書『宮廷・組織論』は、西フランク王カールマン二世の単独即位に際し、捧げられたものだ。フランク王国はカールマン二世が即位した頃にはすでに分裂していたが、もとはゲルマン人の一部族であるフランク族によって建てられた国だった。フランク族はローマ人と二世紀にわたり敵として、ときには味方として戦った。フランク王国は、西ローマ帝国滅亡後にその領土を受け継いだ国の一つであり、ローマ帝国滅亡後のヨーロッパの政治的発展にきわめて重要な役割を果たした。

カールマン二世が属していたカロリング朝は、八世紀前半にカール・マルテルによって開かれ、マルテルの孫カール大帝（シャルルマーニュ）によって大幅に拡大された。カール大帝は亡くなる八一四年までに、フランスとベルギー、オランダ、ドイツ、スイス、オーストリア、北イタリアを、一つの国家に統合していた（図8）。ヒンクマールはカールマン二世に王国の運営方法を指南し、参考にと、カール大帝の同時代人で、当時の国家の働きをじかに知るコルビー大修道院院長アーダルハルトから聞いた王国の統治方法を語って聞かせた。その統治方法は、めざましいことに、国王が野放図な望みを押しつけるものではなく、民衆集会をもとにしていた。ヒンクマールはこう書いている。

当時は一般集会を年二回までの開催とする慣習が守られていた。第一回の集会では、年度末までの王国全体の問題が決定された。どのような事態になろうと、最大の危機が一度に王国を襲うようなことにでもならない限り、ひとたび確立されたことは変更されなかった。この一般集会には聖俗問わずすべての高官が参集した。高官が評議に参加する一方で、身分の低い者たちは決定に

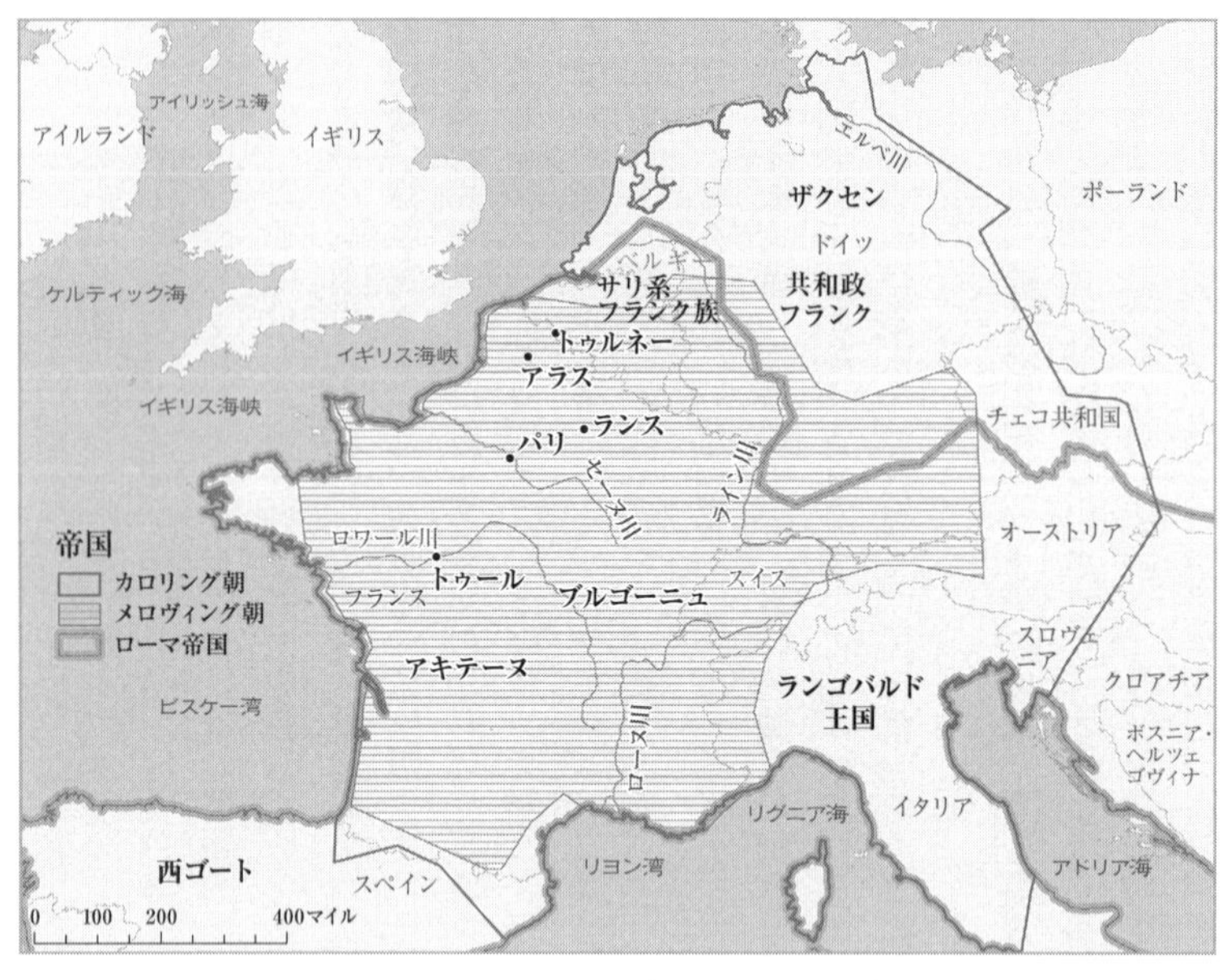

図８　フランク族の諸帝国：メロヴィング朝とカロリング朝の諸帝国、およびローマ帝国の境界

ついて知り、ときには自分たちに関係する事柄を協議・確認するために出席した。強制されてではなく、自身の理解と同意のもとに出席した。

第二回の一般集会にはより幅広い層が参加したが、どちらの集会でも「高官と王国の重要な助言者」が主要な役割を果たし、「国王に質問し、回答を得た」。ヒンクマールはこうも述べている。

国王は評議会を構成する者たちが望めば何度でも彼らのもとに行き、望むだけの時間をともに過ごした。彼らは国王に対し、個々の事柄に関する考えを友好的に伝えた。一方の側ともう一方の側が何を議論し、どのような意見の相違や口論や友好的な論争があったかを、率直に伝えた。

フランク王国の「評議会の」エリートは、「たとえば……質問を提起したいときなどには外部者を召集する」こともでき、国王は機会をとらえて「王国各地から来た人々の話を聞き、人々が検討に値する情報をもってきたかどうかを調べ」た。実際、各参加者は総会に来るまでに「あらゆる関連事項に関する情報を、民からだけではなく異邦人からも、また味方と敵の両方から収集すること」を求められた。

ヒンクマールが説明しているのは、ゲルマン人の集会政治の本質、すなわち著しい参加型の統治形態である。カール大帝と、のちにはカールマンは、集会の規則に従って、（男性）社会の多様な階層の意見を聞き、主要な決定について一定の総意を確保する必要があった。総会に参加できる人数は当然限られていたが、カール大帝は使者を遣わしてその結果を下位集会に伝え、王国全体に知らしめようとした。この政治参加こそが、ヨーロッパのハサミの一枚めの刃である。

これらの集会のルーツは、フランク族が組織されていた方法にある。私たちの知る最もくわしい描写は、タキトゥスによって紀元九八年に書かれた『ゲルマニア』にある。タキトゥスは古代ローマの政治家、官吏、歴史家で、その著書にはローマ人のゲルマン人に対する好奇心がよく表れている。ゲルマン人はローマ人に何度か手痛い敗北を与え、またその慣習や制度はローマ人のものとはまったく異質に思われた。好奇心を満たすために、タキトゥスはゲルマン人の組織と文化について、民族誌さながらの説明を提供している。ゲルマン人の政治体制についてはこう述べている。

重要性の低い問題は指導者だけで話し合い、重要な問題は共同体の全員で話し合う。ただし、最終決定権が平民にある場合であっても、問題はあらかじめ指導者によって検討される……集会では刑事裁判も行なわれ、極刑の判決が下されることもある……同じ集会で、郷や村で裁判を行なう判事などの官吏も選出される。一人の判事につき、平民から選ばれた一〇〇人ずつの従者が助言を行ない、判事の決定に説得力を与えている。

ここですぐに気づくのが、ヒンクマールの記述との類似点だ。二種類の集会があり、一方の集会は政治エリートが集まって議題を設定し、他方の集会には民衆が参加するという点まで似ている。これらの集会にはほかの仕事もあった。たとえば若い男性に楯と槍を授け、正式に市民にするのもその一つである。指導者についてはこう説明されている。

彼らは高貴な身分で国王を選び、武勲で指揮官を選んだ。国王の権力でさえ、絶対的なものでも、恣意的なものでもなかった。

ガリア征服の際に短期間だがライン川を越えたユリウス・カエサルも、ゲルマン人が戦時中は集会で指導者を選出したが、平時には限られた権限をもつ指導者を除けば、上に立つ者は誰もいなかったと指摘している。王がいないことに大いにいら立ちを感じていた人もいた。六世紀末に『フランク史』を著したトゥールのグレゴリウスもその一人だ。フランク族の起源と政治的発展についていま知られていることは、グレゴリウスの記述から得られたものが多い。グレゴリウスは、長らく埋もれていたスルピキウスの書を引いて、「フランク族の王家の指導者たち」に言及し、憤慨したようにこう述べているのだ。「彼（スルピキウス）は『王のごとき者』または王家の指導者たちと呼ぶが、彼らが王だったのか、それとも単に王のごとき機能を果たしていただけなのかははっきりしない」。さらに癪（しゃく）に障ることに、スルピキウスがようやくフランクの王について述べ始めたかと思えば、「その王の名を記すのを忘れている」というのだ。まったく。

のちにフランク族になった人々は、タキトゥスは明記してはいないものの、政治体制の主軸として、民衆集会を受け継いでいた。フランク族が初めて史料に登場するのは、二五〇年と二七五年に、アレマン族やほかのゲルマン人の部族とともにローマの属州ガリアを襲撃したときのことだ。フランク族は、ブルクテリ族とアムプシヴァリ族、カマウィ族、カットゥアーリー族などのゲルマン民族が混合して形成され、その後集団としてのアイデンティティを確立したか、生み出したようだ。その起源を示す考古学的証拠はほとんどないが、ローマ時代の史料から、四世紀にライン川周辺に定住し、五世紀初めにはローマのために戦っていたことがわかっている（図8）。四〇〇年から四五〇年にかけてローマ帝国のライン川下流の防御線が破られ、フランク族によって一帯が占領された。フランク族は五世紀半ばまでに、西はフランスのアラスとトゥルネーまで勢力を拡大し、いまだ別々の王国に分かれていた。そのうちのトゥルネーに本拠を置く王国が、最初はクロディオ、続いてその息子メロヴィクスの下で、四五〇年から四八〇年にかけて勢力と影響力を増していき、メロヴィクスはのちにメロヴィング朝として三〇〇年近くも存続した王国の基礎を築いたのである。クロディオとメロヴィクスは半ば伝説的な人物だ。実際、メロヴィクスは、クロディオの妻が泳いでいるときに海の怪獣クィノタウルスと遭遇して身ごもった子とされ、王朝はこの伝説から超自然的な正統性を得ていた。フランク族が歴史にはっきりと姿を現し始めるのは、メロヴィクスの孫クローヴィスが四八一年に国王に即位してからのことである。クローヴィスはフランク王国の実質的な建設者で、五一一年に死去したときにはフランスのほぼすべてを統一していた。

フランク族の王たちは、髪の毛に特別なこだわりをもっていた。フランク族の少年にとって、長髪は男らしさの象徴であり、少年の髪を親の同意なしに切ることは、殺すことと同罪と見なされていたほどだ。グレゴリウスはこんなできごとを記録している。

キルデベルトとロタールは、……片手にハサミを、もう一方の手に「抜き身の」剣をもたせて、アルカディウスを女王のもとに派遣した。アルカディウスは女王の前に出ると、それらを女王に差し出していった。「われらの主である陛下のご令息のことで、ご判断を仰ぎたく存じます。慈悲深き女王よ、王子たちをいかがなさいますか？　髪を短く切ったままお二人を生かしますか？それともお二人が殺されるのをお望みになりますか？」……女王は答えた。「彼らが王位に就かない以上、髪を切られるくらいなら死んでくれた方がよい」

長髪王たちの集会政治とその下の強力で積極的な社会が、ハサミの一枚目の刃となって、メロヴィング朝とカロリング朝、その他の関係するヨーロッパの社会を回廊のなかに入れたのである。もう一枚の刃はローマ帝国からやってきた。

もう一枚の刃

ローマでは紀元前五〇九年に（王政ローマの）王ルキウス・タルクィニウス・スペルブスが追放され、ローマ共和国（共和政ローマ）が成立した。紀元前二世紀になると、共和国は富裕な貴族階級と増え続けるローマ市民の根深い対立への対処を迫られた。紀元前四九年にユリウス・カエサルがみずから独裁官に就任したことで、ローマの共和政は事実上崩壊する。だが後継国のローマ帝国がようやく出現したのは、一連の内戦を経て、紀元前二七年にオクタウィアヌスが「アウグストゥス（尊厳者）」の称号を名乗り、初代皇帝に即位してからのことだった。

この頃のローマには、制度化された国家のようなものはほとんどなかった。ローマは元老院と軍によって支配され、奴隷とエリートの家臣を除けば、官吏はごく少数だった。アウグストゥスの時代にはより体系的な中央行政が開始され、市民に食料を提供し軍に物資を供給するためもあって発達したが、帝国に本格的な官僚的行政機構が構築されるのは三世紀後半になってからのことだ。ローマ国家は帝国末期に少なくとも三万一〇〇〇人の専任の有給公務員を雇っていたが、この数字は正確な情報が得られない地方公務員の数を含んでいないため、少なく見積もりすぎだろう。行政の基本単位は属州で、ディオクレティアヌスの治世（二八四年－三〇五年）末期には一一四の属州があり、それぞれが総督によって統治されていた。総督は主に司法と徴税の責務を担った。総督の下には一般に一〇〇人ほどの官吏がいた。属州は管区と呼ばれるより大きな単位にまとめられ、ローマから派遣されたヴィカリウス（管区代官）によって統治された。管区を管轄するのが道で、ガリア道（イギリスとスペインを含む）、イタリア道（アフリカと西バルカン諸国を含む）、イリュリクム道（ギリシア、クレタ島、残りのバルカン諸国を含む）、そして東のビザンティンのオリエンス道の四つがあり、それぞれに道長官が置かれた。道は最大で二〇〇〇人もの官吏を擁していた。官吏の採用は試験制ではなかったが、皇帝テオドシウスが四三八年に、ユスティニアヌスが五二九年にそれぞれ発布したローマ法の大法典には、業績と年功序列をもとにした昇進の原則が定められている。

この官僚機構の運用方法を最もくわしく説明したのが、ビザンティン（東ローマ帝国）のオリエンス道の官吏、ヨハネス・リュドゥス（「リュディアン」）が残した記録だ。ヨハネスは現在のトルコのアラシェヒルにあたる、属州リュディアのフィラデルフィアに生まれた。フィラデルフィアの道長官ゾティクスに見出されて、官吏の地位を得る。オリエンス道の機構は行政・司法と財政の二大部門に分かれていた。ヨハネスは前者に配属され、その著書『ローマ帝国の官僚について』に、この部門の役職が列挙されている。事務次官、管理次官、主任補佐、日誌記録官、文書記録官、通信管理官、記録係。実際、三八四年に制定され、のちにユスティニアヌス法典によって修正された法律は、この官僚機構のひな型として、四四三種類の職位を一八群に分け、それぞれを位の高い順に列挙している。

事務総局

部署全体の長である、第二等名誉長官の地位の役職者一名。
書記局全体の長である、第三等名誉長官の地位の役職者一名。
三等官と四等官にあたる、上級事務官の地位の役職者二名。
税記録官にあたる、属官の地位の役職者一名。
文書官二名。
第一級を構成する書記官三六名。

このあと残りの一七群の職位が続く。ヨハネスは五一一年に中級の書記官として働き始めた。ヨハネスによれば、この官僚機構は複雑な一連の「慣習、形式、言語」に則(のっと)って運営されており、官吏は軍隊由来の制服である「独自のレガリア」を着用した。官吏は規則や手順、「登録、称号、任務」に従わねばならなかった。またヨハネスは、この機構には官吏を「一般市民」と区別する一体感とアイデンティティがあると、鋭く指摘している。言語と文字はとくに重要だった。皇帝と最も近しい宮廷の官僚だけが、リテラエ・カエレスティス――文字どおりには「神々しい文字」の意味――と呼ばれる、使用を制限された特殊な文字を使うことができた。この文字は模倣が非常に困難だったため、偽造を防ぐ狙いがあったという。ヨハネスは守らなくてはならないさまざまな官僚的手続きについても、くわしく述べている。たとえば長官の裁判に提出される記録はすべて二度要約されなくてはならなかった。一度目の要約は秘書官と呼ばれる官吏の仕事であり、二度目は最上級の司法官僚である上級司法官によって記された。こうした手順は、たとえば不正や紛失を防ぎ、政府を有効に機能させるうえで不可欠だとヨハネスは確信していた。こう述べられている。「そして私自身にもそのようなことが起こったのをよく覚えている。あるときの聴聞で、事件に関する記録がどこにも見当たらなかった。だが上級司法官が法廷に召集されると、記録が完全に復元されたのだ」

ヨハネスが説明しているのは、明確に定義された規則をもち、精巧な法制度のなかで機能する、大規模な官僚機構である。もちろん、そこでは個人が幅を利かせることもあっただろうし、規則が定めるとおりには機能しなかっただろう。ヨハネス自身、その地位を純粋に実力で得たわけではなく、フィラデルフィアの知人ゾティクスの力添えを得ている。そのうえ上級職の多くが、とくに元老階級のエリートに独占されていたし、多少の汚職があったことも間違いない。だがこうした欠陥を差し引いても、ローマには少なくとも精巧な構造をもち、地域別に組織された官僚国家があった。この世俗的な制度は、キリスト教教会の階層制と類似していた。そしてそのような階層は、フランク族がローマ人と関わり合い始めた頃には、すでにフランク族の政治制度に組み込まれていたのだ。

二枚の刃を合わせる

フランク族の初期の歴史は、ゲルマン人のボトムアップの政治的伝統を、ローマ人の国家制度と組み合わせようとする奮闘だった。クローヴィスが即位した当時、これら二枚の刃がどのように組み合わさることになるかは、まだわからなかった。

フランク族に安定的な政治的階層を受け入れさせるのは、生易しいことではなかった。グレゴリウスによれば、あるときの襲撃で、クローヴィスが戦利品の壺に心を奪われ、家臣たちにこう尋ねた。「略奪者どもに聞こう。いつもの分け前に加えて、私にその壺をくれぬか」。家臣の一人はこれを聞いたとたん、斧(おの)で壺を半分にたたき割り、「公正な分け前以外には、戦利品は一つも得てはなりませぬ!」と答えたという。クローヴィスはあとでこの兵士に報復したが、それでもこの逸話には平等主義的で階級にとらわれない戦隊の価値観がよく表れている。この価値観こそが、フランク人の集会政治の土台をなしていたのだ。同時に、それは中央集権化の重大な障害でもあった。

国家建設に向けた大きな一歩となったのが、ローマ帝国の最後の管区ソワソンをクローヴィスが攻め、支配下に置いたことだ。クローヴィスはローマの制度を引き継ぎ、ローマの行政官を雇ったと考えられている。次に、二枚の刃を合わせるための巧みな策として、クローヴィスはキリスト教を受け入れた。自身が改宗するだけでなく、多くの家臣にも改宗させた。その日を境にクローヴィスは教会の位階制をメロヴィング朝に取り入れ、それを後ろ楯にすることができた。続いて、みずから皇帝を宣言した。その舞台はトゥールでのきわめてローマ的な儀式であり、グレゴリウスはその様子を次のように伝えている。

クローヴィスは緋色の衣と軍服のマントを身にまとい、聖マルティヌス教会堂で王冠をみずからの手で頭上に戴いた。教会堂を出ると馬にまたがり、その場にいた観衆に惜しみなく金銀貨を与えた……この日をもって、クローヴィスはコンスル、またはアウグストゥスと称されるようになったのである。

ゲルマン人の戦隊のリーダーは、紫衣を着たりアウグストゥスを名乗ったりしなかったが、クローヴィスはあえてそうした。そうすることにより、ゲルマン人の集会とボトムアップの規範という刃を、ローマ式の中央集権国家という刃と合わせたのだ。そこに現れたのは、単なる二つの総和を超える何かだった。クローヴィスがローマ帝国とキリスト教教会から得た官僚機構の青写真は、まったく異質なゲルマン人の政治と規範に組み込まれた。これらを組み合わせることによって、メロヴィング朝は回廊の入り口にたどり着くことができたのだ。

ローマの遺産は、紫衣の着用だけでなく、行政の基本単位が踏襲されたことにも表れている。その単位は都市とその周辺地域にあたり、ローマ時代と同様、市を意味する「キウィタス」と呼ばれた。メロヴィング朝でキウィタスを統括した高官は、随伴者を意味する「コメス」と呼ばれ、しばしば「伯」と訳される。コメスの地位は後期ローマ帝国のコミテス・キウィタティスに由来し、任務は法的紛争の解決、裁判の実行、軍隊の指揮であり、コミテスを忠実に踏襲したようだ。コメスに直属する官吏は、やはりローマに由来する「ケンテナリ」と呼ばれ、「百」を意味する単位である「ケンテナエ」を統括した。ケンテナエの由来とされるのは、戦闘員の集団からなるゲルマンの戦隊だった。戦隊は自分たちのリーダーを選んだが、ローマの地方制度と同様、選出されたリーダーはフランク国家の官吏になった。

クローヴィスが皇帝として行なった重要な施策の一つが、五〇八年頃のサリカ法典〔サリ族の法典の意味〕という新しい法典の発布である。現存するメロヴィング朝期の写本の写真を口絵に載せた。クローヴィスが属するサリ系フランク族は、東に住む別の支族であるリプアリ系フランク族との差別化を図っていた。サリカ法典は、国家なき時代のフランク族の行動を規定していた既存の規範や慣習を成文化したものである。規範のなかには、報復行為を規制するための細かい規則もあった。クローヴィスがめざしたのは、それらを法体系にまとめ、最終的に新しい中央集権国家の管理下に置くことだった。この観点から見ると、サリカ法典の第一章は意味深い。「誰かがシングに召喚され、出頭しなかった場合、六〇〇デナリウスすなわち一五ソリドゥスの責あるものと判決せらるべし」とある。ここでいう「シング」とは、集会を示す古語である。つまり、クローヴィスがまずやらなくてはならなかったのは、人々を集会に確実に出席させることだった。法の制定という観点からいえば、現存する序文の次の一節が、とくに多くを物語っている。

フランク族とその貴族は神のご加護により、平和への希求を守るため、あらゆる諍い(いさかい)の高まりを禁じるべきだという合意に至った……そのために、多くの人々の中から四人の男たちが選ばれた。名をウィソガスト、アロガスト、サレガスト、ウィドガストという。ライン川の向こうのボセム、サレヘム、ウィドヘムの集落の出身である。四人は三つの正式な集会を開き、起源と事例について注意深く議論し、それぞれの事例につき以下の判断を下した。

つまりサリカ法典は、クローヴィスによって導入されはしたが、社会に押しつけられたのではなかった。実際、それを起草したのはクローヴィスでさえなく、四人の立法者と三つの集会だったのだ。

立法者であるウィソガスト、アロガスト、サレガスト、ウィドガストは、頻繁な「諍い」を含む、さまざまな日常の問題に対処する必要があった。そのため「第一七章　傷害について」は次のように定めている。

第一条　誰かが他人を殺そうとして打ち損じ、彼がそれを行なったことが証拠立てられた場合、彼は二五〇〇デナリウスの責あるものと判決せらるべし。

第二条　誰かが他人を毒矢で襲おうとして射損じ、彼がそれを行なったことが証拠立てられた場合、二五〇〇デナリウスの責あるものと判決せらるべし。

第三条　誰かが他人の頭を殴打して脳が露出し、脳の上にある三本の骨が見えた場合、彼は一二〇〇デナリウスの責あるものと判決せらるべし。

第四条　しかしながら殴打が肋骨の間か腹部であり、したがって傷が内臓まで達した場合、彼は一二〇〇デナリウスの責あるものと判決せらるべし。

第五条　誰かが他人を殴打し出血が地に滴り、それを行なったことが証拠立てられた場合、彼は六〇〇デナリウスの責あるものと判決せらるべし。

第六条　しかしながら誰か自由人が自由人を拳で殴打し、出血が地に滴らなかった場合、彼は一度の殴打につき――最大で三度の殴打まで――一二〇デナリウスの責あるものと判決せらるべし。

法典には、報復にかかわるその他の領域、とくに中傷も含まれていたため、他人をキツネやウサギと呼んで中傷することは違法となった。またフランク族とローマ人の関係についても規定していた。

ただし、どちらが優位にあるかは明白だった。たとえば「第一四章　暴行および強盗について」は、次のように定めている。

第一条　誰かが自由人を暴行して略奪し、彼がそれを行なったことが証拠立てられた場合、彼は二五〇〇デナリウスすなわち六三ソリドゥスの責あるものと判決せらるべし。

第二条　誰かローマ人がサリ系フランク族を略奪した場合、上記の法が順守されなくてはならない。

第三条　しかしながら誰かフランク族がローマ人を略奪した場合、彼は三五ソリドゥスの責あるものと判決せらるべし。

ローマ人がフランク族を略奪した方が、その逆よりも明らかに罪が重かった。ローマ人とフランク族の扱いが異なることから、フランク族には法があったが、「法の前の平等」――法律が万人に平等に適用されるという考え方――は存在しなかったことがわかる。足枷のリヴァイアサンの下の法律に欠かせないこの重要な側面は、赤の女王が仕事に取りかかるうちに徐々に現れたのである。

サリカ法典はローマ法とは似ていなかった。むしろ古代アテナイでまずドラコンが、次いでソロンが試みた、既存の規範の成文化、規制、強化にずっと近かった。だがその過程で、法律を通して紛争解決が国家の権限のもとに置かれつつあった。六世紀末に、東ローマ帝国のテオドシウス法典の要素が組み込まれたことで、フランク王国の法律は決定的にローマ法に近づいた。サリカ法典は、ローマの国家構造とフランクの規範および政治制度との融合に向けた、さらなる一歩だった。

サリカ法典がこのようなかたちで成文化されたことの重要性は、カール大帝の治世に明らかになる。

カールが八〇〇年のクリスマスの日にローマ皇帝にみずから即位したことにより、ローマとの絆は最も深まった。それでも、カール大帝は臣民との関係では、ローマ皇帝のような行動をとらなかった。クローヴィスの治世に足枷をはめていたのと同じ集会や慣習、期待が、カール大帝をも拘束していたのだ。七八九年にレーゲンスブルクで発布された二つの勅令に、そのことがよく表れている。勅令によれば、国家の代理人が権力を悪用しており、「自分たちの法が順守されていない」という苦情が人々から寄せられた。ここでの「自分たちの法」という力点が重要である。法は王ではなく民衆のものであり、王の仕事はそれを執行することだった。実際、勅令はこう定めている。「もしも伯やミッススが、または何者であれ、それを行なったなら、王に報告させよ。なぜなら王はそうした問題をしっかりと正すことを望んでいるからだ」。ミッススとは巡察使のことで、地方と中央裁判所を結ぶ王の代理人だった。

自由についてはどうだったのだろう？　クローヴィスとカール大帝は、回廊に入っていた国家を治めたが、両者の統治下の帝国で自由が栄えていたという兆候はあまり見られない。当時は暴力からの安全がほとんど感じられない乱世だった。クローヴィスの支持層は戦士であり、フランク族の間では戦に関する規範が力をもっていた。これがよく表れているのが、フランク族の若者が成人すると集会によって槍と楯を授けられ、正式な市民として認められたことだ。それに、当時のフランク人はまだ規範の檻にしっかりととらわれており、慣習や伝統、習俗がすべての人の経済的・社会的行動を厳しく制限していた。とりわけ、フランク社会には宗教上・文化上のタブーがたくさんあったほか、明確な社会階層が存在した。奴隷制もまだ当たり前に見られ、人々は男女問わず自発的に強制労役に就くこともあった。これらは第一章で見たアフリカ社会のものとよく似ており、アテナイにもかつて存在したが、ソロンの改革後は消滅した。裁判手続きでは自白を引き出すために拷問が用いられるのがつねだった。また報復行為が依然横行していたのは、サリカ法典の抜粋が示すとおりだ。それでも、これらの社会は回廊に足がかりを得ることによって、こうしたすべてを徐々に変えていくプロセスを開始したのである。

「不」連合王国

フランク族が西ヨーロッパ統一を進めていた頃、イギリス海峡の向こうにはきわめて分裂した王国があった。西ローマ帝国が最も完全に崩壊したのは、イングランドにおいてだった。貨幣、文書、車輪は消え去り、都市は廃墟と化していた。かつてローマ帝国属州の中心地だったヨークは、五世紀には湿地帯に戻っていた。この時代の考古学的証拠は、背の高い草や葦(あし)に生息する甲虫の化石を示しており、市を占領していた野ネズミやミズハタネズミ、トガリネズミ、アワフキムシの残骸も見つかっている。新参者はそれだけではなかった。ヨーロッパ大陸、なかでもドイツとスカンジナヴィア南部の人々が、イギリス諸島に渡ってきていた。八世紀の歴史家、尊者ベーダが「アングル人、サクソン人、ジュート人」〔まとめてアングロ・サクソン人と呼ばれる〕と特定した人々である。この頃には彼らのほか、ローマ帝国時代のイングランドから残った人々と、アイルランドとスコットランドのケルト人を含むその他の移住者が、敵対する不安定な国家群を形成していた。現在はその多くが、ケントなどのイギリスの州に名をとどめるだけになっている。それでもこれらの諸国は徐々に統合されていった。七九六年、マーシア王国のオファ王が死去した時点で、残っていた国は四つだけだった。南のウェセックス王国、東のイースト・アングリア王国、中央にまたがるマーシア王国、そして北のノーサンブリア王国である(図9)。

八七一年に、二二歳のアルフレッドが兄エゼルレッドのあとを継いでウェセックス王に即位した。王位継承はおそらく、アングロ・サクソン人の集会であるウィタンで合意されたのだろう。エインシャム大修道院の院長アエルフリクはこう述べている。

誰もみずから王に就くことはできず、民衆には気に入った者を王に選ぶ自由がある。だがいったん王に任じられれば、その者が民衆を支配する。

この時期のウィタンについて最もくわしく現代に伝えてくれるのが、ラムゼー修道院の修道士バートファースによる記述だ。九七三年にバースで行なわれたエドガー王（「平和王」）の二度目の戴冠式についてこう述べている。

あれは聖なる季節のこと、慣習に従って、大司教と高名なる司教、輝かしい大修道院長、敬虔深い女子大修道院長、すべてのエアルドルマン、行政官、裁判官……が集まることになった。「日が昇る東から、西から、北から、そして海から」王の布告が出され、これらすべての人々が王の前に集まった。王国のこれら輝かしくも華麗な人々が集まったのは、王を追放するためでもなく、死刑や絞首刑にする決定を下すためでもなく……まったく正当な目的のためだ……尊い司教たちは王を祝福し、聖別し、叙任するのである。

この注目すべき記述から、エアルドルマン〔貴族、のちの伯爵に相当〕や、州などを統括する代官とその部下の行政官などで構成される集会が、エドガーを王にする代わりに、追放することもできたこ

図9　分裂したブリテン：9世紀の諸王国

とがわかる。そして王は宣誓した。

我は第一に、神の教会とすべてのキリスト者に対し、我の権限の下でつねに真の平和をもたらすことを誓う。また我はあらゆる身分の人々に対する窃盗、およびすべての種類の不正を追放することを誓う。そして我は第三に、すべての裁判において正義と慈悲が保たれるよう取り計らうことを誓う。

この後まもなく、ダンスタン司教がエドガーの頭に王冠を載せた。この王冠は、王の権威のローマ的象徴であり、ゲルマン人によってブリテンにもたらされたものだった。だがさらに重要なことに、サクソン人はウィタンの原型となる集会をこの地にもたらしたのだ。尊者ベーダは著書『イングランド教会史』のなかでこう述べている。

大陸のサクソン人には王がいないが、数人の封建領主が国を統治している。戦争が近づくと、領主たちは厳正なるくじを実施し、戦争の間は当選した者に倣い、従うが、戦争が終わるやいなや、領主たちは対等な身分に戻るのである。

このような直接的な影響以外にも、アングロ・サクソン人の指導者はヨーロッパを旅し、そこで見聞きした制度的モデルを積極的に取り入れた。アルフレッド大王は、サン・ベルタン修道院のグリムバルドという、カロリング朝の顧問を置いていたほどだ。ラムゼー修道院のバートファースは、九六五年に開かれた別の集会についても書いている。この集会にも「数え切れないほどの民衆」と「すべての有力な指導者と傑出したエアルドルマン、すべての市、町、領土から集まった強力な従士」が参加した。

アルフレッドは即位した当時、手いっぱいの状態だった。ブリテン諸島は八六五年からこの方、アルフレッド大王が編纂（へんさん）を指示した『アングロ・サクソン年代記』が「大異教軍」と呼んだものに占領されていた。それはデーン人を中心とするスカンジナヴィア人の大軍で、ただ略奪するだけでなく、島を征服するためにやってきた。デーン人が四王国で暴れ回る間、アルフレッドはすでに何度か戦を交えていた。大王の軍は一連の敗北を喫し、デーン人に退去の見返りとして和解金を支払わなくてはならなかったようだ。八七八年になると三王国までもが征服され、唯一残ったウェセックスは包囲され、孤立無援だった。しかしこの年の夏までにアルフレッドは軍を再編し、現在のウィルトシャー州（図9）にあたる場所にあったエディントンでの戦いで、デーン王グスルム率いる大異教軍の半分に手痛い敗北を負わせたのだ。この勝利をもってグスルムと平和条約を結び、デーン人にデーンローと呼ばれる地方（デーン人の法律が適用される地方）へ撤退することを約束させた。これはかつてのイースト・アングリアとノーサンブリアの王国、およびマーシア王国の東部にほぼ相当する領域をいう。この後の比較的平和な時期に、アルフレッドは王国を立て直し、税制と軍を合理化し、国家建設プロセスをさらに一歩前進させることができた。その継承者である息子のエドワード（「長兄王」）と、三人の孫たちのアゼルスタン、エドマンド、エドレッドは、スカンジナヴィア人の王国を徐々に征服していった。九五四年、エドレッドは最後のスカンジナヴィア人のヨーク王となったエイリーク血斧（けっぷ）王をとうとう退位させた。イングランドは統一されたのである。

この時期の集会の性質と活動を伝える詳細な証拠がある。九九二年のデーン人に対する軍事遠征とその後の条約は、「国王とすべての顧問（ウィタン）」によって決定されたことがわかっている。

『アングロ・サクソン年代記』には、「全顧問（ウィタン）が国王の下に集められ」、防衛策が話し合われたと記されている。だがウィタンは防衛や軍事の問題を話し合っただけではない。法律も制定した。アゼルスタン王治世下の重要な法律文書にはこんな記述がある。「このすべては、ウルフヘルム大司教の出席するグレイトリーの大集会にて、アゼルスタン王が招集したすべての貴族と顧問によって制定された」。八九九年から一〇二二年にかけて制定された二二の法令のうち、これと同様の条項が含まれるものは一九ある。バートファースは「数え切れないほどの民衆」といったが、フランク王国でと同様に、これらの集会に出席できた人々は比較的少数だった。それでもフランク王国でと同様に、アングロ・サクソン人はより幅広い層の意見を聞き、決定を広く知らしめるための組織的な試みを行なった。エドガーの治世については、こう書かれている。「この件に関して多くの文書が作成され、エルフヒヤとエゼルワインの二人のエアルドルマンに送られる。彼らはあらゆる方面にそれを送り、富める者にも貧しい者にも、その施策を知らしめることになっている」。こうした集会と、それらが制定・施行に関わった法律が、回廊の二つの重要な制度的特徴の土台となった――すなわち、イングランド議会（パーラメント）と、王が法の制約を受けるという考え方である。

アルフレッド大王が制定した法典は、現存するドラコンの法や、クローヴィスのサリカ法典を彷彿とさせる。この法典は一方では、紛争や対立が報復行為を通じて解決される国家なき社会から、中央集権国家権力への移行を象徴している。他方では、既存の規範を捨て去るのではなく、むしろ活用し、強化することを意図している。そのため、報復が起こりエスカレートすることのないよう、処罰を制度化することにかなり力を入れている。法典は次のように始まる。

我ウェストサクソンのアルフレッド王は、これらを我のすべての顧問に見せ、顧問は全員の承認を得たことを宣言した。

ここにもウィタンの役割が表れている。この法典の中核をなす概念の一つに、人命金（ヴェアゲルト）がある。ある人の人命金とは、その人が殺された場合に、命につけられる金額を意味した。人命金の支払いが報復を止めた。たとえば法典の第一〇条にはこうある。「誰かがほかの男性の妻を殺（あや）め、その男性の人命金が一二〇〇シリングの場合、男性に一二〇シリングの賠償金を支払うべし。男性の人命金が六〇〇シリングの場合は一〇〇シリングの賠償金を、平民に対しては四〇シリングの賠償金を支払うべし」。そんなわけで、エアルドルマンなどの地位の高い人々は人命金が高く、また地位はほかの法律違反の扱いにも影響をおよぼした。アルバニアの掟カヌンと同様、報復のうえに成り立つ社会では、誰かが不当な扱いを受ければ、その人の親族が報復の責任を担い、不法行為の責任は連帯で負われる。第三〇条は次のとおり。「父方の親戚のいない誰かが他人を殺した場合、母方の親戚がいれば彼らが人命金の三分の一を支払い、仲間が三分の一を支払うべし。［残る］三分の一の支払いが不履行の場合は、自身が責を負うべし」

ほかの条項には、特定の種類の紛争に報復を受けずに対処する方法が示されている。

誰かの主人が攻撃された場合、彼は血讐を受けずに主人のために戦うことができる。

次も同様である。

誰かの正妻が別の男性と密室で同じ毛布の下にいた場合、彼は血讐を受けずに戦うことができる。

法典は身体の各部、たとえば指、つま先、目、顎（あご）などを失わせたり傷つけたりした場合についても、くわしく罰金を定めている。

だがカヌンとの類似点よりもさらに際立っているのが、相違点である。アルフレッドの法典は、ただ紛争解決の既存の規範を成文化し、正当化しただけではなかった。こうした規範を新興国家の権限の下に置いたのだ（前に見たように、カヌンは二〇世紀初頭になるまで書き記されず、記録されてもいなかった）。このことがめざましい理由は、少なくとも二つある。第一に、法典は国家権力がない環境での報復と、国家の管理する紛争解決手続きの初期段階との違いを浮き彫りにしているからだ。いったん王の法典により、さまざまな紛争解決方法が規定されれば、次のステップとして国家が解決を実行し始めることができる。まさにこれが、アルフレッドの没後にようやく起こったことだった。第二に、アルフレッドが既存の制度や規範によって足枷をはめられた指導者として、みずからの法を社会に押しつけるのではなく、社会や集会の協力を得て既存の規範を合理化しようとしていたことを、法典は改めて思い知らせてくれるからだ。このことは、エドガーのバースでの戴冠式の宣誓にもはっきり表れている。この戴冠式は、現代イギリスの戴冠式の土台となった。エドガーは正義と慈悲をもって裁判を実施することを誓約した。またこのことはアルフレッド大王後のイングランドの重要な瞬間、とくにエゼルレッド二世（「無策王」）、クヌート、そしてエドワード（「懺悔（ざんげ）王」）の復位にも明白に表れている。エゼルレッドは、デーン人に一連の軍事的敗北を喫したあとで、フランスのノルマンディーに亡命した。のちに「イングランドのすべての顧問によって（パ・ウィタン・イール）」呼び戻されたが、復位には法律と行動を改めることを含む、明らかにウィタンによって課された条件がつけられていた。

イギリスの歴史家サー・フランク・ステントンの指摘によれば、これは「記録に残る限り初めてイングランドの王と臣民の間で協定が結ばれた、憲法上きわめて興味深い」瞬間だった。とはいえ、過去との訣別ではなく、アングロ・サクソン人とゲルマン人の政治的規範の延長線上にあった。実際、ウィタンは一〇一六年にデーン人のクヌートをイングランド王として受け入れたときも、クヌートとの間で同様の法的な取り決めを結んでいる。また一〇四一年に亡命していたエドワード懺悔王が亡命先のノルマンディーからイングランドに帰還したときもそうだ。このとき、「イングランド中の従士たち」がハンプシャー沿岸のハーストヘッドで出迎え、エドワードがクヌートの法を守ることを誓う限りにおいて、王として受け入れることを告げたのだ。

一〇六六年などなど

一〇六六年、イングランドはノルマン軍を率いるウィリアム「征服王」の侵攻を受けた。ウィリアムの軍はサセックスのヘイスティングズの戦いでイングランド軍を破り、軍を率いていたイングランド王ハロルド・ゴドウィンソン（ハロルド二世）を殺した。ウィリアムはアングロ・サクソン人の貴族を駆逐して領土を奪い、フランスのカロリング朝後期の王たちが生み出した封建制度をこの地に導入した。そして反対を封じるために、自分はノルマンディーに亡命中のエドワード懺悔王によって継承者に指名された、イングランドの正統な王であると主張した。ノルマンの宮廷の女性たちが、一〇六六年を記念して制作したバイユーのタペストリーの一部分、エドワードがみずからの王国をウィリアムに授けている情景の写真を口絵に載せた。だからこそ、ウィリアムが最初にとった行動の一つは、エドワードの法典を再確認することだったのだ。だがこの行為は、二つの治世の連続性を確保することにより、征服王が来る前から存在した足枷を再確認することにもなったのである。

ノルマン人がフランスで取り入れ、ウィリアムによってイングランドに輸出された封建的秩序は、カール大帝死後のフランク国家の分裂がもたらした産物だった。地方の領主たちが力を蓄えるうちに、中央集権国家は弱体化し、階級関係をもとにした新しい国家構造が出現した。すべての土地は、少なくとも建前上は国王によって所有され、王はそれを封土（ほうど）として家臣に下賜（かし）し、その見返りに「助言と助力」、とくに軍事面での助力を求めた。ウィリアムが新しい王国の資産状況を調べるために一〇八六年につくらせた土地台帳ドゥームズデイ・ブックによれば、当時イングランドには八四六人の直接受封者がいた。彼らが国王の最も重要な家臣にあたる。直接受封者はその土地を「助言と助力」の見返りに、下位の家臣に与え、その家臣がそのまた下位の家臣へと与える、再下封がくり返された。したがって、もしウィリアムが軍役それとも資金というかたちの助力を必要とした場合、まず直接受封者に呼びかけ、続いて彼らやその下位の者たちが、再下封した者たちに次々と呼びかけることになった。この封建的構造が、土地を所有するエリートである家臣たち、とくにバロン〔最有力な直接受封者〕の力を強め、庶民の政治参加能力を弱めてしまった。たとえばエドワード懺悔王がフランスから帰還したときのように国王に公然と立ち向かうことは、いまや封臣（ほうしん）の誓いを破るものと見なされ、できなくなった。これはひょっとすると、回廊から外へ踏み出す一歩になったのだろうか？　しかし集会が深く根づいた環境では、社会の政治参加は容易に排除できないのである。

集会の影響力は、「助言と助力」を与える義務の下でまもなく復活した。ゲルマン人の集会政治と同様、この義務の履行には、国王と聖俗の主要なエリート、また状況によっては社会のより幅広い階層が集まる必要があった。それに家臣にとっては、助言を行なう義務は、実は助言を行なう権利も同然だった。この権利が、ウィリアムの即位時に確認された、旧来の統治体制の下で行使されたことを考えればなおさらである。また自由人にも助言を行なう潜在的な権利があった。ウィリアム征服王のひ孫で、一一五四年に即位したヘンリー二世の治世になると、こうした助言は、いくつかの要素が相まって、とくに法制度と相互作用することにより、新興国家にさらに強力な足枷をはめるようになったのだ。

ウィリアムの治世の初期以来、法律は変遷を重ねていた。クローヴィスとアルフレッドの法典の注目すべき特徴は、実刑判決や国家に支払う罰金のような国家の刑罰を定めるのではなく、被害者への賠償を定めている点にある。アルフレッドの法典では、たとえば誰かが他人の耳を切り落とした場合、その者は三〇シリング（「聴力が失われた場合」は六〇シリング）を支払わなくてはならなかった。だがこれは国家に支払う罰金ではなく、耳を切り落とされた人への賠償だった。ウィリアムの治世になると、国家への罰金を伴う刑罰への移行が見られた。なかでもよく知られた例が「謀殺」罪で、誰かノルマン人が殺され、共同体（一般には「ハンドレッド」［郡］または村）が犯人を引き渡すことができない場合、共同体全体が罰金を科された。これと関係する制度が「タイジング（十人組）」である。法律を守ることを宣誓した、一〇人から一二人の男性で編成されるタイジングは、罪を犯した成員をとらえ、引き渡す責任を負った。もしも犯罪がどこかの共同体で起こり、誰も捕まらなかった場合、共同体全体が罰金を科されることがあった。この相互監視体制はフランクプレッジ（十人組制度）と呼ばれることが多く、宣誓を行なった者たちが、実質的に地域の法執行者になった。

連帯責任と集団処罰という考え方は、悪事の報復を実行する責任を特定の集団、一般には拡大親族の集団に認めた、報復行為に関する法律におそらく由来するのだろう。だが親族集団が責任を負うのと、地理的な村の共同体が責任を負うのとには、とくに規範の檻への影響という点で、大きな違いがある。実際、ウィリアムは報復を実行する法的権利を取り除き、親族集団やクランがみずから正義を下し報復や血讐を行なおうとするのを、ことあるごとに妨害した。その帰結が、血縁的関係の解体である。封建制度を専門とするフランスの歴史家マルク・ブロックは、この時代について次のように指摘する。

　それほど遠くない昔の大規模な血縁集団が、こんにちの小家族に近い集団に徐々に置き換わりつつあった。

　この変化は姓に関する慣行に表れ始めた。ノルマン朝（一〇六六年 - 一一五四年）の初期には、人々はたいてい広い親族集団やクランの名にちなんだ名前を一つだけもっていた。だが一二世紀になると、何らかの姓を名乗り始めた。当初は個人的な決定として貴族の間で始まり、それから社会全体に浸透していったようだ。貴族でない人は、スミス（鍛冶職人）、ベイカー（パン職人）、クーパー（桶職人）といった、自分の職業を表す職業姓を名乗ることが多かった。ブロックはこのプロセスにおいて国家が演じた根本的な役割を強調して、こう述べている。

　こんにち誰もがもっている、連帯意識とはまったく無関係な固定的な姓は、親族意識から生まれたものではなく、その精神に最も根本的に反する制度である、主権国家が生み出したものだった。

　国家は社会の性質をつくり変えつつあり、その過程で人々の行動や義務、社会階級に関するさまざまな制約を徐々に取り除いていった。

　法の性質は、ヘンリー二世の治世に劇的に変容した。ヘンリーの前の王、スティーヴンの治世に、イングランドは王位継承争いと内戦に悩まされた。ヘンリーは国を立て直す必要があった。またスコットランドとウェールズ、そしてとくにフランスの失われた領土を取り戻すことを望んでいた。さらに、ヘンリーは聖地パレスティナに建てられた十字軍国家を支援することを望んだ。このすべてを行なうために資金が必要になり、一一六六年に収入と動産に課税した。それまで国王は直轄地からの収入と封建税、訴訟の手数料を財源に充てていた。新しい税は異論を呼び、ヘンリーは大司教、司教、フランス領土の有力貴族からなる評議会で、「全員の助言と同意をもって」課税を決定した。すべての人を対象とする税については、ヘンリーは社会の同意を得る必要があったのだ。

ヘンリーは課税を強化し始める一方で、一連の司法改革を導入し、司法機構に対する王政の力を大幅に高めた。なかでも最もよく知られているものが、一一七六年頃の「エヤー（巡回裁判制度）」の導入である。この制度では、多様な種類の事件を裁くための幅広い権限をもつ国王裁判官が各地に派遣された。しかしヘンリーの改革は、赤の女王をも発動させたのである。社会はそれまでにない方法で紛争解決に参加するようになった。なぜなら裁判官はアサイズ（陪審法廷）という新しい法廷を設け、補佐として「一二人の法にかなった者」を招集しなくてはならなかったからだ。これは一一六六年のクラレンドンの陪審裁判法にすでに規定されていた。

あまねくすべての州とすべてのハンドレッドで、各ハンドレッドから一二名の法にかなった者、ならびに各村から四名の法にかなった者を任命し、真実を話すことを宣誓させ、たとえ彼らのハンドレッドや村の住民であっても、強盗、殺人、窃盗の罪を犯した者、または犯したと疑われる者、あるいは強盗犯、殺人犯、窃盗犯をかくまった者を報告させるべし。

このことは陪審制度を確立したという点でめざましかった。もっとも、この大部分が、すでにタイジングの制度によって実施されていた。もう一つの注目すべき点として、有罪・無罪の判断ではなく、証拠の収集を重視した。陪審法廷ではまだ「陪審員」に有罪か無罪かの評決を下す権利は与えられず、たんに情報を提供するだけだった。評決を下す権利が与えられるのはあとのことだ。

「同輩の陪審」による裁判という考え方は、イングランドに「コモン・ロー」として知られるようになるものが現れる一つのカギとなった。ヘンリー二世の改革に関連するもう一つの重要な部分は、裁判官が法をつくるという考え方である。裁判官は判決を下すにあたって、曖昧で大まかなことの多い既存の法律を解釈しなくてはならなかった。彼らの判決が法の解釈の先例となり、判例そのものが新しい法律の土台となった。のちに法曹となるものの自律性が生まれ、その判決が蓄積してコモン・ローが形成されていったことも、新しい紛争解決方法の発達における重要な一歩だった。これにより、支配者は社会に恣意的な法を押しつけることができなくなった。なぜなら法曹の力を通じて作用する規範によって制約されたからだ。赤の女王がいまや発動し、さらに広範な影響をおよぼしていた。一つには、法の前の平等に向けた大きな一歩として、法曹の自律性拡大により、国王を含むすべての人に法が適用されるようになった。もう一つには、赤の女王によって力を与えられた法曹が、規範の檻を緩め始め、最も抑圧的な慣行や、発達しつつあった法の精神に最もそぐわない慣行を禁じる判決を下した。これから見ていくように、この力の影響が最も著しく表れたのが、封建制度の崩壊である。

人々が法の前の平等を認識していたことは、ヘンリー二世の巡回裁判官の一人、リチャード・フィッツナイジェルの記述にも表れている。フィッツナイジェルは一一八〇年に発表した、財務府に関する有名な論文「財務府についての対話」のなかで、次のように述べている。

フォレスト〔王の狩猟用地〕には、王国のコモン・ローではなく、王の恣意的な法令に基づく固有の法があるといわれる。したがってフォレストの法に準拠する事柄は、絶対的に「公正」ではなく、フォレスト法に照らして「公正」と見なされる。

国王は法を制定することができた。だがその法は「公正」ではなく「恣意的」だった！一歩下がって考えれば、これらの施策は社会を犠牲にして——たとえば司法権限をバロンの支配する荘園裁判所から奪うなどして——中央国家の強化を図るうえで、決定的な役割を果たしたことがわかる。それでもこの中央集権化のプロセスには、二つの大きな限界があった。第一に、ヘンリー二世の改革は規範によって制約されていたし、またコモン・ローにおいては、支配者が好むと否とにかかわらず、地方の共同体で裁判官が下す判決が未来の判決の先例となった。その結果、法執行は支配的な規範から大幅に逸脱することができなくなったのである。第二に、国家の意思を社会に押しつける裁判所の能力が大きく制限された。たとえば、ほぼすべての訴訟が一般市民によって起こされるようになった。また巡回裁判や四季裁判所を運営する裁判官は、独立した捜査能力をもたなかった。人々が訴えを起こすのを待つ必要があったため、正義の要求がきわめて重要な役割を果たしたのだ。

国家のこの能力の拡大は、社会の助けを借りて行なわれたとはいえ、能力が本物であることに変わりはない。回廊内の国家建設の性質を裏付けるかのように、法執行（この過程では社会が重要な役割を担うことが多かった）と各種の公共サービスの提供、国家の官僚的能力が同時に高まった。この最後の点が如実に表れているのが、国王の最も重要な顧問の一人で「国璽（こくじ）（国王の印章）の管理官」でもある大法官の役所、大法官府での封蠟（ふうろう）の推定使用量の増加だ。一二二〇年代末から一二六〇年代末にかけて、封蠟の使用量は週三・六ポンド（約一・六三キロ）から三一・九ポンド（約一四・四七キロ）に増えたと推定される。この九倍もの増加は、封蠟が必要な手紙の量が九倍に増えたことを示しており、それ自体が国家の記録業務の大幅な拡大の結果である。国家能力は飛躍的に高まりつつあった。

赤の女王効果の働き——マグナ・カルタ

国家の強大化に対する社会の反動は、ヘンリー二世の中央集権的改革のあとも、また息子ジョンが一一九九年に即位したあとも続いた。ジョンが課税を際限なく要求し、法や規範によって課された制約から抜け出そうとしたことに反発して、一二一五年にバロンの集団が反乱を起こし、ロンドンを占拠した。ジョンは六月一〇日に、ロンドン西部のテムズ川沿いの町ラニーミードで和平交渉のために彼らと会見した。この交渉が行なわれた場所が重要である。「ラニーミード」という名は、アングロ・サクソン語の「ラニーグ」（定例の会議）と「ミード」（牧草地）に由来するとされ、実際ラニーミードはアルフレッドの治世にウィタンが会合を開いていた場所の一つだった。この集会でまずバロンは、のちに「バロンたちの要求条項」として知られるようになるものを提示した。それから一〇日間をかけて、マグナ・カルタ、すなわち「大憲章」を協議したのだ。

マグナ・カルタはイングランドの政治制度の礎（いしずえ）になった。それは多くの問題に焦点を当てていた。教会の役割、ウェールズとスコットランドの王を制御するために捕らえられていた人質の問題、ジョンのフランスの官僚（憲章は解雇を求めた）。だが主な条項の焦点は、同意なき課税の問題と、国王を法と制度によって制約する方法に置かれていた。きわめて重要なことに、マグナ・カルタを交渉したのは一部の反抗的なバロンだったが、それは国王によって「我の王国の全自由人」に付与され、執行には「全国の人々」の協力が求められた。ジョンによって課された税金と「違法な」課徴金については、第一二条にこう記されている。

> いっさいの「楯金」もしくは「援助金」は、我の王国の一般評議会の承認がなければ、我の王国においてはこれを課さない。

「楯金」とは、国王が封臣の軍役を免除する見返りとして受け取る、一定の金額を指す。「援助金」には、封臣が領主に支払わなくてはならないその他の封建税が含まれた。だが憲章が制限したのは、封臣が国王に支払う援助金だけではなかった。第一五条にはこうある。「我は今後何人にも、自由人に『援助金』を課すことを許さない」。ただしそれが「合理的」なものである場合は、この限りではなかった。さらに驚くべき点として、憲章は非自由人、つまり農奴を保護した。次の第一六条にはこうある。

> 何人も、騎士の封についても他の自由な封の保有についても、その封に伴うもの以上の奉仕をなすことを強制されることはない。

これが意味するのは、農奴が労役の増加から保護されるということだった。さらに、財産刑に関して「農奴」の「農耕用具」は対象から除外された。農奴は王の代官の恣意的な行為からも直接保護された。第二八章にはこうある。「城代その他の我が代官は、即時に支払いを行なわずに何人の穀物その他の動産を取ってはならない」。ここでの「何人の」という言葉が意義深い。

マグナ・カルタは、ほかのどの条項でも、法の施行において人々の参加を確保し、また完全にではないにせよ、大体において法の前の平等を確保することに努めた。第二〇条は、「近隣の廉直な人々の宣誓に基づいてでなければ」罰金は科されないとしている。また第一八条は以下のとおり。

審理は……それぞれの者の正式な州裁判所においてのみ行なわれる。我は……各州に二名の裁判官を年四回派遣し、これらの裁判官は、その州によって選ばれた四名の騎士とともに、州裁判所において陪審裁判を開かなければならない。

第三八条にはこうある。「代官は今後、事件の真相に関して提出された信憑（しんぴょう）すべき証人なしに、単に代官の根拠のない主張のみに基づいて、人を裁判にかけてはならない」。そして続く第三九条にはこうある。

自由人は、その同輩の合法的な裁判によるか、または国法によるのでなければ、逮捕、監禁、差し押さえ、法外放置、もしくは追放を受けたり、その他の方法によって侵害されたりすることはない。

憲章の最後の注目すべき部分は、憲章の条項を確実に施行させるための仕組みである。二五名のバロンからなる評議会をつくり、そのうちの四名が、国王またはその代官が何らかの条項を侵していることに気づいたならば、「あらゆる可能な手段によって……我の城、土地、財産、その他我の身体を除くあらゆるものを差し押さえる」ことができるとした。この行為には誰でも参加することができた、なぜなら条項には続いてこう書かれているからだ。「何人（なんぴと）といえども欲する者があれば、こうした目的を達成するために、二五名のバロンの命令に服従する旨を宣誓することができる」

この監視体制は一度も設置されることはなく、バロンとジョンはまもなく交戦状態に陥った。しかし、きわめて重要な政治原理の声明としてのマグナ・カルタの力は、その後も歴代の王や、のちに大評議会と呼ばれるようになる集会によって継続的に再確認された。一二二五年には、大評議会での課税が「大司教、司教、僧院長、修道院長、伯、バロン、騎士、自由借地人、および我の王国の全員」によって正式に認められた。意義深いのは、課税がおなじみのエリートによってだけでなく、「騎士〔中小領主〕と自由人」によっても承認されたことだ。さらに、有力貴族や騎士は「彼ら自身およびその農奴を代表して」決定を下しており、より幅広い共同体の代表という考え方を示唆している。一二五四年四月、代表制は一歩前進した。初めて各州から二人の騎士が招集され、それ以降一九一八年国民代表法まで続く体制が開始したのだ。「議会（パーラメント）」という用語が初めて訴訟で用いられたのは一二三六年一一月のことで、次の議会が開かれる一二三七年一月まで法的措置はもち越すとされた。一二六四年に〔貴族の〕シモン・ド・モンフォールが国王の許可を得ずに議会を招集した際、初めて各都市から二人のバージェス〔自由市民〕が招集された。モンフォールは敗北したが、モンフォールが開始した構造が標準となり、騎士とバージェスは合わせて「コモンズ（庶民）」と呼ばれるようになった。コモンズは、前章に出てきたコムーネと同じ語源をもつ言葉である。

騎士と自由市民が、国王の州長官によって任命されるのではなく、選出されるようになったのも、この時期のことだ。一四世紀半ばになると、コモンズは貴族院とは別に会合をもつようになり、これがイギリス民主主義の特徴となる二院制の端緒を開いたのである。

イングランドの議会の進化には、赤の女王の影響がそこかしこに見て取れる。当初こそアングロ・

サクソン人がこの島にもち込んだ民衆集会をもとにしていたが、議会はいまやより強力な制度に変わっていた。しかもこれが起こったのは、封建制度が台頭しつつあったとき、つまりヨーロッパの他地域で起こったように、封建制が国王とエリートの専横を強めてもおかしくない状況でのことだった。さらに注目すべきは、このすべてが国家の能力が増大しつつある間に起こったということだ。国家能力が高まりつつあったことは、法律の制定・施行や、王国の行政機構の再編、封蠟使用量に見られる官僚機構の業務量の増加などが示すとおりだ。もちろん、一四世紀の議会は（男性だけが参加したという点を差し引いても）現代的な意味での民主制度ではなかった。議員が選挙で選ばれるようになった一二九〇年代以降も、選挙権はかなり裕福な成人男性だけに与えられていた。議会は依然、社会の貴族階級や特権階級のための機関だった。それでも、社会の動員と社会の力の制度化がこの時期にさらに進んだことは、イングランドがすでに回廊の中にいて、大きな浮き沈みはあったものの、国家と社会の能力を高める方向へ進んでいたという、私たちの解釈を裏付けている。そして力の均衡を生み出したのは議会だけではなかった。社会がこのようなかたちで構造化され、法の施行と公共サービスの提供において重要な役割を担い、変化を先導するうちに、力の均衡が実現したのである。

最も意義深い変化の一つを見るために、いま見たマグナ・カルタの条項の「騎士」と「農奴」という言葉に注目してみよう。封建社会は、比較的硬直的で、きわめて階層的な秩序をもつ社会だった。この社会には戦う者、祈る者、働く者しかいなかった。働く者——農奴（villein）——は紛れもない底辺にいて、代々隷属にとらわれていた。農奴に対する同時代人の姿勢は、「ならず者（villain）」という言葉の現代の用法にまで影を落としている。つまり実際のところ、農奴とその子孫は、特定の領主の土地に縛られ、あらゆる種類の社会的・経済的制約、それに罰金を科されていたのだ。たとえば一四世紀イングランドには「結婚税」があり、農奴は領主の許可なくしては結婚できなかった。許可はたいてい金銭の支払いと引き換えに与えられた。「粉ひき税」は農奴が栽培する小麦にかけられた。小麦は領主の水車小屋でひかなくてはならなかった。「賦課金」は、領主の土地を耕す農奴に定期的に課された一時的な税だった。土地をもたない農奴も負担を免れず、「人頭税」を課された。おそらく最も厄介なことに、農奴は領主の土地で一年中さまざまな労役を無償で提供させられた。農奴の自由を締めつけていた一連の封建制度は、一四世紀後半に崩れ去る。この崩壊を引き起こしたのが、黒死病の発生だった。黒死病、すなわち腺ペストは壊滅的被害をもたらしながら広がり、一三四七年から一三五二年までの間にヨーロッパの全人口の三分の一以上を死に至らしめたといわれる。ペストによる人口急減は、深刻な労働力不足と、農村社会の全般的な秩序崩壊をもたらした。農奴は、労役やあらゆる封建的制約に従うことを拒否し始めた。領主の水車小屋で穀物をひくのを拒んだ。結婚するのにわざわざ許可など求めなくなった。裁判所は旧来の規則の強制を拒否した。規範の修正と形成において国家が果たした重要な役割を物語っているのが、いまや農奴がヘンリー二世が確立した新しい裁判所と裁判官の制度に訴訟を起こせるようになったことだ。領主は土地の貸借に関する新しい取り決めを結ばざるを得なくなり、一四〇〇年までには農奴制に基づく世襲的な借地権はほぼ置き換えられた。封建的秩序の規範の檻は少しずつ崩壊していったのである。

ブンブン不平を鳴らすハチの巣

一七〇五年、オランダ生まれのイギリスの哲学者で風刺作家のバーナード・マンデヴィルが、イングランド社会をミツバチの巣にたとえた風刺詩、「ブンブン不平を鳴らすハチの巣」を発表した。人々は「贅沢で安楽」に暮らし、国家と社会の均衡は保たれていた。

彼らは暴政の奴隷ではなかった
野放しの民主主義に支配されてもいなかった
国王はいたが、不正はできなかった、なぜなら
王権は法律で骨抜きにされていたからだ

それでもミツバチは満ち足りぬ思いだった。そして「彼らほどの善政をもつミツバチはいなかった」にもかかわらず、「彼らほど移り気で満ち足りぬ」ミツバチもいなかった。だがなぜこの社会は「不平を鳴らし」ていたのだろう？　そこで、ウィルトシャー州スワローフィールドという村で起こった、有名な事件を見てみよう。一五九六年一二月、村の住民が集まって短い憲法を書き上げた。二六の決議からなるものだ。決議第二五号は、「毎月一回集まることを全員が約束し」、明確な議題のもとに定期的な会合を開くことを定めていた。決議第一号にはこうある。

第一の合意は、われわれの会合では全員が一人ずつ静かに意見を聞いてもらうということである。またその際、全員が最初に発言する者のように、誰にも発言を邪魔されずに意見を述べ、全員の合理的な判断が考慮されるようにしなくてはならない。

人々は全員の判断が十分に考慮されるように、互いに敬意を払い、他人の発言をさえぎらないことを求められた。決議第一一号は、会合の正式な記録を紙の本に残すことを定めている。
主要な決議は何だったのだろう？　実質的には、決議第二五号の「故意の卑劣な罪」のような軽犯

罪を抑制するための慣習法だった。たとえば軽窃盗、悪意ある陰口、木材の窃盗、尊大、不平、傲慢（決議第一八号）、不服従と秩序妨害（決議第一五号）、姦通と私生（決議第八、第一三号）、無思慮な結婚（決議第二〇号）、囚人蔵匿（決議第二一号）、安息日の冒瀆（決議第二二、第二四号）、酩酊（決議第二三号）などがあった。

スワローフィールドの住民の決議からはっきりわかるのは、住民が自治的な共同体を運営しているという意識があったということだ。待っていればいつか中央集権国家が起訴や処罰という助け船を出してくれるかもしれない。だがヘンリー二世の治世に国家能力が大幅に拡大したあとも、国家の活動の大半は地域の共同体によって自発的に考案、実行されていたのだ。たとえば各「ハンドレッド」には巡査が一、二名、各村にはたいてい治安官が一名いたが、彼らは何でも屋であることを求められた。治安官の仕事は、共同体で起こる騒動を鎮め、地域の経済・社会・軍事にかかわる規則と義務のほとんどを執行することだった。地方税を徴収し、道路や橋を維持管理し、四季裁判所と年に二回の陪審裁判に出席しなくてはならなかった。現存する法定記録を見れば、犯罪者をとらえ法執行官に引き渡す仕事が、どれほど個人や共同体の手に委ねられていたかがわかる。

一七世紀初めに起こった、サセックス州ペンハースト在住のジョージ・ウェナムの事件を見てみよう。ウェナムがある朝起きると、自宅の隣の畜舎からブタが一匹いなくなっていた。そこで近所の捜索を始め、自宅から半マイル（約八〇〇メートル）ほど離れた場所で、最近屠畜が行なわれた痕跡を発見した。地面には血が落ちていて、生け垣の向こうに内臓が投げ捨てられ、馬のひづめの跡が残っていた。ウェナムはひづめと血の跡をたどったが、暗くなってきたので捜索を打ち切らざるを得なかった。その跡はジョン・マーウィックの家の方へと向かっていた。この時点でようやくウェナムは地元の治安官のところに行き、マーウィックの家を捜索してほしいと要請したのだ。最終的には法執行官がかかわったとはいえ、犯罪者を特定し、多くの場合とらえるという地道な仕事をするのは、被害者だった。人々が法の執行を断念すれば、「正義の輪」の回転は止まりかねなかった。

スワローフィールドに話を戻そう。決議を起草したのはどんな人たちだろう？　近親者の集団ではなかった（イングランドでは、親族集団はそうした役割をとうの昔に果たさなくなっていた）。地元のエリートでも、聖職者でもなかった。起草者は地域の二人の大地主、サミュエル・ブラックハウスとジョン・フィップスということになっていたが、どちらも会合には出席していなかった。地元の司祭もいなかった。スワローフィールドの憲法を起草したのは、イギリスの歴史家が「ミドリングソート（中流層）」と呼ぶ人々だった。おそらく、前に見たクラレンドンの陪審裁判法で「各村の法にかなった者」と呼ばれた人々がこれにあたるのだろう。誰一人として、一五九四年のスワローフィールドの納税額上位一一人に入るほどの収入を得ていなかった。一六世紀末になってもまだ、地方国家を運営していたのはこういう人々だった。陪審員や教区委員、救貧監督官、新しい治安官などとして地方行政の業務を担っていたのは、このような人々だったのだ。

にぎやかな市民参加のうわさは、同時代の人々の知るところとなる。学者にして外交官で、イングランド議会議員も務めたサー・トマス・スミスも、その一人だ。スワローフィールドで憲法が起草される少し前の一五八三年、スミスはエリザベス女王時代の政治分析として有名な書『イングランド共和国――イングランド王国における国政』を著した。スミスはこう書いている。「イングランドでは一般に国民を四種類に分類する。ジェントルマン、市民やバージェス、ヨーマン（独立自営農民）の職人、レイバラーである」。四つめのカテゴリーを構成するのは「日雇い労働者、貧しい農夫、自由地を持たない商人や小売人、謄本保有農、そして仕立職人や靴職人、大工、レンガ屋、レンガ職人、石工等のすべての職人である。……また村では一般にこのような人々が、教区委員やビール検査官、そして往々にして国家と頻繁にやりとりする治安官になった」。つまりレイバラーさえもが地方政府の運営において広範な役割を担い、ヨーマンは「判決、債務不履行の懲罰、公職選挙……そして法律制定における手続き」で「役割を果た」した。正義の執行への市民関与についてスミスはこう述べている。「すべてのイングランド人は、盗人を捕まえる巡査である」

この例やその他の多くの例からわかるのは、赤の女王効果が示唆するように、イングランド国家の最下層で大いなる市民参加が行なわれていたことだ。参加や代表派遣は議会だけのことではなかった。あらゆるレベルで、多くの経路を通じて行なわれていた。ある推定によれば、一七〇〇年にはイングランドに常時五万人の教区委員がいた。これは成人男性人口の約五%にあたる。委員は頻繁に交代したため、委員経験者の数はこれよりずっと多かったはずだ。一八〇〇年には教区委員の数はおそらく一〇万人近くに上っていた。

国家運営への民衆参加は重要な影響をおよぼした。中央集権国家と国家エリートが、地方の人々の意に添わない政策を実施するのがとても難しくなったのだ。実際、この初期近代国家は既存の規範を完全に無視することはできなかった。なぜならこの国家は、正義をもたらし、社会の福利を増進するという主張を、正当性の根拠としていたからだ。もっとも、国家がそのどちらを実行する能力も、一般市民の協力に依存していたのではあるが。ここにはアテナイで見られたのとまったく同じ、回廊内での法律と規範の多面的な関係性が見て取れる。一方では、規範が社会を動員し、国家の行動範囲や国家建設の進み具合を抑制した。他方では、国家の中央集権化と新しい法律が、規範の檻の一部の側面を少しずつ徐々に緩めていった。とくに、裁判所と法曹が影響力と存在感を増すうちに、封建的秩序と封建社会の階層や、それらが紛争解決において果たす役割が弱まっていった。

最後の点として、地方の共同体は、ただ国家の政策を実行に移すかどうかを決めるだけでなく、政策を主導した。二〇世紀初頭まで、イギリスの貧困者のための社会的セーフティーネットは、本格的なものではないにせよ、一連の救貧法に基づいていた。これらの法律のうち最初のものが制定されたのは一五九七年のことだった。だがそれ以前にも、地方で多くの同様の主導的な取り組みが行なわれていた。たとえば一五四九年にノーウィッチで、一五五〇年にヨークで、一五五六年から一五五七年にかけてケンブリッジ、コルチェスター、イプスウィッチで実施されていたことがわかっている。救貧法は、エリザベス一世やその顧問が思いついた政策などではなかった。それは地方レベルで実施されていた多くの取り組みを国家が吸い上げ、全国的に展開したものだったのだ。中央国家が地方の先導に続いた例は、ほかにも多くある。一五五五年のある法律は、各行政区が地域の道路補修監督検査官を任命することを定めたが、そうした検査官が少なくとも一五五一年からチェスターにいたという記録がある。

それならなぜ人々は「不平を鳴らし」していたのだろう？　人々は回廊のなかにいたからこそ、国家により多くを求め、より多くを期待し、より多くを提供することを要求したのだ。またその一方で、国家と競い合い、権限を求めて争い、国家の権力に異を唱えた。

さまざまな議会

本章で伝える物語は、イングランドだけにあてはまるものではない。それはヨーロッパの物語でもある。イングランドが政治的に際立っていた点も、ほんのわずかながらあった。たとえばアングロ・サクソン人の集会とのちの議会（パーラメント）の連続性の強さや、議会の地域代表制、そして集会をいっそう強化したいろいろなできごと――集会が新しい王の王位継承に正当性を与えたことなど――が挙げられる。

見つかる)。

だがヨーロッパのほかの地域はイングランドとそれほど違っていたわけではなく、同じようにゲルマン人の集会政治とローマの国家制度の融合が見られた(ただし第九章で見ていくように、ヨーロッパをよりくわしく観察すると、やはり私たちの理論によって一部を説明できる、興味深い多様性が多く見つかる)。

これを確かめるために、マグナ・カルタに戻ろう。マグナ・カルタにはどれだけの独自性があったのだろう? 答え――全然。マグナ・カルタの少しあとの一三五六年、ブラバント公国(のちにベルギーとオランダの間で分割された国)の議会は「喜ばしき入城(登位令)」と呼ばれる自由特権を公爵から取りつけた。公爵は憲章を順守・施行することを誓い、議会の承認なしに宣戦布告、課税、通貨の鋳造・改鋳をしないことに同意した。同様の取り決めや自由特権がヨーロッパの至る所で、マグナ・カルタとほぼ期を同じくして見られた。たとえば一二〇五年にアラゴン王ペドロ二世がカタルーニャに授けた憲章や、一二二二年にアンドラーシュ二世がハンガリーに与えた金印勅書、一二二〇年のドイツのフリードリヒ二世の憲章など。これらすべてが同じ多くの問題、なかでも統治者が増税を市民に諮(はか)り、同意を得ることに焦点を当てていた。

「大憲章」だけではなく、議会もヨーロッパ各地にできた。スペインでは、まず一一八八年にレオン王国でコルテス(身分制議会)が成立し、それからアラゴン王国、カタルーニャ君主国、ヴァレンシア王国が合併してできたアラゴン連合王国に広まった。その後イベリア半島のナバラ王国とポルトガルでも、議会に似た集会が生まれた。フランスでは、国民議会である三部会の発達には時間がかかったが、地方の身分制議会が多くあった。さらに東のスイスでは、地方のカントン(州)が独自の集会をもっており、これらカントンは一二九一年に同盟を結んでスイス連邦となった。北では、神聖ローマ帝国を構成するドイツの領邦国家の多くにラント(領邦)議会があった。西では、のちにベルギーとオランダになるフランドル、ホランド、ブラバントのすべてに活気ある議会ができた。その北方のデンマークでは一二八二年に議会が開かれ、スウェーデンでは一五世紀半ばに議会が始まった。この両国の議会は、オランダの西フリースラントおよびオーストリアのチロルの議会と同様、小作農にも代表権を与えた。スコットランドには一三世紀から議会があったし、ポーランドにはセイムと呼ばれる議会があり、いまなお存続している。

北イタリアはもちろん、前章で見たコムーネを背景に、独自の憲章と議会をもっていた。これらのルーツも集会にあった。実際、北イタリアはローマ帝国の国家制度と、最初は別のゲルマン人部族であるランゴバルド族、続いてカロリング朝によってもたらされた集会政治の伝統とが混ざり合う絶好の環境だった。実のところ、北イタリアを南イタリアから区別したのはこれらの要因だったのだ。南イタリアは憲章や議会を生み出すこともなければ、北イタリアほどの自由を開花させることもなかった。

中世から近世初期にかけてのヨーロッパ大陸を俯瞰（ふかん）するとき、私たちの目に飛び込んでくるのは自由特権や議会だけではない。同じくらい活発な共同体が、地域の問題に対処しながらも、中央の政治制度に影響を与え、方向づけようとたえず試みている様子が見えるのだ。くわしい記録が残っている事例として、ドイツの領邦国家ヘッセンでは、ディートと呼ばれる集会が君主によって召集された。ディートは貴族とエリートのほか、都市の代表で構成され、君主の課税要求を承認する場となった。ヘッセンのディートはイギリスの議会とは異なり、法案作成権限はもたなかったが、ヘッセンの君主に提出するグラヴァミナ（苦情書）を作成するプロセスを通じて、多大な影響力をおよぼすことができた。このプロセスは君主への「請願」という、ヨーロッパ全体により一般的に見られる手法とも関係していた。ヘッセンの国家は一六世紀末には年間一〇〇〇件の苦情書を受けていたが、一八世紀末になると年間四〇〇〇件にまで増えた。グラヴァミナやディートの取り組みが、ヘッセンの法律や政策に多大な影響をおよぼしていたのは明らかだ。君主の布告の序文の多くが、地方の主体的取り組み（イニシアティブ）の果たした役割を認識し、政策の推進力がディートにあったことを明記しているのだ。たとえば一七三一年にはディートによる一五以上のイニシアティブが、政府の政策の推進力になったとして挙げられている。一七六四年から一七六七年にかけて、こうしたいわゆる「下からのイニシアティブ」——と実際に言及されている——は、一〇分の一税、醸造、課税、市の司法権、火災保険などに影響を与えた。またヘッセンの領土全体に適用される共通の法典を要求したほか、一七三一年、一七五四年、一七六四年には学校教育の改善案が、一七三一年と一七六四年には製造業の振興策が提案された。ディートはより「開かれた」政府も求め、現行のすべての条例と裁判所判決、ディートで採択された決定の公開などの施策を要求した。

ディートの提出したグラヴァミナが取り上げた問題は、都市住民とエリートの懸案事項だけではなかった。主に小作農に課されていたコントリブツィオンと呼ばれる最も重い課税形態についての苦情もあれば、シカなどの野生生物による被害についての苦情もあった。伝統的な相続慣行を侵害する土地法に関する苦情もたえずあり、この場合は最終的に君主が折れ、法を撤回した。ヘッセンの経験は決して例外ではなかった。同様の展開がニーダーエスターライヒやホーエンローエ、ヴュルテンベルクにも見られた。

中世ヨーロッパの政治における大憲章、議会、民衆の政治参加というめざましい取り合わせの根底にあるのが、赤の女王であり、社会をより大胆にするとともに国家能力を拡大する赤の女王の推進力である。実際、封蠟の使用量が増えたのはイングランドだけではなかった。西欧全体で、国家はより官僚的、中央集権的になっていた。

社会はこの動きへの反応として、ただ代表権を要求するにとどまらず、ほかの多くの方法でも組織化した。イタリアのコムーネの形態もその一つだ。そのほか、多くの種類の「同盟」を通して自分たちの権威を支配者に示し、政策に影響をおよぼそうとした。有名なものに、一二四〇年代以降バルト海沿岸地域で自然に形成された都市国家の同盟、ハンザ同盟がある。一二五四年に結成されたライン都市同盟には、神聖ローマ帝国領内の一〇〇以上の都市、教会、それに領主までもが加盟した。スペインでは、カスティーリャやレオンなどに多様な「友愛団体」ができ、一二八二年にはカスティーリャ王アルフォンソ一〇世に対抗するための自衛組織エルマンダー・ヘネラルが結成された。

しかし回廊内の生活は決して平穏ではなく、国家の要求と社会の反応がせめぎ合うなかで平和的な均衡を見出すのは、並大抵のことではなかった。一四世紀における影響の一つとして、国家の権限拡大に反対する民衆蜂起が相次いだ。民衆は重税に抵抗しては反乱を起こし、政府の権力乱用に抵抗しては蜂起した。一三二三年から一三二八年にかけてのフランドルでの反乱は、「輸送税」の再導入に対する反応だった。一三五八年に北フランスで起こったジャックリーの乱は、一三四〇年代と一三五〇年代の増税が一つの引き金となった。ラングドックとフランス南部で一三六〇年代と一三八〇年代に起こったトゥシナでの反乱も同様である。一三八一年のイングランド農民反乱（ワット・タイラーの乱）は、一三七七年からの度重なる人頭税の導入と、封建的制約の維持を図ろうとする領主たちの動きに対する反乱だった。興味深いのは、こうした反乱が、パリやロンドンなどの政治的中心地に狙いを定め、影響をおよぼそうとしていたことだ。人々は、政治的共同体のあり方に不満をもっていたものの、自分たちはその一員だという意識をもち、政治を動かし、世の中の仕組みを改善するために反乱を起こしていたのだ。

シングからアルシングへ――回廊の外のヨーロッパ

足枷のリヴァイアサンの始まりは、ヨーロッパのすべての地域に見られたのだろうか？　いや、そうではない。その理由は単純で、国家と社会の力の均衡という必要条件がどこにでも存在したわけではなかったからだ。一部の地域、たとえばアイスランドなどは、ローマの制度の影響がおよばず、そのため不在のリヴァイアサンのもとにとどまる可能性が非常に高かった。

アイスランドは九世紀頃にノルウェーから海を渡ってやってきたヴァイキングが定住するまでは無人の島だった。この初期の時代について現在わかっていることは、一三世紀と一四世紀に書きとめられるまでの間、代々語り継がれていた有名なサガ（口承物語）に基づいている。考古学と言語学の研究によれば、最後の氷河期が終わったあと紀元前三千年紀に、スカンジナヴィアとドイツ北部にインド・ヨーロッパ語を話す移民の波が押し寄せ始めた。これによって生まれたのがドイツ語と、（フィンランド語以外の）すべてのスカンジナヴィア語を含む、ゲルマン語派である。タキトゥスが説明したような政治制度は、ゲルマン人だけでなく、スカンジナヴィアの人々にもあてはまるように思われる。スウェーデンの低地帯がゴットランドと呼ばれていたことは、この地域の入植者と、ゲルマン人の主要な一派であるゴート族との密接な文化的つながりを示唆している。また歴史的史料に、たいていはヴァイキングやノース人という名の下に登場するスカンジナヴィア人は、ユリウス・カエサルやタキトゥスが報告した初期のゲルマン人の政治組織と似た組織をもっている。すべての自由人で構成される「シング」という民会を開催し、国家には統合されず、首長たちの権力はごく限られていた。

アイスランドの最初の入植者も、似た制度をもっていた。当初アイスランドはおそらく五、六〇人の首長たちによって分割され、九〇〇年になるとシングが定期的に開催されていた。九三〇年に、現在はレイキャビクの東の国立公園になっているシンクヴェトリルで、全島集会の「アルシング」が発足した。首長たちはアルシングの設立には合意したが、国家の創設には合意しなかった。中央集権的権威は存在せず、毎年法律の三分の一ずつを暗誦する「法の宣言者」だけが置かれた（任期は三年だった）。ただしこの職は一一一七年に法律が明文化されてからは、重要性を失った。アルシングは立法機能だけを担った。その後のアイスランド自治州と呼ばれる時代、中央集権的権威が不在のなか、独立した首長たちが抗争と併合をくり返すうちに、やがて首領たちが支配する一連の「王国」ができていった。「シング」は、イングランドと西欧で集会が発達して力を増していったのとは反対に弱体化し、やがて首領を選ぶ力を失った。いかなる種類のリヴァイアサンももたないアイスランドは、終わりなき血讐の地として知られるようになったのだ。

アイスランドにはゲルマンの足枷はあったが、ローマの官僚主義と中央集権制度が欠けていた。アイスランドの初期の歴史が示しているのは、回廊内への移行においては簡単なことなど何もない、ということだ。それは国家なき社会が熟考の末に自然にたどり着く帰結では決してないし、シングだろうと何だろうと、ゲルマン人の文化と規範が直接もたらす帰結でもない。ハサミの刃が一枚あるだけでは不十分なのだ。

中世のドル——ビザンティンのリヴァイアサン

西ローマ帝国は五世紀に滅亡したが、東ローマ帝国つまりビザンティン帝国は、その後の一〇世紀にわたって存続し、ときに繁栄することもあった。ビザンティンは五世紀にはすでにローマの制度のほぼすべてを備えていたため、ヨーロッパのハサミの片方の刃は、この強力な帝国に忠実に再現されていた。実際、前に見たヨハネス・リュドゥスが説明した後期ローマの官僚機構は、ビザンティン帝国のものだった。国家の力を測るモノサシの一つに、安定的で広く流通する貨幣を維持する能力がある。ユスティニアヌス皇帝時代の修道士コスマス・インディコプレウステースは、ビザンティンのノミスマ金貨について、「大地の隅々まで、あらゆる場所で受け入れられている。あらゆる人々によって、あらゆる王国で称賛されている。なぜならそれに比肩する通貨をもつ王国はないからだ」と述べている。経済史家のロバート・ロペスはそれを「中世のドル」と呼んだ。

西ローマ帝国崩壊後、ビザンティンは多くの難題に悩まされた。とくに、ユスティニアヌス帝治世下の五四一年から五四二年にかけて大流行したペストにより人口が激減したことと、七世紀のアラブの大征服により領土の半分を失ったことである。そうしたなかにあってもビザンティン国家は統一性を保ち、ユスティニアヌス帝に至っては、ペストに見舞われている最中でさえ、財政管理能力を失わなかった。歴史家プロコピオスはこう述べている。

ペストが既知の世界のすべて、とりわけローマ帝国を席巻し、農村社会のほとんどを壊滅させ、当然の結果として荒廃の痕跡を残していったときも、ユスティニアヌスは大きな被害をこうむった自由農民にいっさいの慈悲をかけなかった。このときでさえ税の取り立てをやめようとせず、それどころか各人に課した税額に、死んだ隣人たちの税まで上乗せした額を要求した。

ビザンティン帝国はこの財政制度をローマから受け継ぎ、メロヴィング朝やカロリング朝よりもはるかに忠実に実施した。クローヴィスは土地税を課すことができなかったが、ビザンティンの皇帝たちにはそれができた。皇帝たちは土地評価額を記録した農村の土地台帳まで作成し、三〇年ごとに更新した。年間の税率は土地評価額の二四分の一程度に設定されていた。その他ミツバチまでを含む家畜に対する税などがあり、六六〇年代には世帯税が導入された。それ以外にも道路や橋、要塞を建設するための多種多様な労役が課された。

この国家はただ富や生産物に課税するだけでなく、みずからも生産に従事した。八世紀には帝国最大の土地所有者として、農産物を市場に供給していた。鉱山や採石場、機織りや染色の作業場、武器工場を所有した。国家は経済も規制した。八世紀には輸出「禁制品」を定めた。たとえば穀物、塩、ワイン、オリーブオイル、魚醤（ぎょしょう）、貴金属、戦争遂行に必要な鉄などの一次産品、武器、高級絹織物など。国家は無料の食料も提供し、コンスタンティノープルでは利益に関する規制まで設けようとした。

こうしたすべては、この国家が西欧のメロヴィング朝やカロリング朝をしのぐ、高い能力を備えていたことを物語っている。それでもビザンティンに完全に欠けていたのは、ゲルマン人の参加型政治という、ハサミのもう一枚の刃だった。ビザンティン帝国には集会もなく、制度化された代表制もなく、その後大憲章や議会が生まれることもなかった。

ビザンティン帝国はしたがって、ヨーロッパでの専横のリヴァイアサンの発展を示す格好の例になる。実際、国家の権力が集中していたからこそ、アレクシオス一世コムネノスは一〇八一年に国家を乗っ取り、ビザンティンを支配する王朝を興すことができた。コムネノスは国家を一族のために私物化し、爵位や肩書きの制度まで再編して、幅広い人材ではなく、一族だけで地位を独占した。ビザンティン国家を利用して政敵を服従させ、教会の位階制度を牛耳った。国家の能力がすでに衰えつつあったことは確かで、この頃ノミスマ金貨の純度はわずか三〇％にまで落ちていた。そしてコムネノスは、国家の最終的な崩壊をみずから招く結果になった。一〇八二年にヴェネツィア人に最初の商業特権を与えたことで国内の商工業の衰退を招き、一〇九五年には第一回十字軍を利用してアナトリアのセルジュクトルコから領土の奪回を図ったことで、通り道となった国内を十字軍に荒らされた。そして一二〇四年には第四回十字軍によってビザンティウムを陥落させられ、帝国はこの痛手から二度と立ち直ることはなかったのである。

回廊のなかを進む

テューダー朝（一四八五年 - 一六〇三年）後期のイングランドのスワローフィールドでの国家・社会の関係は、静止状態にあったのではない。それどころか、赤の女王効果が作用するなか、スワローフィールドの社会はただ同じ場所にとどまるためにも思いきり走り続け、国家の恐ろしい顔を寄せつけないために、組織化する能力を高め続けなくてはならなかった。ステュアート朝が一七世紀に「王権神授説」を主張したとき、イングランド社会はそれを甘んじて受け入れたりしなかった。対立はイングランド内戦に発展し、一六四九年のチャールズ一世の処刑と、一六八八年の名誉革命におけるジェイムズ二世の追放で頂点に達した。

一七世紀は、自由とはおよそ関係のない時代だった。前に見たように、イングランド内戦が引き起こした混乱と殺戮を目の当たりにしたホッブズは、全能のリヴァイアサンに救いを求めるほかなかった。だがこの世紀中にイングランド社会が回廊内で歩んだ道が、やがて自由のための前提条件を確保し、おかげで赤の女王は再び舞台の中心に立つことができたのだ。名誉革命は政治制度に多くの変革をもたらした。最も重要なものが、議会主権の確立である。議会はいまや国王に代わって、絶対的な最高執行機関となった。だが話はここで終わらない。なぜなら議会を構成していたのは主にエリートで、エリートも独自の方法で社会を支配することを望んでいたからだ。名誉革命の一六八八年以降、エリートはイングランド国家の能力を急拡大し、社会を支配するための新しい手段を手に入れた。最も注目すべきこととして、物品税の制度が導入され、財務行政にかかわる官僚組織がイングランド社会の隅々にまで入り込むようになったことがある。それまでイングランドの地方ではほとんど見かけなかった収税吏などの国家の専門の役人が、突如としてどこにでも出没し、住民を脅かす存在になったのだ。社会がこれに対抗するには「要求のレベルを上げる」必要があった。具体的にどうやったかは、チャールズ・ティリーの著書『イギリスにおける民衆闘争一七五八年‐一八三四年』で考察されている。

ティリーは、「民衆闘争」の本質が変容していたことに関心をもった。ティリーのいう民衆闘争とは、一般市民が政府に影響をおよぼすために集団として組織化する方法を指す。一八世紀半ばまでの闘争の焦点は「全国的なプログラムや政党ではなく、地域の人々や地域の問題」に置かれていたと、ティリーは指摘する。ところが「一七五八年から一八三三年にかけて、イギリスでは新しい種類の申し立て（クレイム）が姿を現した……大衆政治が全国規模で定着した」。

この時期、新しいかたちの集団行動が次々と生まれた。なかでもティリーが重視するのが、「公開集会」である。「〔公開集会は〕一種のデモンストレーションになっていた……権力者に対する特定の申し立てへの支持を広く呼びかける協調的な方法である。特別な目的をもつ組織や団体、クラブが頻繁に集会を開いた。そのうえ、集会は全国的な問題、とくに政府や議会が決定を下そうとしている問題をたびたび取り上げた」。ティリーは以下のように指摘する。

> 一般市民が集団として申し立てを行なう方法が……根底から変容した。一般市民と国民国家の代理人との間での大規模で組織的な対話〔と〕直接的な接触を伴うようになった。

こうしたすべてを駆り立てる原因となっていたのが、名誉革命後に始まったイギリスの本格的な国家建設プロセスである。ティリーは「国家の規模」と「影響力」が増したと述べ、こう指摘する。

その過程で――政府の歳入、歳出、人事にかかわるすべての決定のカギを握る――議会が、政治的決定においてかつてない存在感を放つようになった。こうした変化が……大規模で全国的な集団行動への移行を駆り立てたのである。

とくに意義深いこととして、人々は視野の狭い地域的な問題に焦点を置かなくなった。なぜなら「国家が拡大したことにより、それまで地域を舞台とし、後援者に大幅に依存していた民衆闘争が、全国を舞台とする自律的な申し立てにシフトせざるを得なくなった」からだ。一六八八年以降の国家能力の拡大が、イギリスの民衆にとってのリスクを高めたのだ。ティリーは指摘する。

議会と国家官僚が……一般市民の命運をますます握るようになったことは、脅威と機会をもたらした。そうした脅威と機会に刺激された利害関係者は、新しい攻防の方法を試みるようになった。組織には組織をもって対抗し、投票を通じた政治的影響力を高め、国民政府に直接申し立てを行なった。一般市民が当局や敵、味方との長く精力的なやりとりを通して、自分たちの利益を推進するための集団行動の新しい方法を考案すると、市民の交渉相手も同様に、主張を行ない申し立てに対処する方法を変えざるを得なくなった。こうした一般市民と権力者のせめぎ合いが積もり積もってイギリスの権力構造に大きな変容をもたらしたのである。

国家の拡大が社会の反応を呼び起こし、その反応がフィードバックループを介して国家建設プロセスをますます強化した。まさに赤の女王効果が示唆するとおりだ。この新たな闘争に応答して、国家は一八世紀末にようやく腐敗の根絶に取り組み始めたのである。

民衆闘争が促したこのプロセスは、一九世紀になると一連の重要な制度改革によってさらに加速する。まず一八三二年の第一回選挙法改正により、投票権をもつ成人男性の割合が約八％から一六％へと上昇し、貴族が議席を支配していた地方の腐敗選挙区が廃止され、人口が集中する工業都市部に議席が再配分された。このプロセスは一八六七年の第二回、一八八四年の第三回選挙法改正でも継続し、投票権を持つ成人男性の割合は約六〇％に達した。回廊内でのもう一つの重要なステップは、一九一八年に二一歳以上の男性全員に投票権が与えられたことだ（反面、女性に政治的権利が与えられるのはまだ先のことである。これを次に見ていく）。こうした主要な改革はすべて、社会の組織化と要求が呼び起こした反応だった。たとえば一九世紀半ばのチャーティスト運動の主な要求は、成人男子普通選挙権、平等な選挙区議席配分、一年任期の議会、一般市民議員の生活費保障としての議員歳費支給だった。

このように、社会がエリートに対抗するための制度的権力が増すとともに、国家能力も増大したが、その能力はいまや社会の要求にかなり添うものになっていた。改革の第一弾となったのが、東インド会社を国家の行政機構に組み込んだ一八三三年セント・ヘレナ法である。一八五四年のノースコート・トレヴェリアン報告は、セント・ヘレナ法が開始した改革に沿って、能力主義を根幹とする専門職国家公務員制度の確立を勧告した。この報告は当初反対に遭ったものの、その後の二〇年間で主な勧告が徐々に実施され、最終的に公開競争試験に基づく公務員採用制度が導入された。これと並行して、国家は幅広い公共サービスの提供においても前進した。義務教育が提供され、一八九一年には実質的な無償化が実現した。健康保険、さらに再分配課税を財源とする失業保険と年金が導入された。このプロセスは第一五章で見るように、一九四二年のベヴァリッジ報告とその実施で頂点を迎えた。

次に破られるべき檻

回廊に入ったからといって、暴力や報復行為が一挙に駆逐されるわけではないのと同様、規範の檻も一気に解体されるわけではない。自由の発展は持続的なプロセスである。女性のように、体系的な差別を受け、社会的・経済的行動を著しく制約されてきた集団にとってはとくにそうだ。

キャロライン・シェリダンは、一八三〇年代のイギリスでこれを身にしみて味わった。キャロラインは一八〇八年に生まれ、一八二七年に弁護士のジョージ・ノートンと結婚して改姓した。キャロライン・ノートンは才能あふれる作家、詩人だったが、夫による虐待と暴力に苦しんでいた。一八三六年、とうとう夫と別れる決心をする。だがイギリス法の下で、女性はほとんど権利を認められていなかった。キャロラインが執筆で得た収入は夫のものになった。その財産は夫のものだった。一六三二年にまとめられた女性に関する法の摘要集である、『女性の権利に関する法的解決法』には、あからさまにこう記されている。

夫が所有するものは彼自身のものである。妻が所有するものは夫のものである。

妻はどちらに対する権利ももたなかった。イギリスの偉大な法学者ウィリアム・ブラックストンは、一七六五年に発表した『イギリス法釈義』のなかで、コモン・ローの状況を次のように総括している。

結婚により、夫と妻は法律上一体となる。つまり、女性の存在そのもの、または法的存在は、婚姻中は停止する。

すべてが夫の支配下にあり、「妻は彼の庇護と保護、援護の下であらゆることを行な」った。一八三八年、キャロライン・ノートンは『幼児保護法による母と子の別離の考察』と題した小冊子を執筆した。イギリス法では、たとえ父親が子どもを見知らぬ人に渡したとしても、母親はどうすることもできないのだと訴えた。キャロラインの主張が華々しく取り上げられたことが一つの呼び水となって、議会は一八三九年に幼児保護法を可決し、これにより七歳以下の幼児の養育権が母親に認められた。キャロライン・ノートンの仕事はそこで終わらなかった。一八五四年に、女性の法的状況の不平等と偽善を巧みに説明する『女性にとってのイギリス法』を発表した。翌年には『大法官クランワースの結婚と離婚の法案についての女王への手紙』を発表し、次のように述べている。

イギリスでは、既婚女性は法的に存在しない。その存在は、夫の存在にのみ込まれてしまう。たとえ長年にわたって別居し、［あるいは］夫に見捨てられていたとしても、この立場が変わることはなく……たとえ夫と二度と会うことがなく、消息を聞くことさえなかったとしても女性は法的には夫と「一心同体」と見なされる。

女性は何ももつことができない……妻の財産は夫の財産となる。

イギリス人の妻は、自分の衣服や装飾品にさえ法的権利がない。たとえ親戚や友人からの贈り物であっても、結婚前に購入したものであっても、夫は意のままにそれを奪い、売り払うことができる。

イギリス人の妻は、遺言状を作成できない……

イギリス人の妻は、自分の収入に対する法的権利を主張できない。肉体労働の賃金であれ、知的活動に対する支払いであれ、ジャガイモの雑草をむしるのであれ、学校を運営するのであれ、妻の収入はすべて夫のものである……

イギリス人の妻は、夫の家を離れることができない。夫は「夫婦の権利の回復」を求めて妻を訴えることができ、警察の助けを借りても借りなくても、妻が庇護を求め、「かくまってくれる」友人や親戚の家に踏み込み、力ずくで連れて行く権利がある。


一八五七年、議会は婚姻事件訴訟法を可決し、これにより女性が離婚訴訟を起こすための基盤が確立した。一八七〇年には既婚女性財産法が制定された。

ノートンらは、イギリス法の根本的に差別的な性質に照準を合わせ始めた。これはすでに一七九二年にメアリ・ウルストンクラフトが、『女性の権利の擁護』のなかで明確に指摘していたことである。ウルストンクラフトの力強い著書は、女性が「一種の従属的な存在として扱われ、人類の一部とは見なされていない」と訴えた。この本の大半が、個性を主張し、自分を押しとどめている縛りをかなぐり捨てるために行動を起こそうという、女性たちへの呼びかけだった。ウルストンクラフトはこう続ける。「男性の横暴さを説明し弁護するために、次のことを主張しようとして、多くの巧みな議論がもち出されてきた。すなわち、男女は美徳を身につけるにあたり、それぞれがまったく異なる性質を獲得することをめざすべきだというのだ……おとなしい家畜になれとだけ助言する人々は、われわれ女性を甚だしく侮辱しているのである」
　こうした差別の根源が法律だけでなく、規範と慣習にもあることを、ウルストンクラフトははっきり認識しており、男性が女性に振りかざす支配と、「うわべだけの服従とつまらない礼儀作法に細心の注意を払う」規範が、女性の活躍を阻害してきたと指摘した。次のような言葉でこれを強烈に拒絶している。

優しさ、おとなしさ、そしてスパニエル犬が飼い主に示すような愛情が……女性の主要な美徳としてつねに推奨されている……
　私は男性を自分の仲間として愛する。だが男性の支配権は、それが本物であれ強奪したものであれ、私におよぶことはない。ただし、男性が私の敬意に値するような理性をもつならば話は別だが、その場合であっても、私が従うのは理性にであって、男性にではない。

　女性解放の大義は、その後イギリスの哲学者ジョン・ステュアート・ミルという、有力な擁護者を得た。ミルの一八六九年の著書『女性の隷属』は、法的・経済的・政治的生活における女性の完全な平等を力強く呼びかけた。ミルはウルストンクラフトに同調して、女性の従属を奴隷制になぞらえ、こう主張する。「女性の場合においては、この従属的階級の一人ひとりが、贈賄と脅迫が組み合わさった慢性病にかかっている……すべての女性はごく幼い頃から、理想の女性とは男性の正反対の性質をもつべきだという信念のもとに育てられる。自分の意志をもち、自制により自己を管理するのではなく、ただ服従し、他人の支配に身を委ねよと教えられる」。この隷属の根源にある規範が解体されなくてはならないことは、ミルの目にも明らかだった。ミルはとくにこう主張する。

もはや人間は生まれながらにして決まった身分をもつのではなく、生まれた場所に逃れられない絆によって縛りつけられることなく、自由にその能力を駆使し、自分にとって最も望ましいと思われる運命を実現するために、与えられた有利な機会を生かすことができるのだ。

ミルはこう続ける。

男子ではなく女子として生まれることが、白人ではなく黒人として生まれることや、貴族ではなく平民として生まれることと同様、その人の一生の地位を決めるという思い込みを、われわれはもつべきでない。……女性の社会的隷属は、したがって、現代の社会制度における類を見ない事実として際立っている。それはわれわれの基本原理に対する唯一の違反なのだ。

ひと言でいえば、女性の抑圧が自由を著しく侵害しているということだ。

ノートンの主張が認められたことや、ミルのような有力な支援者が現れたことは、規範が根本的に変わりつつあったことを物語っている。だが女性にはまだ投票権も政治的代表権もなかった。女性はまだ経済面で多大な差別をこうむっていた。こうした状況が変わり始めたのは、一九一八年に三〇歳以上の女性に投票権が与えられ、最終的に一九二八年にすべての成人女性に選挙権が与えられてからのことだ。これらの政治的成果は、序章で見たようにサフラジェットが猛然と立ち上がり、声を上げたあとでもたらされた。規範と経済的関係は、おそらくそれよりもゆっくりと変わっていったのだろう。一九七〇年同一賃金法は、職場での男女平等の法的原則を確立した重要な一歩だったが、女性の経済的機会と賃金の平等は、イギリスでも、ほかの地域でも、いまだ道半ばである。一九六〇年代に女性解放の象徴的行動となった、ブラジャーを掲げる女性の写真を口絵に収めた。

産業革命の起源

五世紀と六世紀に始まった足枷のリヴァイアサンの出現は――たとえその歩みがゆっくりで、ときにためらいがちだったとしても――政治的・社会的革命だった。一八世紀半ばにイギリスで始まった産業革命は、その経済的な副産物である。なぜなら、前章で見たイタリアのコムーネで起こったのと同様、それは足枷のリヴァイアサンがもたらした自由と機会、インセンティブによって生み出されたからだ。わずか数十年のうちに、いくつかの主要産業で技術と生産組織が大きく変化した。先陣を切ったのは繊維産業で、水力紡績機やジェニー紡績機、ミュール紡績機などの画期的な技術革新により、飛躍的に生産性が向上した。飛び杼（ひ）や各種の力織機の導入により、機織りでも同様のイノベーションが起こった。同じく革新的だったのが、トマス・ニューコメンの大気圧機関と、続くジェイムズ・ワットの蒸気機関をはじめとする、新しい機械的な動力源である。蒸気機関は鉱山の排水に利用されて採鉱の効率を大きく高めただけでなく、輸送や冶金にも変革を起こした。一九世紀に蒸気機関車が登場し、一七世紀末から主要都市をつなぐ運河や新しい道路が建設されると、輸送を取り巻く状況は一変した。また鉄製錬で木炭がコークスに置き換えられ、高炉で銑鉄がつくられ、ベッセマー工程により銑鉄を簡単に鋼（はがね）に転換できるようになると、安価で高品質の鉄が大量生産され、そのことが工作機械や農業を含むほかの多くの産業にも革命をもたらした。

産業革命の前提条件は、イギリス社会が回廊内を進むうちに整っていった。中世が終わると、ヨーロッパの経済活動の重心はオランダとイングランドに向かって北へ移動し始めた。この移動は、一五世紀のアメリカ大陸の発見と、それがもたらした新しい経済的機会が国家と社会の競走に与えた影響と密接に関係していた。こうした機会を、国家と社会を強化する方法で利用しやすい態勢にあった国々が、まず制度で、次に経済で先んじることができたのだ。当時イングランドでは力のバランスが社会の側に傾いていたため、一六世紀のテューダー朝国家は貿易権を独占的に支配することができなかった。その結果、アメリカ大陸との貿易に幅広い階層が参加することができ、活力と自信に満ちた新しい商業階級が生まれた。こうした新勢力は、ステュアート朝の国王たちが経済や社会生活への支配を強めようとすることに不満をもち、やがて国王と長期にわたり対立した。要求の中心にあったのは、国王の取り巻きが独占していた機会を幅広く国民に提供することだけではなく、社会の力をさらに強めエリートを弱めるような、より幅広い制度改革でもあった。

一六八八年の名誉革命は、国王と新興集団の闘争の所産だった。この革命が社会全体におよぼした幅広い影響として、議会がイギリスの国権の最高機関として位置づけられ、イギリス社会のほとんどの人に経済的機会とインセンティブが幅広く提供され、そして赤の女王効果が勢いを取り戻したことが挙げられる。社会的動員が深化し、社会の力が立法過程を通じてよりしっかりと制度化される一方で、国家の能力も高まった。同じく重要だったのが、司法状況の変化である。一六二四年専売条例により特許制度が導入され、それが産業革命の柱となる数々のイノベーションを可能にした。国内の専売品はその後一六四〇年代のイングランド内戦中にすべて廃止され、経済的機会がずっと幅広い層にまで行き渡った。一七〇一年王位継承法によって、裁判官の身分が保障されたことで、名誉革命はとうとう司法の独立を確立する。これは法の前の平等と、法律と契約の公平な適用、安全な財産権に向けた意義深い一歩となった。国家はただ経済活動の障害を取り除き、重要な公共サービスを提供し始めただけではない。産業を積極的に奨励し、援助したのだ（ただし国家はこの点で、人々の自由を侵害することに何の呵責（かしゃく）ももたなかった。たとえばイングランドの奴隷商人を支援して利益の分け前に与り、航海条例によりイングランドとその植民地における外国船の交易を禁じ、イングランドの商人や製造業者が貿易を独占するのを手助けした）。

こうした経済的・社会的変化のすべてが、膨大な数の実験を後押しし、イノベーションのエネルギーを解き放った。あらゆる階層の無数の人々が、独自のアイデアや方法を追求して技術を改良し、未解決の問題に取り組み、事業を興し、利益を挙げ始めた。とくに重要なことに、実験は別々の個人によって独自に行なわれただけでなく、政治権力による制約を受けなかった。だからこそ、多様な人々が異なる角度から問題に取り組み、よりよいイノベーションを起こし、他人が失敗した領域で成功し、またおそらくより重要なことに、その過程でまったく新しい問題やアイデアを生み出すことができたのだ。この種の実験が果たした重要な役割は、産業革命を象徴する蒸気機関などの技術に表れている。ロバート・ボイル、ドニ・パパン、トマス・セイヴォリー、トマス・ニューコメン、ジョン・スミートン、ジェイムズ・ワットなどのイノベーターや起業家の一人ひとりが、蒸気の力を利用するという問題に違う角度から取り組み、自分なりの方法で実験をくり返した成果の積み重ねが、きわめて効率的で強力な蒸気機関として結実したのだ。

出だしの多くのつまずきと無数の異なるアプローチという実験の本質と、それが革新的なブレークスルーに果たす重要な役割を理解するには、航海中の船の経度を測定する方法の探究をたどるのが一番だ。緯度は星の位置から割り出すことができるが、経度はずっと困難な挑戦を呈した。航海中に方向を見失う船が後を絶たず、とくに一七〇七年一〇月の事件で社会問題化した。ジブラルタルから帰還中の五隻の軍艦のうちの四隻が、経度を読み誤ったためにシリー諸島の岩に座礁して沈没し、二〇〇〇人の乗組員が溺死するという大惨事が起こったのだ。イギリス政府は経度委員会を設置し、一七一四年には問題解決を奨励するために各種の懸賞金を設けた。

船上に時計を二台設置することが解決策になるのはわかっていた。一台をたとえばグリニッジ標準時に合わせておき、もう一台は毎日海上の太陽が南中する時刻に正午にリセットすれば、二台の時計の時間差をもとに、その地点の経度を割り出すことができる。問題は、船上では振り子の調子がひどく狂い、気候条件が金属部品の伸縮に影響するために、時計の精度が低くなったことだ。偉大な物理学者アイザック・ニュートンは、経度の計算法に関する助言を政府に求められ、天文学と天体観測による算出というアイデアを強く推した。ニュートンは、時計を使う解決法は理論的には可能だが、現実には次の理由から海上では機能しないと考えた。

船のゆれ、気温や湿度の変化、経度による重力の違いのせいで、そうした時計はいまだつくられていない。

それが実現する可能性はおそらくほぼないと、ニュートンは考えていた。

人々はありとあらゆる解決策を試した。かなりとっぴなものもあった。ガリレオはセラトーンと名づけた、ゴーグルのような道具を発明した。これをかぶれば木星の衛星の食を観測でき、食のタイミングから経度を算出できるというものだ（この道具を再現したものの写真を口絵に載せた）。それから、ケガをした犬と「共鳴の粉」という謎めいた物質を使うアイデアもあった。この粉はケガをした人や動物の血のついたものに振りかければ、傷が治癒するという触れ込みだった。重要なことに、治癒には痛みが伴った。傷を負った犬を航海に連れて行き、ロンドンにいる人が毎日正午に犬の血のついた包帯に粉をまぶすと、船上の犬は痛みに悲鳴を上げ、その時刻がロンドンの正午だとわかる、というわけだ（奇想天外なアイデアに聞こえるが、ニュートン自身が錬金術師で、生涯の多くの時間を「卑金属」を金に変える研究に費やしていたことを考えれば、そう不思議ではない）。ほかにも、海上に多くの船を配置して、一定の時間間隔で大砲を発射させ、ほかの船がその音を頼りに経度を求めるというアイデアもあった。

最終的に突破口を開いたのは、イングランド北部のバロウ・アポン・ハンバー出身の無学の大工、ジョン・ハリソンだった。ハリソンはニュートンが並べ上げたすべての問題を首尾よく解決した。ハリソンは振り子を排除した。気候によって伸縮する潤滑油の使用をやめ、代わりにリグナムバイタ（生命の木）という、油分の多い熱帯広葉樹材で部品をつくった。金属の伸縮の問題を解決するために、真鍮と鋼を貼り合わせて伸縮の違いを打ち消し合わせた。ハリソンはこれらの解に一足飛びに到達したのではない。三〇年かけて一連の試作品を製作し、とうとう一七六一年に「H‐4」号機で成功を収めたのである。その過程で、数々の重要なイノベーションをものにした。たとえばハリソンが初めて採用したボール・ベアリングの技術は、こんにちも回転運動が必要なほとんどの機械で摩擦を低減するために使われている。経度測定の解決策を求める人々の執念は、ウィリアム・ホガースの連作絵画「放蕩(ほうとう)一代記」で風刺されている。絵画の最後の一枚は、ロンドンの有名な精神病院ベドラムの様子を描いたもので、経度を測定しようとするあまり正気を失った人が交じっている。

盛んな実験がもたらした影響の一つが、社会的流動性の高まりである。貧しい生まれの人々は努力を実らせ成功するうちに、財をなすだけでなく、社会的地位も高めていった。たとえば一七七一年に世界初の水力式の近代工場をダービーシャー州クロムフォードに建設した、リチャード・アークライトの例を見てみよう。アークライトは七人兄弟の末子として生まれ、父親は仕立屋で、息子を学校に通わせることができないほど貧しかった。それでもアークライトはナイトの爵位を授けられ、イギリス社会の高みに達した。またスコットランドの中流家庭の出身で、ワット式蒸気機関を発明したジェイムズ・ワットの例もある。一八一九年の死から一〇年とたたずに、その彫像がウェストミンスター寺院に建てられた（ちなみにジョン・ハリソンの記念碑もある）。ウェストミンスター寺院はイギリスの歴代国王・女王をはじめ、多くの偉人が埋葬されている場所だ。一八世紀から一九世紀初頭にかけて奴隷貿易廃止運動を先導したウィリアム・ウィルバーフォースもその一人である。彼らの実験や能力を阻む規範の檻はなかった。

産業革命がイギリスで起こった理由は、中世にイタリアのコムーネがイノベーションと経済成長を下支えするようになった理由と同じだ――回廊内で足枷のリヴァイアサンが開花した結果、人々の自由と経済的機会が拡大したのだ。イギリス国家は赤の女王を原動力として、この時期ますます有能になり、能力を拡大したが、足枷を捨て去ることはなかった。足枷をはめられた国家は、自由の進展を阻むどころか、むしろそれに手を貸したのだ。この点で、イギリスはヨーロッパの他地域の先を行っていた。だが本章で見たように、多くのヨーロッパ社会が、それなりの浮き沈みや限界を経験しながらも、回廊内を進んでいた。フランス、ベルギー、オランダ、ドイツのリヴァイアサンは、足枷にますます縛られながらも能力を高めるうちに、それぞれの国民の自由と経済的機会、インセンティブもまた向上し、工業化が浸透していった。

なぜヨーロッパなのか？

いうまでもないことだが、ヨーロッパの歴史は豊かで複雑で多様なため、本章では十全に扱うことができない。むしろ本章では、ヨーロッパの歴史と、過去一五〇〇年間にヨーロッパに出現した独特の制度や政治的・社会的慣行の起源について、私たちの概念的枠組みが異なる解釈を与えることを示そうとした。

中世よりはるか前のヨーロッパに、経済優位を必然的なものにした何らかの際立った点――ユダヤ＝キリスト教文化、特異な地理的条件、何であれヨーロッパ的な価値観など――があったと指摘する理論は多くある。私たちの説明は、そうした理論とは一線を画する。

古代ヨーロッパの歴史には、足枷のリヴァイアサンの台頭を運命づけるような要因は、一つを除いて何もなかった。たった一つの要因とは、ヨーロッパのハサミの二枚の刃――ローマ帝国由来の国家制度と、ゲルマン人由来の参加型の規範と制度――がもたらした、偶発的な力の均衡である。どちらの刃も、単独では足枷のリヴァイアサンを生み出すことはできなかった。前者の刃だけが存在したビザンティン帝国などでは、典型的な専横のリヴァイアサンが現れた。後者の刃だけが存在したアイスランドなどでは、政治的発展がほとんど見られず、国家建設の取り組みは行なわれなかった。それに、たとえ両方の刃がそろっていたとしても、時代や状況が異なり、決定的瞬間での偶発的要因が異なり、政治家がクローヴィスやカール大帝ほどの力量を欠いていれば、同じようなかたちでは均衡が実現しなかったはずだ。だが西ローマ帝国滅亡後の激動の五世紀と六世紀の間、二枚の刃がともにつくりあげた危うい均衡が、ヨーロッパを狭い回廊の中に導き入れ、足枷のリヴァイアサンの台頭を可能にしたのである。

回廊内に入ったからといって、たちまち自由が生まれたわけではない。暴力や殺人、破壊が、ときにはとても激しく、千年以上も続いた。それでも回廊の中に入ったことが、専横を制約するプロセスの始まりとなり、また非常にゆっくりとではあるが、自由のための前提条件の確立を導いた。回廊の中にいるからといって、足枷のリヴァイアサンが現れる保証はどこにもない(第九章で見ていくように、大きなショックによって社会が回廊の外に放り出される場合もあれば、第一三章で見ていくように、国家と社会の競走が制御不能に陥る場合もある)。だがグローバルな歴史という観点から見てめざましいのは、一握りの国家がたしかに回廊に入り、そこで発展を続け、全力で稼働する赤の女王とともに、国家と社会の能力を高めたことである。

ヨーロッパが回廊に入り、その結果、赤の女王の力学が解き放たれたことがおよぼしている影響は、めざましいというほかない。自由がこんにち私たちが知るようなかたちを最も明確にとったのは、ヨーロッパでのことだった(たとえ長くつらい、ときには明らかに暴力的なプロセスだったとしても)。またこの自由と、足枷のリヴァイアサンによってかたちづくられた経済的・社会的環境が、幅広い経済的機会とインセンティブを生み出し、有効に機能する市場を支え、そして実験とイノベーション、技術革新が開花し、産業革命と持続的繁栄への道を開くことができる環境をもたらしたのも、ヨーロッパでのことだった。

これらの教訓がヨーロッパ以外の地域にもあてはまることを、私たちの理論は強調する。もしもヨーロッパだけにあてはまる何かがあったのなら、もしもヨーロッパの台頭に特徴的な何かがあったのなら、ヨーロッパの経験から得られた教訓を、こんにち同様の問題に苦しむほかの社会にあてはめることはできない。だが私たちの理論はそうではない。もちろん、ローマ人の中央集権的制度と、ゲルマン人の規範と民衆集会は、五、六世紀のヨーロッパに独自のものだった。だがここでの一般原理——すなわち、国家が回廊の中に入るためには、強力で中央集権的な国家機構と、国家の力に屈さず、政治エリートに足枷をはめる力をもつ、積極的で結集した社会とが均衡する必要があるということ——は、より幅広く適用できる。実際、本書の残りの部分では、国家の能力を高めつつ市民の自由を擁護する制度の欠如が、ほぼ必ず国家と社会の均衡の不在に結びつくことを見ていこう。前章で見たように、またあとで再び見るように、この均衡もヨーロッパ独自の現象ではなく、これまでさまざまな状況、さまざまな地域的・文化的環境で出現しているのだ。

第七章
天　命

舟を覆す

中国の歴史は、ヨーロッパの歴史とはまるで異なる経路、また自由をほとんど生み出さない経路をたどった。だが最初からそうだったわけではない。これを見るために、春秋時代と呼ばれる、紀元前八世紀に始まった時代に目を向けてみよう。春秋時代は、今に至るまで中国社会と国家制度を支え続ける柱である、孔子を生んだ時代だ。孔子の思想をもとにした教えである儒教は、民衆の福利を大いに重視し、徳のある為政者によってこれが増進されると主張した。孔子は次のように述べている。

> 政を為すに徳を以ってすれば、たとえば北辰のその所に居て衆星のこれを共るが如し〔為政者が徳をもって人民を治めるならば、それはまるで北極星が自分の場所にいて、ほかのあらゆる小さな星が周りを回っているようなものだ〕

孔子学派の最も有名な思想家である孟子は、「民を貴しと為す〔民が最も尊い〕」といい、古い時代の書を引用して、「天の視るはわが民の視るに従い、天の聴くはわが民の聴くに従う〔天は民の目に従ってすべてを見、民の耳に従ってすべてを聞く〕」と述べた。こうした考え方は、この時代に一般的なものだった。孔子自身、「信なくば立たず〔民の信頼を失えば国は成り立たない〕」と指摘している。

このような思想が、春秋時代の政治に関係していたという証拠は、『春秋左氏伝』にある。この書に隋国家の臣、季梁の言葉が引用されている。季梁は皇帝に「夫れ民は神の主なり。是を以って聖王は先ず民を成して、しかる後に力を神に致す〔民は神の主である。したがって賢明な王はまず民を治め、それから神を祀るべきだ」」と進言したという。

なぜ民が「神の主」であり、「最も尊い」のだろう？　おそらくこの時代の社会は、ある程度の発言力をもつほどには組織化されていたと考えられる。実際、この時代の中国の政治権力はきわめて分散していたため、研究者は群雄が割拠する社会を「邑制国家」と呼び、ときに古代ギリシアの都市国家になぞらえることもあるほどだ。アテナイでは首都を舞台に政治が展開し、市民は政治家のキャリアや野望をかなえることも、砕くこともできる力をもっていた。『春秋左氏伝』には、君主の座をめぐる争いを含む国内の権力闘争に、首都の住民が積極的に関与した事例が、少なくとも二五件は記録されている。諸侯国の一つ鄭では、アテナイの場合とまさに同じで、人々が集まって政府の政策や行動を論じ、評していた。鄭の著名な宰相、子産はこういったと伝えられている。

民は朝と夕の暇なときに集まって、為政者の善し悪しを議論する。私は、民が善いと思う政策を行ない、悪いと思う政策は改める。だから、民は私の師なのだ。

子産は続いて、人々に議論をやめさせるのは「川の流れをせき止めるようなものだ。堰が決壊すれば、人々に被害を与えることになる」とも述べている。孟子はこの考えに同調し、こう書いている。

天下を得るためには民を得ればよく、民を得るためにはその心を得ればよい。では民の心を得るための方法は何かといえば、それは民の欲しがるものを集めてやり、民の嫌がるものを押しつけないことである。

後代の思想家荀子（じゅんし）は、春秋時代の政治を次のように言い表した。

為政者は舟、民は水である。水は舟を載せることができるが、舟を覆すこともできるのだ。

この教えが書かれた『荀子』のある版の原頁の写真を口絵に載せた。

すべてが天の下に

春秋時代の知的刺激に続いてやってきたのが、政治的統合と、その結果として生まれた七つの大国〔戦国七雄〕と少数の小国によるたえまない覇権争いの時代である（図10）。この戦国時代（紀元前五世紀‐前三世紀）は、法家（ほうか）主義と呼ばれるきわめて専横的な新しい政治思想を生み出した。この思想が、その後の中国国家による社会支配の重要な柱の一つとなったのである。法家主義の最も影響力の大きい思想家・実践者の一人に、商鞅（しょうおう）、別名公孫鞅（こうそんおう）がいる。戦国時代のまっただ中の紀元前三九〇年に生まれた商鞅は、弱い国家がもたらす混乱を身にしみて知っていた。その二〇〇〇年近くあとに同様の解決策を考案したホッブズのように、商鞅はリヴァイアサンの力を強化することに脱出口を見出した。なぜなら、「民に最大の利益をもたらすのは秩序である」からだ。社会がその過程でさらに力を失えば、なお都合がいい。商鞅はこう考えたのだ。

民が弱ければ国が強い。したがって……民を弱くすれば……国は栄える。

商鞅はこうした思想をただ生み出し、書き著しただけでなく、その後実行に移した。生まれ故郷の魏を出て秦に向かい、君主の孝公に宰相として仕えた。孝公の後ろ楯のもと、商鞅は一連の急進的な改革を進めた。法に対する新しい考え方を定め、土地関係を改め、国家行政機構の改革に着手し、より本格的な国家制度を構築した。この中央集権的な改革が功を奏して、秦は次の世紀までに経済力・軍事力を大いに高め、紀元前二二一年には天下統一を果たし、中国史上初の帝国と統一王朝を築くことができたのである。

これが商鞅の当初からの狙いだったことは、その思想を現代に伝える『商君書（商子）』の第一章からもわかる。「更法」と呼ばれるこの章では、孝公と、商鞅を含む三人の宰相たちとの問答が示される。君主である孝公は、制度改革が「天下」の批判を招くのではないかと懸念した。孝公が気にしていたのは秦の世論だけでなく、「天下」つまり全世界がどう思うかだった。秦の君主がこのように考えた理由は、秦の前の王朝である周から、君主に徳があれば天から天命が与えられるという思想を得ていたからだ。周の君主がこの思想を生み出し、それ以降の中国の皇帝たちはみずからも「天命」を受けたと称するようになった。だが天から直接命を受けた統治者を、社会はどうやって抑制できるだろう？

商鞅はそんな抑制を望ましいと考えなかった。その狙いは単純だった。「富国強兵」である。強力な国家だけが秩序をもたらし、政治参加などという気を社会に起こさせないことができる。この種の秩序がなければ不和が生まれるが、それは阻止されなくてはならない。

荀子は驚くほどホッブズに似た言葉でこれを論じている。

人には生まれながらに欲がある。欲しいのに得ることができなければ、求めずにいられない。求

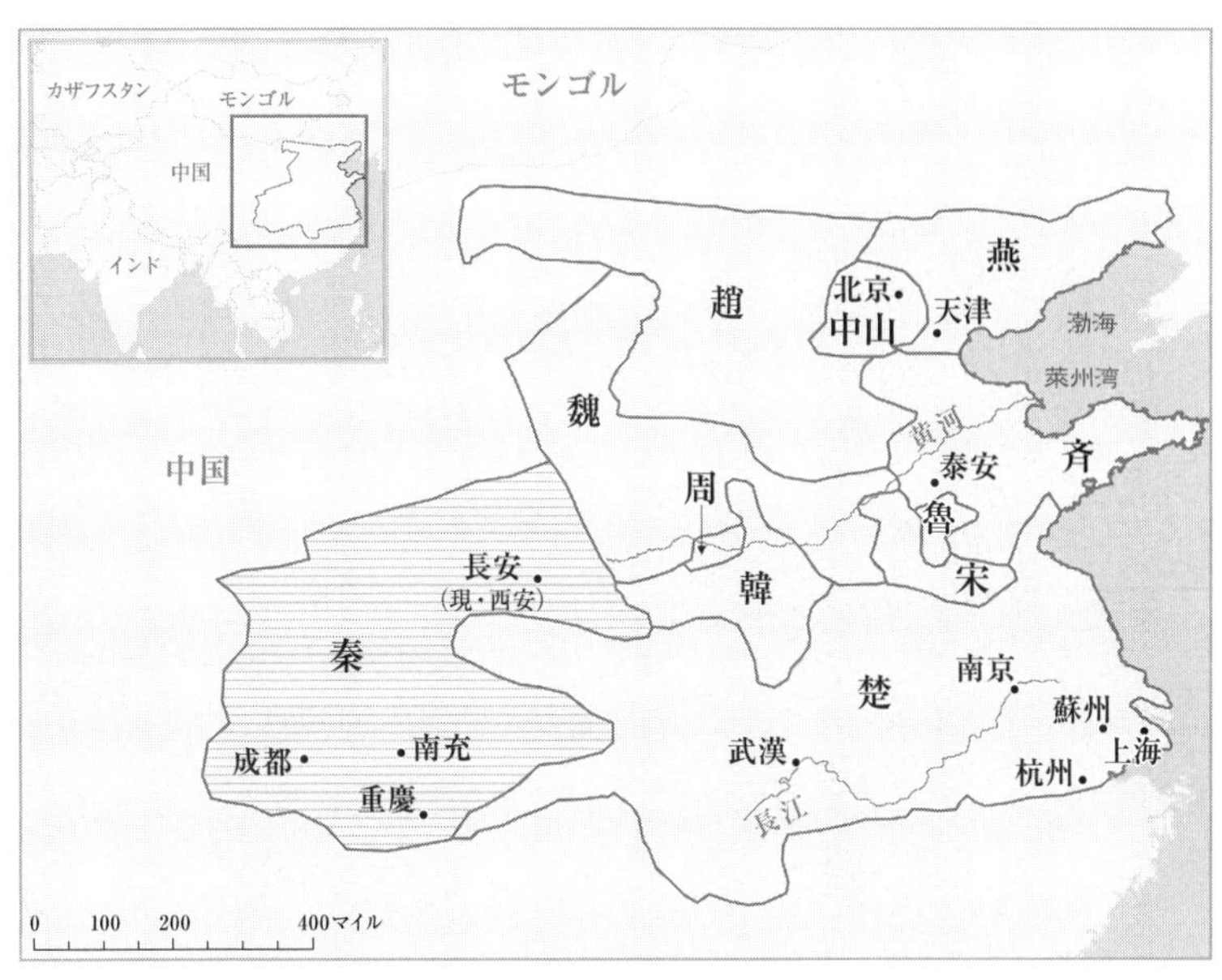

図10　前475年－前221年の戦国時代の中国

めることに制限を設けておかなければ、争いを避けることはできない。争いが起これば乱れ、乱れれば窮することになる。

　秩序と、それを実現するための制度を求めるのは当然のことだ。だが秦はどうやって秩序を得ようとしたのだろう？　主な手段とされたのは法だ――ただし前章のヨーロッパの文脈で見た、社会の規範から発達した法が統治者を抑制するような方法ではない。商鞅の構想では、法と国家の力は、すべての民衆を農民または兵士に変えるために使われるべきものだった。農業や戦闘に従事する者は報われ、そうでない者は罰せられた。

　耕作し戦うように民を仕向けることはできる……すべては臣が彼らに与えるもの［称号や報酬］次第だ……

働かずして食べ、戦わずして栄光を得、称号もないのに尊敬され、報酬も得ないのに富をもち、地位もないのに指揮する者たち——これを「姦民（かんみん）」という。

いいかえれば、誰を、何を重んじるかを決めるのは、国家だけだということだ。国家に認められない者は姦民〔邪（よこしま）な民〕とされる。「金細工師が金を扱うように、陶工が粘土を扱うように」民衆を支配しなくてはならない。民衆を農業に専念させるためには、「自分の意志で場所を移る」ことを禁じ、あらゆる形態の経済活動を罰することが重要だった。このための手段の一つが、農業の魅力が高まるように市場を構成する——要するに歪める——ことだった。商鞅は次のことを提案した。

> 商人や売人、狡猾（こうかつ）で小ざかしい者たちが栄えないようにすることができれば、国は富まずにはいられない。ゆえにいわく、「農民を使って国を富ませたい者は、国内の食料価格を高くすればいい。耕さない者には種々の税を課し、市場の利益には重税をかけなくてはならない」。

耕作しない人々は「狡猾で小ざかしい者たち」だった。この心情が、中国の経済展望に重大な影響をおよぼすようになる。法家思想は実業に対する国家の姿勢に影響を与え、そのせいで商人や実業家、小作人が国家を恐れ、協力を拒むようになったのだ。

法家主義のモデルでは、最優先されるべきは秩序であり、それは全能の統治者が国家と法の重圧によって社会を押しつぶすことによって達成されると考えられた。これに対し儒教のモデルは、法家主義の高圧的な手法に異を唱え、道徳的な規律と「民の信頼」を得ることを重視した。とはいえ、これら二つの手法は専横の基本原理については一致を見ていた——一般市民は政治に対する発言権をもたず、国家と皇帝に拮抗する勢力には決してならない、という原理である。民の福利に配慮するよう為政者を駆り立てるものは、為政者の徳行だけだった。孔子もこう述べている。

庶民が政治を論議することはない。

井田法(せいでんほう)の興隆と衰退、そして再度の興隆

商鞅の功績は、専横的国家建設のモデルを提唱したことにある。これが、秦が百年以上かけて残る六つの大国を征服し、混乱の時代に終止符を打ち、秦帝国を築く基盤となった。商鞅が考案した国家構築の方法は、その後の数百年間で歴代王朝が異なる手法を試行するうちに、細かい部分が変わっていった。なぜなら、商鞅のモデルは敵を排除することには長けていても、新しい統一国家を治めるための有効な枠組みを示さなかったからだ。

秦の始皇帝とその宰相李斯(りし)が考案した改訂版の商鞅モデルは、きわめて厳しい統制を伴う手法だった。帝国を三六、のちに四二の郡に分け、郡ごとに守〔長官〕、尉〔軍事司令官〕、監〔監察官〕を置いた。これらの任官者が精巧な官僚機構を指揮して、まさに商鞅の推奨したような、息の詰まりそうな締めつけを社会に加えたのである。

この支配がどのような性質のものだったかは、歴史家のエノ・ギーレが発表した行政文書によく表れている。それによると、あるとき郡の下の行政単位である県の守が、県内の小村の新しい村長と集配人の任命について、郡守に承認を求める書簡を送った。申請が提出された四日後、県守は却下の回答を得た。村には二七戸しかなく、そうした役人を置くには規模が小さすぎる、というのがその理由

だった。これらの文書にはっきり表れているのは、中央政府によって任命された官僚の緻密なネットワークと、申請処理の効率性、そしてもちろん、情報量（二七戸という細かさ）である。

また秦国家は度量衡、貨幣、暦、文字を統一した。首都咸陽を中心とする緻密な道路網を整備した。そして最も重要で長く存続したイノベーションの一つが、「井田法」である。これは田畑を井の字の形に九等分し、中央の一区を兵士の食糧供給のために共同耕作させ、残りの八区を八戸に分け与えるというものだ。井田法は平等な土地分配と財政的・軍事的負担を強調した。これが初めて登場するのは孟子の言行を記した『孟子』である。孟子はこう主張する。

> そもそも仁政とは、土地の境界を正しく定めることから始まらなくてはならない。境界が正しく引かれなければ、井田の区画にも大小が生じ、為政者への租も公平を欠くことになる。

ここで、商鞅のモデルの一つの欠点が明らかになった。これほどの干渉的な体制を支えるには、「富国」だけでは不十分であり、社会に重税をかける必要があった。なにしろ、始皇帝が陵園に設置するために製作を命じた八〇〇〇体の等身大の兵馬俑などの費用を、誰かが賄う必要があったのだ。重税の一つの影響として民衆の反乱が頻発し、秦王朝は始皇帝の死後まもなく、建国からわずか一五年後に、たった二代で滅びたのだった。その後の政治的混乱のなかから最終的に勝者として浮上したのが、かつて秦に滅ぼされた楚の農民出身の劉邦である。高祖を名乗り、漢王朝を興した。高祖は税の取り立てを一時的に停止し、その後収穫高の一五分の一にまで税率を引き下げた。秦国家が課していた賦役も軽減した。

高祖が実施した調整は、国家をより儒教的な方向に向けようとする試みだった。高祖は法家主義の教えを土台とし、それに儒教思想を組み合わせた。それ以降、現代に至るまでの中国のすべての政府と法律は、これら二つの哲学の融合として、またそれらを両極とする連続体上をゆれ動く運動として解釈することができる。連続体のどこに位置していようとも、すべての体制がいくつかの基本原理についてはは一致していた。そのうちの最も重要なものが、全能の皇帝が、政治にかかわる役割や発言権をいっさい民衆に与えずに支配するという、専横のリヴァイアサンの中心原理である。皇帝はいつの時代も法を超越していた。続いて生まれた考えが、皇帝が意のままに社会を治めるために、国家に有能な役人をそろえ、国家運営を任せるというものだ。この考えは、「学んで余力がある者は仕官として働くべき」であり、「有能な者たちを抜擢すべし」という孔子の教えにも根ざしている。そして最後の重要原理が、皇帝は民の福利に配慮し、道徳的な規律によって制約されるべし、という考えだ。これには、皇帝が民の経済的繁栄を推進する、または後代の王朝の言葉を借りていえば「富を民に貯蔵する」べきだという思想までもが含まれた。これらの三原理が一種の社会契約となって、国家にいくらかの正当性を与えていた。これらが侵害されれば、民衆は反乱を起こすことができた。

中国の皇帝たちが三原理を満たす、実際的な制度的モデルを考案するまでには時間がかかった。転換点となったのは、商鞅と秦の皇帝たちが構想したような方法で社会を細部にわたって管理するのは至難のわざだと気づいたことだった。何より、費用がかかりすぎた。それを賄うには貢納にしろ、金銭にしろ、賦役にしろ、重税を課す必要があったが、それでは第三の原理に反することになる。政治や税の使われ方に関して民衆にいっさいの発言権を与えない状況では、重税は不満を招き、やがて反乱を引き起こしてしまう。これから見ていくように、反乱が治まることはなかったが、代々の皇帝たちは税の軽減によって反乱と不満を鎮めようとする方法を選んだ。だがこの方法は、公共サービスの提供と着実な法執行という面での国家の能力を損なうことにもなったのである。

三原理を満たすような制度を構築することは一筋縄ではいかず、完璧にうまく行ったことは一度もなかった。実際、細部にわたる管理と強制という商鞅のモデルと、社会から距離を置き、善政の模範を示すことに重点を置く、より緩やかな儒教の方針との間で、つねに葛藤があった。漢は税と労役を軽減したとはいえ、当初は秦の方針をおおかた踏襲していた。秦は鉱山や山林、鋳物工場や工房などの製造工程を含む最も収益性の高い資産を直接の管理下に置いており、漢もこれに倣った。しかし税収不足から社会統制を緩めざるを得ず、漢は次第に秦モデルの実施から手を引いていった。

井田法もやがて衰退し、地方に大地主が現れ始めた。とはいえ、全能の統治者の力に何ら制約が課されていない状況では、地主勢力はいつ主役交代させられてもおかしくなかった。以降、現在までの二〇〇〇年にわたり、商鞅のモデルを復活させようとするさまざまな試みによって、中国はくり返し混乱に見舞われてきた。最近では、一九四九年に権力を掌握した中国共産党が、農業集団化という独自の井田法を実施した。他方、現代版の儒教モデルとして、一九七八年以降は鄧小平の下で集団化が見直され、中国の指導者たちが儒教の仁政思想に反するとして腐敗を糾弾し始めた。今後中国で何が起こりそうかを知るには、この国が法家主義と儒教主義との間で歴史的にゆれ動いてきたことを理解しておくことが重要である。

秦の滅亡後、国家による厳しい経済統制を再び導入したのは、紀元前一四一年から前八七年まで五四年間支配した、漢の武帝だった。漢王朝は武帝の下で鉄と塩の生産を独占し、ほとんどの産業と商業活動への統制を強めた。この時代の歴史家司馬遷は、「世界中の富が支配者に供されたが、彼はそれでも満足しなかった」と書いている。武帝の改革は長くは続かなかった。

次に同じことを試みたのは、紀元前一年に漢の幼帝を擁立して摂政となり、五年後に幼帝が亡くなるとみずから皇帝に即位した王莽だ。王莽は徐々に弱まりつつあった経済・社会への支配を取り戻すための組織的な試みを開始した。天下の土地はすべて王田であると宣言して、大地主の土地を没収し、専売制を強化した。だが王莽の政策は反発を招き、紀元二三年に民衆が起こした反乱は、王宮の占拠と王莽の殺害という結末を迎えたのである。その後井田法は再び後退し、紀元三〇年には徴兵制が廃止されたため、もはや農兵を中心とする社会ではなくなった。

漢王朝が二二〇年に滅びると、短命の政権が続いた。北方の諸国は内陸アジアの遊牧民族に征服され、南方には漢王朝のさまざまな分派が現れた。隋が統一を果たす五八九年までの間に、商鞅モデルを復活させようという動きがまたぞろ見られた。その一つが、中国北部に三八六年から五三四年まで存在した北魏(ほくぎ)王朝によるものである。北魏は四八五年に「均田制」を施行し、それは五八一年に建国された隋と、六一八年に隋を倒した唐(とう)にも受け継がれた。この新しいかたちの井田法の命運に終止符を打ったのが、唐で七五五年に起こった安禄山(あんろくざん)の乱である。反乱は唐の都長安を一時陥落させるも、最終的に七六三年に鎮圧されたが、死者数は数十万人に上り、唐国家は荒廃した。国家の社会統制の能力が壊滅したために均田制は崩壊し、土地私有が常態化した。

唐の滅亡後、九六〇年に統一を成し遂げた宋(そう)は、秦から漢への移行期の初期に行なわれたものに似た改革を開始した。唐との間に大まかな連続性はあったが、統治体制は法家主義から儒教へとシフトした。この改革がもたらした成果の一つが、官僚制支配の決定的な確立であり、それまで主に推薦によって登用されていた官僚に採用試験制度（科挙）が導入された（もう一つの成果はあとで見るように、経済成長である）。だが一七世紀に国家財政が窮乏するなかで始まった官職の売買と、政府による度重なる干渉のせいで、能力主義の官僚制は体系的に損なわれたのだった。

一一二七年、内陸アジアの女真(じょしん)族が興した金(きん)によって宋〔北宋〕が滅ぼされた。宋は首都を南〔南京〕に移して南宋として再興したが、金と南宋はともにフビライ・ハン率いるモンゴル軍に征服された。フビライは元を建国した。元は一二九四年のフビライ没後一〇人の皇帝を経て、一三五〇年代に起こった農民反乱の最中に滅亡した。それまでの間、元は漢人国家の統治機構を再編して、モンゴル人の階層をもとにした独自の体制を敷き、漢人を職業別に編成して職業を世襲させた。賦役や多くの新税を導入した。商品や労働への需要に応えるために、職人を首都の大都（現在の北京）に集めた。

元は二〇年におよぶ内乱ののち、反乱をきっかけに頭角を現した農民出身の朱元璋によって滅ぼされた。朱元璋は一三六八年に明を建国し、洪武帝として即位するやいなや、連続体における商鞅の極に向かって明を進ませ始める。洪武帝はみずからに権力を集中させるための施策を矢継ぎ早に実行した。たとえば官僚の意向を代弁していた宰相〔中書令〕の地位を廃止し、一三七三年には試験結果に偏りがあるとして科挙を廃止し、官僚に対する激しく暴力的な弾圧をくり返した。続いて洪武帝は新しいかたちの井田法への回帰を試みた。また在位中の三〇年間にわたって経済の市場化を阻むことに腐心し、税の支払いを銭納から穀物などでの物納に戻したほどである。一三七四年には「海禁」と呼ばれる布告によって民間貿易を禁止し、この禁止は一六世紀末まで続いた（その後も定期的に再発令されている）。

一三八〇年からは大地主の大規模な土地没収を開始し、洪武帝の治世の末期には、首都南京があった長江デルタ一帯の主要な省、江南省の土地のおそらく二分の一が国家に収用されていた。専横的な国家権力は、明時代を通じて明白だった。一六二〇年代に、上海の西約五〇マイル（約八〇キロ）に位置する無錫県の学塾、東林書院を中心に、東林党という政治集団が結成され、儒教に基づく政府批判を展開した。東林党は大胆にも（国家の）「二四の罪状」と称した陳情書を作成し、政府を糾弾した。明の天啓帝はこれを受けて、一三人の指導者のうち一二人を処刑し、残る一人も自殺に追い込んだ。支持者と疑われた数百人が粛清された。東林党の流れを汲む復社などの集団に支持者が残ったが、一六六〇年代になると清によって容赦なく弾圧された。批判は許されなかった。

中国を法家主義に押し戻した、宋から明への移行期は、抑制されない国家が民衆に自由をもたらさないことを思い出させてくれる。それどころか一般に、抑制を受けないことは、国家による支配の基盤にあるのだ。それが商鞅が提唱した教えであり、明はそれに手放しで従ったのである。

弁髪切り

明国家の専横の高まりは一六二〇年代の一連の反乱を招いたが、このことは法家主義モデルの重大な欠陥の一つを浮き彫りにしている。最終的に明王朝は内部対立と、内陸アジアの別の拡張主義的な民族である、満州族（女真族）による機をとらえた侵攻によって葬り去られた。満州族は清王朝を樹立する。満州族が勢力を拡大していった様子は、北京と上海のほぼ中間に位置する郯城県の郷土史に残っている。

大軍が町に攻め入ってきたのは、一六四三年一月三〇日のことでした。兵士は官吏を虐殺し、地主や役人、庶民を七、八割方殺しました。城壁の内外で数万人が殺され、通りや中庭、路地に集められた人々は虐殺されるか重傷を負わされ、残った人々はわれ先に逃げ出しましたが、ほとんどが怪我をしていました。大軍は一六四三年二月二一日まで県内に陣営を張り……二二日間も居座っていました。地域全体で多くの人が略奪や焼き打ちに遭い、殺傷されました。大軍はツァンシャンパオも破壊し、そこでも一万人を超える男女を殺したのです。

満州族は「民の心を得る」ことに熱心には見えなかったが、一六四四年には北京を占拠して、中国最後の王朝となるものを創設した。清の前に、反乱の指導者である李自成が別の王朝〔大順〕を建てたが、たった六週間の短命に終わった。李が即席でつくった政権は、エリートや宦官、商人、大地主、高官を所得水準で等級分けし、その富の二、三割を没収した。李自身は七〇〇〇万両の銀を蓄財した。均田制を実施する計画もあったが、その前に満州軍によって皇帝の座を追われた。

満州族はモンゴル族と同じく外部者であり、漢人を支配下に置く必要があった。その興味深い戦略の一つが、「弁髪令」である。弁髪と呼ばれる、前頭部を剃って後頭部の髪だけを長く伸ばしてそれを編む満州族の髪型にすることを、すべての男性に強制するものだ。これが新王朝への服従をすべての漢人に徹底する方法だと、清は考えた。満州族が北京を占領してから三年後の一六四七年三月のこと、甘粛省の巡撫〔省に総督と併行して置かれていた地方官〕の張尚は視察に出かけた。三月四日に万里の長城の内側の県、永昌に到着した。張を出迎えるために、県の学校の生徒一同が集まっていた。張はこう報告している。「私は前頭部の髪を残しているように見える男を見つけました。そこで県の役所に着くと、学業試験のためといって全生徒を集め」、それから「くだんの男のところに近づいて、その帽子をとったのです。案の定、髪はまったく剃られておりませんでした」。地元の役人たちが張に説明したところによると、弁髪令はきちんと貼り出されており、容疑者の呂可興に弁解の余地はないという。張は男を投獄し、「王朝の法を守るために」ただちに処刑すべきことを皇帝に上奏した。皇帝からは返答がすぐに届いた。「ただちにその者を処刑せよ。だが県の役人や、家長、地元の長、隣人はどうなのだ」。結果、男の剃られていない頭は体から切り落とされ、「民衆の戒めとするために」さらし首にされた。男の一族の家長と地元の長、隣人たちは全員杖刑に処せられ、県長官は三カ月間無給の懲戒処分を受けた。

清王朝の髪型に関する気苦労は、清代を通じて絶えることはなかった。一七六八年には「霊魂泥棒」の恐怖が帝国を襲った。魂を盗むためといって、男性の弁髪を切り落とす事件が多発した。盗んだ魂を使えば、人に悪さができるというのだ。乾隆帝の下の清政府は、弁髪切り事件の捜査に全力で当たった。事件の真相を探るためによく使われた手法の一つが、「夾棍」という締めつけの道具である。これには「脚棍」というくるぶしをゆっくり砕く道具と、別の脛骨を粉々に砕く道具とがあった。

一七六九年に霊魂泥棒を疑われた一人に、托鉢僧の海印がいた。とらえられたとき、海印は切り落とされた短い髪の毛をもっていたが、何年も前に手に入れたものだと主張した。そして実際、その髪は人目につく杖の端にわざわざ取りつけられていた。海印は尋問を受けたがどうしても口を割ろうとしなかったので、地元の当局は真相を知るために拷問が必要だと判断した。だが僧は強情だった。数日後、当局は皇帝に書き送った。「いまこれ以上拷問を加えたら死んでしまうかもしれません。そうなれば何も解明できなくなってしまいます」。「その通り」と乾隆帝は役人の報告書に、注釈をつけるための朱筆で書き入れた。海印は拷問に耐え続け、皇帝には罪人が「不幸にも季節の流行り病に冒され」、拷問の傷の化膿にも苦しんでいることが伝えられた。八方ふさがりの状況にいら立った長官は、「民衆の疑いを払拭するためには、彼を公開処刑した方がよいでしょう」と報告した。実際、海印がとらえられてからというもの、あらぬうわさが飛び交い始めていたのだ。そこで彼らは「罪人を公共広場に連れて行き、そこで斬首に処し、群衆に首をさらし」たのだった。明遠という別の僧も同様の嫌疑をかけられ、とらえられてから一週間のうちに死んだ。「了解した」と乾隆帝は報告に朱筆で書き入れた。そんなわけで、髪に執着したのはフランク族だけではなかったのだ。もっとも、清は執着の仕方がかなり違ってはいたが。

清が新しく征服した民を従わせた方法は、弁髪令の執行だけではなかった。一六四五年五月に長江デルタのエリートが新しい国家に反乱を起こすと、清の将軍たちは反撃し、約二〇万人の男性、女性、子どもを虐殺した。この事件をみずから体験した王秀楚の『揚州十日記』が、その凄惨な状況を伝えている。清軍によって揚州市が壊滅させられると、生存者は強制連行された。

数人の女性がこちらに向かってきた……肌もあらわに、脚はふくらはぎまで泥に浸かっていた。一人は女の子を抱きかかえていたが、兵士は子どもを鞭打って泥の中に投げ捨て、女性を追い立てていった。一人の兵士が刀を掲げて先導し、別の兵士が槍を横にして後ろから追い立て、三人目がその間を行ったり来たりして、逃げ出す者がいないよう見張っていた。数十人が、まるで牛やヤギであるかのように駆り立てられていた。後れをとれば鞭打たれるか、その場で殺された。女性たちは重い縄で首を数珠つなぎにされ、一足歩くごとにつまずいた。赤ん坊がそこら中に転がり、その内臓がまるで芝のようにして、馬のひづめや人々の泥まみれの足に踏みつけられ、まだ生きている者たちの泣き声が辺り一面から聞こえていた。どの溝や池にも死体が積み上げられ、腕や脚が折り重なっていた。血が水に流れ出し、緑と赤が辺りに彩りを与えていた。運河にも水面まで死体が積み重なっていた。

金欠の専横

清は外部者ゆえに、歴代王朝に比べて支配が不安定だと感じ、税の負担が支配への反発を招くことを恐れた。これは前に見たように、漢王朝建国時にまでさかのぼる、中国国家について回る問題だった。清王朝を脅かしたできごとの一つに、一七五二年の馬朝柱の陰謀がある。馬朝柱は湖北省出身の農民で、ある僧に感化され自分は大命を背負っていると信じるようになった。馬は明の残党勢力との関係を吹聴し始めた。この集団は明の「幼帝」の治める「西洋国」に住み、明の将軍呉三桂の子孫を擁し、三万六〇〇〇人の兵を抱えているというのだ。馬は支持者たちを集めてこう話した。自分はこの王国の将軍であり、魔法の空飛ぶ機械を使えば、ひとっ飛びで王国の軍隊を連れて長江沿岸を攻撃できるのだと。馬の運動が勢いを増すなか、鍛えられたばかりの刀剣を役人がたまたま見つけ、そこが馬の砦の一つであることが発覚した。馬は逃げおおせたが、親族はとらえられた。捜索が開始され、数年間で数百人もの容疑者がつかまったが、馬の行方はわからずじまいだった。とらえられた信者たちの供述によれば、彼らが集団に加わって馬の砦の一つを訪れたとき、そこにいた人々が「血を口に塗りつけ、護符を飲み込んでいました。髪を長く伸ばし、前頭部を剃っていませんでした」という。明らかな反清の意思表示である。逮捕された人々は「すさまじい拷問にかけられ」、自白するしか生き延びるすべはなかった。乾隆帝は朱筆で記した。「星火燎原〔火花一つが野原一面を焼く、転じて小さな勢力でも見逃すと侮れなくなる〕」

　清国家は反乱を招かぬよう警戒を怠らなかった（そしてそれにはもっともな理由があった）。しかし、だからといって、恣意的な行動を取らなかったというわけではない。たとえば清は明の海禁政策に逆戻りし、康熙帝は貿易と海賊行為の取り締まりのために、中国南岸沿岸の住民全員を一〇マイル（約一六キロ）内陸に強制移住させた。

　反乱の脅威を抑制するために、清は一七一三年に「法家主義・儒教」の連続体上で儒教側に一歩近づく措置として、国家の主要財源だった地税（丁銀）の額を固定し、それ以降はすべての人から土地一畝（通常約〇・一五エーカー〔約六〇七平方メートル〕とされる）につき一定額の税を徴収した。一八世紀中に物価が大幅に上昇したことを考えれば、国家の実質税収は激減したことになる。清王朝の下で大した公共サービスが提供されたはずもなかった。
実際、国家が提供していた飢饉救済の穀物備蓄制度や、大運河を含む大規模なインフラ建設などの数少ない公共サービスが立ち消えとなった。国家は備蓄用穀物を購入できなくなり、大運河は荒廃が進み一八四〇年には通行不能となった。一八二四年から一八二六年までの間、黄河の水量管理システムそのものが、水門や堤防の維持管理不足や、沈泥を除去する浚渫（しゅんせつ）機の整備不足のせいで破綻していた。そのせいで壊滅的な洪水が頻発した。

この時代の中国の中央行政がどのように編成されていたか、またそれがなぜ商工業活動を支え、公共サービスを提供することができなかったのかを理解しておくことが役に立つ。行政機構の最上層に位置したのが吏（人事）、戸（財政）、礼（儀式）、兵（軍事）、工（土木）、刑（刑罰）の六つの省〔六部（りくぶ）〕である。これらは古くからある用語で興味深い。司法ではなく「刑」、つまり処罰なのだ。実際、既知の最古の青銅器に刻まれた法典は、法律書や法典ではなく「刑書」と呼ばれているが、このことは商鞅の法律観とも一致する。六五三年に編纂された「唐律疏義（とうりつそぎ）」は、現存する最古の完全な法典である（秦の律は断片だけしか残っていない）。律は長年のうちに歴代王朝によって大幅に改定され、清が最終形を発表したのは一七四〇年だった。これらの律を見れば、中国の法律の存在目的が、正義をもたらすためでも、もちろん自由を支えるためでもなく、社会の管理・統制にあったことが改めてはっきりする。律は被告人の権利に関心を払わなかった。皇帝は法を超越する存在であり、どんな法律も修正し、無効にすることができた。訴訟手続きでの被告人の扱いを見る限り、無罪が立証されるまでは有罪と推定されていたようだ。ちなみに、清律の第三八六条は、「不応為〔してはならないことをする〕」者を厳しい杖刑に処することを定めていた。

前に見たように、中国国家が世界に最も誇るものの一つは、競争試験による官僚の選抜制度（科挙）だ。古くは秦代にも能力主義を理想とする考え方はあったが、本格的に組織化されたのは宋代であり、おそらく清代に頂点を極めた。清代には試験は三段階に分かれ、第一段階は、科挙の受験資格を得るための予備試験〔郷試〕だった。一七〇〇年までに、累計五〇万人が受験資格を得ていた。第二段階の地方試験〔会試〕は三年間に二度実施され、受験資格を得た数千人が省都に集まり、二泊三日にわたって試験を受けた。この試験では受験者の約九五％が不合格となった。それは大きな賭けだった。

地方試験の合格者は終身にわたってエリートの地位と、主要な税金や法的義務の免除が保証された。これら官界の者たちは皇帝の許可なく逮捕、尋問、拷問されない特権をもち、有罪判決を受けた場合も庶民が付される杖刑、流刑、死刑を罰金と交換することができた。官職に就く機会も与えられたが、それを得るにはもう一ラウンドの試験を受ける必要があった。地方試験の翌年、合格者が北京に集まり中央試験〔殿試〕を受けた。定員はわずか三〇〇人で、受験者の九割が不合格になった。三〇〇人の合格者は、続いて皇帝自身によって等級を決められ、最上級の者が中央省庁で働き、最下級の者は巡撫などの地方官僚に任命された。清代には約一三〇〇の県があり、それが一八〇の府にまとめられ、府は一八の省にまとめられた。各省には総督が、各府には巡撫（じゅんぶ）が置かれ、各県には国の行政長官が派遣された。一七世紀末には帝国の人口は約三億人近くに上ったため、平均的な府の巡撫は約二三万もの人々を統治していたことになる。大規模な府になると、人口は優に一〇〇万人を超えていた。巡撫は専門の職員をもっていたが、職員は国家公務員ではなく、長官の俸給から支払われる俸給か、もしくは中国研究者が「圧搾」と呼ぶ、一般庶民から搾り取れるもので生計を立てていた。司法機能に関しては、巡撫は刑事、検事、裁判官、陪審員の役割を一手に担った。そのほか公共事業、防衛、警察活動にもあたった。

科挙の超難関試験では何が問われたのだろう？　一六六九年に山東省の試験官は郯城県の受験者に、三つの文章を読んで設問に答えさせた。『論語』からは「子曰、人之生也直、罔之生也、幸而免、子曰、知之者不如好之者、好之者不如樂之者〔子曰く、『人間はまっすぐに生きていくものだ。もし曲がった生き方をしている者があれば、それは運がよかったというだけだ』。子曰く、『それを知る者は、それを好む者には勝てない。好む者は、それを楽しむ者には勝てない』〕」の節が出された。人間の誠実さについて考えさせる文章もあった。「夫夫焉有所倚肫肫其仁、淵淵其淵、浩浩其天、苟不固聰明聖知達天德者、其孰能知之」〔そもそもどうして一方に偏り、公平を失うなどということがあろうか。手厚い誠実さで仁そのものであり、静かな奥深さで淵そのものであり、広々としていて天そのものである。真に優れた聡明と秀でた知恵とを備えて完全な天の徳に到達した人でなければ、いったい誰にその境地を知ることができようか〕。そのほか『孟子』の一節も出題された。受験者は全員不合格となった。実際、一六四六年から一七〇八年までの間、郯城県の受験者からは一人の合格者も出なかったのだ。

　試験制度は非常に厳しい競争に立脚していたが、専門知識はおろか、官僚機構の運営や国家統治に関わるどんな技能も試されず、学ぶことも奨励されなかった。巡撫はたいてい何の司法研修も受けずに法を執行していたし、民間の弁護士や法律専門家もいなかった。また、能力主義以外の多くの要素が制度に忍び込んでいた。巡撫の実に三人に一人が総督の推挙で任官していた。おそらく最も重要なことに、この制度全体が皇帝の好きなようにつくり変えられた。皇帝は任命、昇進、降格を意のままにできた。乾隆帝自身もいっている。「〔高官の〕評価と選抜は朕が息を吐くたびに毎日変わる」と。

　税収不足に対応するために、一六八〇年代の康熙帝の治世から、清は試験の合格証明書を大量に売るようになり、事実上エリートになる権利を競売にかけた。一八〇〇年には推定三五万人が購入した学位をもっていた。清国家はまともな俸給を支払えなかったため、官僚の間ですさまじい汚職が横行し、一八世紀末の和珅の「治世」中に最高潮に達する。

一七五〇年ごろに生まれた和珅は、宮廷の一介の衛兵だったが、一七七五年に乾隆帝に見出された。一説には、乾隆帝が若い頃心を寄せていた妃に瓜二つだったからという。乾隆帝はただちに歳入長官を含む、二〇もの高官の地位を和珅に与えた。和珅は帝の恩恵を求める者たちを取り込み、たちまち汚職の膨大なネットワークを築いた。また国家のすべての要職の任命に対する拒否権を握った。あらゆる地位に対して見返りを求め、忠実と思われる者たちを重用した。二〇年におよぶ中国官僚機構の支配を通して、和珅は清国家の機能をすべての階層で体系的にむしばんでいったように思われる。乾隆帝が亡くなると、息子の嘉慶帝はまっ先に和珅をとらえさせ、二〇カ条の罪を挙げて弾劾し、自害を命じた。この罪には、紫禁城に馬に乗って入城したことや、輿で入城したことまでもが含まれていた。だが最ものっぴきならない証拠は、和珅がため込んだ資産や財産だった。とくに目立つものだけでも「二〇座の楼台と四阿、一六座の新しく加えられた楼台、一三棟七三〇間の正屋、七棟三六〇間の東屋、七棟三六〇間の西屋、七棟六二〇間の恵州式の新屋、七三〇間の蔵、六四所の楼閣のある庭園、八〇〇畝の農地」があった。これらの資産のほか、五万八〇〇〇オンス（約一六四四キロ）の純金、五万四六〇〇個の銀塊、一五〇万本分のひもで束ねた銅貨、莫大な量の翡翠、朝鮮人参、真珠、紅玉、三八〇本の銀匙、一〇八個の銀のうがい椀をため込んでいた。和珅は清国家の急激な凋落の象徴になった。だが注目すべきは、和珅を排除したあとも、嘉慶帝が官僚全体を対象とする幅広い処分を実施しなかったことだ。巡撫以下の官僚を監察する御史台の抜本的な改革さえなかった。御史台は清代には北京にしか置かれず、広大な帝国全体を監察できるはずもなかった。国家能力と公共サービスの不足は続いた。

官僚の汚職と無能が生んだ不満と、清の統治の恣意的な性質、意見表出の場の欠如が、またしても反乱を助長した。一七九六年から一八〇四年にかけて、おそらく和珅の取り巻きによる恣意的な取り立てに抗議して、白蓮教の信者が大規模な反乱を起こした。一八五〇年には太平天国の乱が帝国をゆるがした。この運動を始めたのは、腐敗した慣行のせいで、科挙試験に合格したのに官職に就けないことに不満をもった者たちであるともいわれる。反乱は一四年にわたって国を荒廃させ、数千万人の死者を出し、国家財政の破綻を招いたのである。

依存社会

専横を定義する特徴とは、政治的意思決定に参加する手段を社会から奪う力をもつことである。中国で見られたのが、まさにこれだった。民衆の政治参加の萌芽は秦国家の台頭によって摘みとられ、二度と再び現れることはなかった。社会が中国のリヴァイアサンを制御し、影響をおよぼす方法は、ほかにあっただろうか？　反乱は当然有効な手段であり、実際に中国の皇帝たちに大いに不安を与えていた。だが反乱の脅威はつねにあったわけではなかったし、政治的意思決定に体系的に影響をおよぼすまでには至らなかった。それなら、中国国家に要求を明確に伝え、提案を行なう能力をもつ、自律的な社会組織（「市民社会」とも呼ばれる）はどうだろう？　たとえ民衆集会などの、社会が政府を制御するための制度的手段がなかったとしても、そうした社会組織は中国にも存在したのではないだろうか？

自律的な社会組織と社会的動員が見られそうな場所の一つに、現在の湖北省武漢市の一部にあたる、長江沿岸の商業都市、漢口がある。一八世紀末から一九世紀にかけての漢口は、商人や職人が活躍するにぎやかな主要都市だった。同業者組合（ギルド）やその他の自治組織が次々と設立され始めていた。とくに力をもっていた事業団体が、総勢二〇〇人ほどの塩商である。彼らは独自に「商人頭」を選出していた。塩取引に手数料を課して「箱基金」に入れ、飢饉救済や事業を守るための民兵の費用を賄った。ほかの商人集団も団体をもっていた。これらは自治的な社会組織の始まりと見なせるかもしれない。

だがイメージはあてにならないことがある。漢口の社会には、自律性も地域の連帯感もほとんどなかった。どの商人団体も中国各地の「同郷組合」にルーツをもっていた。たとえば塩商は恵州、茶商は広東と寧波の出身で、どちらも一年の大部分を漢口で暮らしてもいなかった。茶の同業者組合は上海で設立された組織の支部だった。これらの組織は特定の地域や町出身の一族の集団からなり、資本や情報を共有するために結束し、たいていは組織ごとに集まり別々の地域で暮らしていた。商人団体が協力し合うことはほとんどなく、漢口の公共サービスや公的組織への投資には無関心だった。実際、地域の連帯感が欠けていたことの明白な証拠として、中国各地から来た商人たちは、協力するどころか対立をくり返していたのだ。一八八八年に安徽人と湖南人の同業者組合が埠頭をめぐる紛争を起こし、地方の巡撫が前者に有利な裁定を下すと、後者が前者を攻撃した。毎年恒例の船漕ぎ競争も、広東人と湖北人の争いが激しくなりすぎたため禁止された。このような中国の商業活動の性質上、地域社会の組織化や独自のアイデンティティの形成が困難だった。

地域間対立よりも重要な要因が、この都市の基幹事業だった塩事業の性質である。塩事業は野心的な起業家が事業拡大をかけて競い合うようなビジネスではなかった。塩は国家の専売品であり、塩商の力と富は国家の許可がもたらしたものだった。一般に、商人頭を務めるのは科挙の地方試験に通った有望な帝国官僚で、その地位は任命されたものだった。このため塩商の実態は国家公務員と変わらず、塩商の倉庫や塩市場は公有物と見なされていた。箱基金でさえ塩商の共同管理下になかったし、それが都市や商人に公共サービスを提供するために使われることも通常はなかった。基金は商人頭によって管理され、彼らの友人や親族を塩行政に雇うための資金になることも多かった。

一九世紀には連絡船局、電信局、（新税を担当する）釐金局などの新しい事業局が次々と設置された。だがこれらの要職の任命は省の官僚による審査を受けた。事業局や同業者組合、商人団体が、地方官僚や国家の機能に影響をおよぼそうとした記録がいっさい残っていないのは特筆に値する。こうした動きは舞台裏ではあったはずだが、表立って行なわれることはなく、したがってこれらの組織は市民が政策決定に参加する手段として注目されることはなかった。一八六三年には塩の専売制度が再編され、約六〇〇〇人の商人が塩取引の許可証（塩引）を購入することを許された。以降、取引に対する国家の締めつけはさらに強化された。その他の同業者組合は、道路の整備や消火帯の設置、橋の建設などに積極的にかかわったものの、それらは国家の旗振りの下で行なわれた。一八九八年に漢口商工会議所が設置されたのも、皇帝の勅令を受けてのことだった。このような動きのどれ一つとして、前章で見たスワローフィールドを彷彿とさせるものはない。スワローフィールドでは地域社会が率先して組織化し、新たな公共サービスを主導し、より充実したよりよい統治を国家に要求したのだ。

ヨーロッパでは少なくとも一七世紀以降、活発で積極的な社会を組織化するうえで自由なメディアが大きく貢献した。中国にはこれに相当するものもなかった。一八七〇年代に日刊紙《申報》が創刊されるまで、漢口には広く入手可能な新聞はなかったようだ。ただし《申報》はイギリス人アーネスト・メイジャーが上海で発行する新聞で、漢口のニュースは掲載されていたものの、社会的動員を促す手段となったとは考えにくい。

このように注意深く観察してみると、最も自律的で積極的な社会が現れそうな場所にさえ、かなり違う実態が——国家に従属し、依存する社会が——あったことが見て取れる。

中国社会は、国家に依存していようがいまいが、おそらく強力な支配の恩恵を得ていたはずだ。国家により規範の檻が緩められ、社会的・経済的な自由度が高まる場合があるからだ。第四章で見たムハンマドとシャカの事例では、国家建設の取り組みは息苦しい規範を崩し、国家建設を妨げていた血縁に基づく同盟関係を引き裂き、その過程で規範の檻を少々緩めた。だが中国では、血縁集団は国家の専横にかかわりなく、社会で主要な役割を果たしてきたように思われる。たとえば同郷集団は血縁に基づいていた。こうした血縁的関係は、社会統制戦略の一環として、国家により奨励、支援されることさえあったのだ。

中国における宗族（そうぞく）と呼ばれる出自集団の重要性を理解するために、新界（しんかい）を例にとってみよう。新界とは、清からイギリスに割譲された香港島の対岸の中国本土の部分をいう。この地域がまだイギリスの統治下にあった一九五五年に、行政官が住民に調査票を配布して、それぞれの氏がこの地域に最初に定住した時期と、それ以来の世代数を調べた。屏山（へいざん）という地区では三四の村を対象に調査が行なわれ、このうち住民全員が同じ姓をもつ単姓の村は二七あった。そのうちの一村は二九代前まで家系をさかのぼることができ、別の一村が二八代、八村が二七代、一村が二六代、一村が二五代、二村が二三代、二村が二二代前まで、そして一六代・一五代・一四代前までさかのぼれる村が一つずつあった。だが最も注目すべき点はそこではない。二七代前までさかのぼれる八村のうち、七村までが「鄧」という姓だったのだ。

もちろん、鄧氏は鄧氏とつき合うのが好きなだけかもしれない（とはいえ、私たち著者はロビンソンやアセモグルという姓の友人をもっていないし、親戚の近くに住んでもいない）。だがこの同種性をもたらした主な原因はそれではない。鄧氏が先祖代々の土地を共同所有し、先祖を祀る祠堂（しどう）をもち、儀式や祭典を行なってきたからなのだ。新界の近くの広東省のある県では、共産主義革命以前は土地の六〇%を宗族が所有していた。同じ省の別の県では三〇%だった。宗族はしたがって、たんなる個人の集団ではなく、相互扶助的な集団として編成されていたのだ。宗族の慣習や祠堂、土地は、はるか遠くまでさかのぼる歴史をもっている。宗族は独自の規則と厳しい規範を成員に課した。対立や不一致を解決した。そして宗族は社会を統制し紛争に対処するのに役立つと見なされ、中国国家によって促進、奨励された。とくに、巡撫の数が足りず、彼らだけでは社会を治め、紛争を解決し、基本的なサービスを提供することがままならなかった状況を考えればなおさらだ。宋以降の中国国家は、こうした仕事を宗族に任せるためのさまざまな施策を考案した。古くは一〇六四年に、宋は宗族地のもとになった「義荘（ぎそう）」の設置を奨励する布告を出した。対立に巻き込まれた人々は、府の巡撫よりも宗族の長老と話し合うことが多かった。とはいえ多くの場合、そうした長老は自然に現れたわけではない。一七二六年にはこんな令が下された。

一〇〇人以上がともに暮らす宗族のいる村や圍村（いそん）（壁に囲まれた村）には……宗族ごとに一人の族正（宗族の長）を置くべし。

宗族はかくして地方国家に組み込まれた。明は宋の取り組みを拡張し、祠堂の建設や家族形態の制度化を促した。国家のようなサービスを提供する見返りとして、宗族は一定の権利や特典を与えられた。塩の専売に従事する機会もその一つだった。鄧氏は地域で市を開催する独占的権利をもつ「市の主」で、その一族だけが市の周辺に出店することができた。鄧氏は自前の民兵組織ももっていた。

中国の繁栄の逆転

　ここまで見てきた国家の専横の歴史は、自由だけでなく、中国経済にも明白な影響をおよぼした。秩序を維持し、法律を課し、増税を実施し、インフラに投資する能力をもつ中央集権国家の登場は、戦国時代に比べ、経済活動に大きな好影響を与え、専横的成長の時代を確保したことは間違いない。だがそのような成長に限界があることは明らかだ。前に見たように、農業の井田法をはじめ、社会を細かく規制し、監視しようとする試みが定期的にくり返されるなかで、国家の専横的権力がほとんどの中国人の経済的機会とインセンティブを消し去った。その結果生じた経済的困窮と不満の爆発が、今度は厳しい経済統制という商鞅の構想から遠ざかり、より緩やかな支配と低い税という儒教的モデルへのゆり戻しを誘発した。こうした緩和策は民間のインセンティブをある程度改善した反面、税収不足により、民間投資の拡大に不可欠な法と秩序、公共サービスを提供する能力のない国家ができてしまった。経済に対する二つの異なるアプローチの間でゆれ動くうちに、中国の経済的命運も目まぐるしく変化した。だがそれは専横的成長の域を出なかった。自由はなく、裾野の広い機会もなく、インセンティブは乏しかった。そのため産業革命は起こらず、経済が持続的な成長軌道に乗ることもなかった。

　専横的成長のある段階から別の段階への移行がおよぼす影響は、秦の崩壊と漢の出現に明らかである。のちの唐から宋への移行には、さらにはっきりと表れている。安禄山の乱は、それ自体が唐国家の高圧的支配に対する明らかな反発であり、均田制の崩壊をもたらした。唐国家は過酷な賦役をもはや強制できなくなり、その他の強制労働もほどなく廃(すた)れていった。網の目のような市場規制も同様に力を失った。それまで商取引は指定市場に限定され、商人は積極的に差別された。国家自身が長距離交易を一手に独占し、一〇〇〇の国営農場をもっていた。この体制全体が徐々に衰退した。

このゆり戻しのなかから現れたのは、より儒教的な社会体制だけではなかった。新しい、より裾野の広い市場経済と、専横性の弱い経済成長も姿を現したのだ。安禄山の乱を受けて人口が南方に移動するうちに、経済は長江流域を新たな重心として再編された。土地造成投資の増大、干拓地の開発、米・茶栽培の拡大があとに続いた。茶がようやく庶民の飲み物になったのはこの頃である。高級絹織物や漆器、陶器、紙などの贅沢品のための国内市場もこの時期に生まれた。繊維などの商品は、市場需要を見込んで生産されるようになった。交易は中国国内だけではなかった。日本や南アジア全域との海外貿易が盛んになった。宋は世界初の紙幣を発行し、これがすでに伸びつつあった貿易のいっそうの拡大を促し、それが生み出した環境が、活版印刷機や火薬、水時計、方位磁石、風車、鉄の製錬技術、種々の天文観測機器、初期の形態の糸車など、数々の新しい魅力的な技術の発明をもたらしたのだ。また大規模な灌漑にも助けられて、農業の生産性が著しく高まった。とはいうものの、こうした技術開発は政府の命を受け、その管理下で推進された。有名な水時計は、官僚によって官僚のためにつくられた。農業のイノベーションや灌漑、それに冶金も国家のプロジェクトだった。

農業生産性の向上は、何がもたらしたのであれ、宋代中国の倍増した人口を支えて余りあるだけの収穫をもたらした。市場の拡大とイノベーションにより、信頼できる統計が入手可能な一〇九〇年ごろには、中国は国民の平均的な生活水準が世界で最も高く、イングランドを約一六％も上回っていた。宋王朝のこのめざましい実績は、専横的成長のポテンシャルをまざまざと示している。とくに、現代の基準からすれば技術が単純で、国家が先導することが可能だった分野では、高い成長を実現できた。ヨーロッパが回廊内でもたつき、社会と国家が闘争を繰り広げている間に、中国は先へ行くことができた。専横国家は萌芽期の足枷のリヴァイアサンにできないことを、命令によって行なわせることができるからだ。

だがそれは長続きしなかった。専横的成長が持続することは決してない。宋の後の元王朝は、能力主義的な官僚制を葬り去り、職業を世襲制とし、拡大していた貿易と産業を制限し、全体として経済的機会とインセンティブをそいだ。このゆり戻しが完了したのは、明王朝が権力を掌握し、独自の井田法と海禁を施行し、すべての民間事業をきわめて不安定な状態に陥れたときだ。商業活動と都市化は後退し、イノベーションを起こすインセンティブは消え去った。中国はヨーロッパに後れを取り始めた。

明の皇帝たちが経済発展をさらに阻害していた様子も、塩取引の制度の変遷に見て取れる。明政府は国境地帯を警護する軍への穀物運搬を商人に請け負わせる見返りとして、塩の専売権を与えるようになった。政府のために穀物を運搬すれば、塩の販売権を得ることができた。穀物を納入した商人は手形書を受け取り、それを首都の南京で一定量の塩の販売許可証（塩引）と交換した。商人のなかに、穀物の運搬に特化し、得た許可証を販売する者が現れ、それを購入した商人も塩を販売した。許可証の価格は変動した。なぜなら政府は皇室や宮廷の宦官、高官にも販売権を与えるようになったからだ。一六一七年になると、皇帝は許可証を無効にして発行済許可証の価値を失わせ、実質的に許可証保持者の所有権を剝奪した。続いて皇帝は、塩の専売権を選ばれた少数の貿易商人に販売した。これがもとになってできたのが、「官督商弁」という、半官半民の企業形態である。これは事実上、有力なコネのある人々が政府の許可を利用して金もうけをしているのと同じだった。一八三二年になると、明が敷いた塩の専売制度は清によってさらに変更され、小口投資家を呼び込むための施策がとられた。だが前に見たように、一八六三年に漢口で再編されて以降、国家の支配はますます厳しくなった。塩の専売に加わることはリスクの高いビジネスだったのだ。

明から清への移行はさらに混乱を引き起こした。たとえば一六六二年の海禁の再強化もその一つだ。

海外貿易の禁止は一六八三年までには解除されたが、ヨーロッパ諸国との貿易はその後も厳しく制限された。一七五七年以降、ヨーロッパ人は広東港でのみ貿易を許可され、ヨーロッパ諸国と貿易する権利は「公行（こうこう）」と呼ばれる独占的商人に与えられた。海外貿易だけでなく、雲南（うんなん）の銅山の採掘権も同様に独占的商人に与えられた。

そうはいっても、明から清への移行はいくらかの経済再興をもたらしたように思われる。清は政府の管理下にある限りは、また農村社会の福利に資すると思われる限りにおいては、貿易を許可した。清は最初のうちは基本的な公共サービスを提供し続けた。最も特筆すべきものが、飢饉に備えて穀物を備蓄する「常平倉」の制度である。清はまた明が残した職業の世襲制を一六八三年までに廃止し、一七二〇年以降は強制労働と奴隷労働を廃止した。こうした緩和策が国内の交易と人口の拡大の時期をもたらした。だがこの再興も、さまざまな限界にとらわれた専横的成長でしかなかった。

理由はいくつかある。最も明白なものは、塩の専売制が示すような、中国での国家の恣意的行動の遍歴を考えれば、財産権は依然不安定であり、そのことが投資やイノベーションのインセンティブを損なっていたからだ。中国のリヴァイアサンの力に足枷がはめられていなかったことの証拠として、大規模な反乱を除けば、帝国が民衆の労働の果実を没収するのを止められる手段は、「富を民に貯蔵する」という儒教の道徳的規律しかなかった。それでも、明と清初期の歴史は、聖書でいうように「心は燃えていても体は弱い〔やらなくてはいけないとわかっていても、なかなかできない〕」ことを示している。明代と清代の中国では、よほど楽観的な人や無鉄砲な人でなければ、道徳的な保証を信じる気になどなれなかった。

問題は、不安定な財産権という意味でのインセンティブの欠如だけではなかった。商業活動や新技術、社会的流動性に対して、最上位層をはじめとする人々がもっていた一般的な抵抗感が、経済的繁栄を妨げていたのだ。経済活動、とくに国家の管理下にない活動によって現状が不安定になることを恐れて、中国のすべての王朝、なかでも清は、商工業に不信感を持っていた。海禁を定期的に強化したのも、この理由によるところが大きい。また中国の当局者が新技術に熱心でなかったのも、同じ理由による。一八七〇年代に、呉淞(ごしょう)港と上海を結ぶ中国初の鉄道である呉淞鉄道が、イギリスのジャーディン・マセソン商会によって建設された。鉄道はその後清政府によって買い上げられ、そしてしかるべく撤去されたのだった。新しい技術や慣行に対する、この疑り深く、往々にして敵対的な姿勢は、深刻な影響をおよぼした。これに対し、前章で見たヨーロッパの産業革命と一八世紀後半以降の生活水準の劇的な向上は、新技術の積極的な導入に負うところが大きかった。

さらに重要な点として、清国家には近代的な経済制度や経済活動に不可欠なインフラを建設する能力もなければ、意欲もなかった。清の法典（大清律例）の民法は、主に家族に焦点を置き、商業契約に関する指針はいっさい示さなかった。そのため清ではいかなる法的枠組みにも縛られない契約を作成することができ、履行はおそらく（おなじみの規範の檻である）宗族によって担保されていたと考えられる。そのせいで、一貫性に欠けるうえ、二〇世紀初頭になるまで有限責任制といった重要な要素さえもが抜け落ちた契約や取り決めが結ばれていた。清政府は統一的な度量衡を定めることさえしなかった。一八七四年から一九〇八年まで清の税関（海関）に勤務したカナダ人のH・B・モースによれば、度量衡は地方によって、また同一地域内でもまちまちで、業界によっても異なっていた。たとえば容積の単位「斗」は、地域によって二・九リットルから二九・五リットルまでの幅があった。長さの単位「尺」は、仕立屋か大工かによって、はたまたどこで仕立てるかによってもちがった。モースによれば、尺は二二・八センチから七〇・六センチまでの幅があった。一般的な面積の単位「畝」も同様に統一されておらず、三五七平方メートルから九二五平方メートルまでの幅があったという。同業者組合や商業団体は地方ごとに異なる基準を採用・承認していたが、国家はそれらを体系化する手立てを何ら講じなかった。

より一般的には、清国家は「商鞅・儒教」の連続体の儒教側の極に位置し、徴税額が非常に少なかったために、経済活動の繁栄に必要な多くの公共サービスを提供することができなかった。法制度はまるで不十分だった。その一つの理由は、四億五〇〇〇万人に上る国民の争いや不一致を解決する任が、ごく少数の巡撫の双肩にかかっていたからだ。国家の自由になる資源は乏しく、正義の執行だけでなく、インフラや清の誇る常平倉の制度さえもが衰退し始めた。

こうした問題はすべて、中国の制度の基本的な政治的欠陥に起因している。清国家は重税を課したり、商鞅の足跡をたどったりすることはなかったが、それでも専横的だった。つまり社会や実業界は、たとえば契約の効果的な履行やより安全で予測可能な財産権、インフラの拡充、投資とイノベーションの支援といった要求を国家に突きつけ、国家政策に影響をおよぼすことができなかったのだ。

この点でも、ヨーロッパの経験は対照的だ。同じ頃、ほとんどのヨーロッパ諸国では、国家が中心になって度量衡の標準化を進め、経済的関係を下支えする法的枠組みを提供し始めていた。またヨーロッパの市民も、政治への発言力を急速に高めていた。たとえばイギリス人は、自分たちの望む法律を通すために投票し、議会に請願することができた。中国では、実業家にせいぜいできることといえば、しかるべきコネを手に入れ、国から授かった専売権で利益を上げ、コネによって得られた安全な財産権の恩恵に浴することくらいだった。だからこそ、清代の商人は必死になって官界に足がかりを得ようとしたのだ。

そうした重圧やたくらみを物語るのが、清代の最大かつ最も豊かな商人集団、安徽省の同郷集団の歴史である。彼ら安徽商人は、漢口と蘇州（そしゅう）、揚州に拠点をもち、塩や布、茶など、長江流域のさまざまな特産品を扱っていた。だが主要な商人の一般的なパターンに違わず、一族が商業にとどまることはまれで、私財を投じて子弟に科挙の受験準備をさせた。このパターンの格好の例が、一八世紀と一九世紀の曹氏である。この一族は当初は塩事業ひと筋だったが、のちに事業と教育、官職をかけもちするようになった。一族の繁栄の基礎を築いた曹世昌は塩商だった。長男は国子監（国の最高学府）の学生になり、次男の景宸は塩事業にとどまった。次の世代では、景宸の息子の一人が塩事業に携わったが、残る全員が官職に就いた。一九世紀初頭になると、拡大家族のなかでまだ事業に従事していたのは一つの分家だけだった。残る全員が国立学校の学位をもち、郷紳（地方の有力者）と国家のエリートの仲間入りをしていた（図11に家系図を示した）。このような転身はよくあることだった。たとえば漢口では安徽商人が私塾を開いて一族などの子弟を教育し、それがのちに有名な受験準備の私塾になった。もしもこの塾が一般の労働者や実業家の子弟にも教育を提供していれば、経済活動の促進に一役買ったことだろう。だが塾の目的は有益な知識を人々に授けることではなく、特権階級の家庭の子息に特殊な官僚採用試験の準備をさせることにあった。この塾が成功しなかったとはいわない。一六四六年から一八〇二年にかけて、塩商の有力な一族は二〇八人の子弟を地方試験に合格させ、もう一三九人を中央試験に合格させている。もちろん、試験に合格できなければいつでも官職を買うことはできたのだし、現にこの期間中に一族のうちの一四〇人が金で官職を得ている。

なぜ塩商はこれほど躍起になって塩事業を離れ、官界入りしようとしたのだろう？　塩は中国国家の専売というだけあって、うまみの大きいビジネスだった。塩は清国家の貴重な財源であり、専売権をもつ商人は非常に大きな分け前に与ることができた。それを考えると、こうした一族がなぜ子息を塩事業から脱させることにあれほど腐心したのか、かえって謎は深まる。中国の官界の一員になれば箔がつくからだろうか？　本当の理由は少し違っていた。中国では塩の専売でさえ、安泰ではなかっ

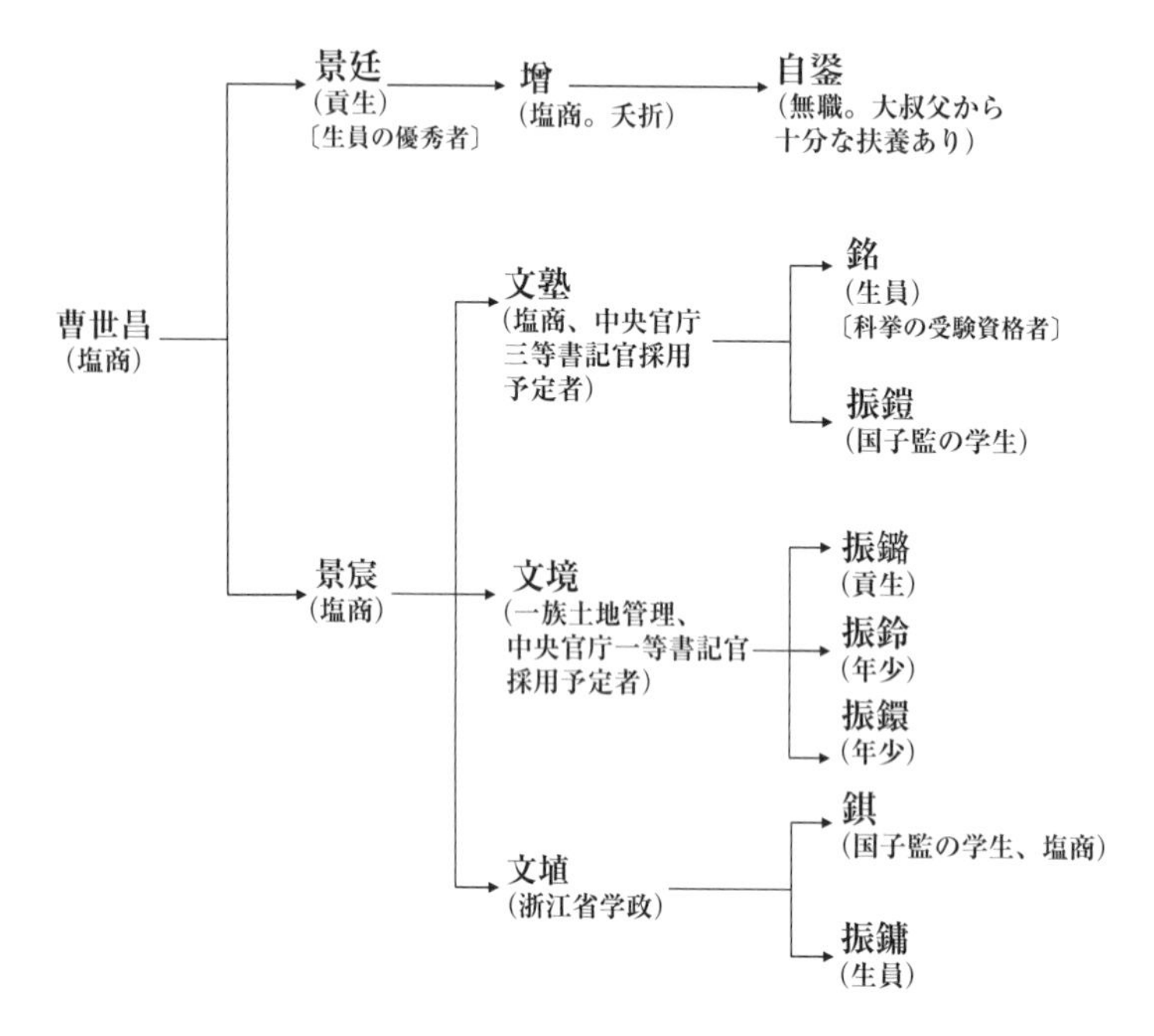

図 11　塩商から官僚へ：18 世紀の曹氏

〔『科挙と近世中国社会——立身出世の階梯』（何炳棣・著 、寺田隆信・千種真一訳、平凡社、1993 年）を参考に一部補足した〕

たのだ。国がいつ敵に転じるか、わかったものではなかった——明の皇帝たちの二転三転する政策がそれを物語っている。だから手を引けるうちに引くという考えは、間違いではなかった。それに、一族の誰かを帝国官僚にしておけば、安全性は大いに高まった。おまけに当時は帝国官僚自体がとてもうまみの大きいビジネスだったのだ。このことは、呉敬梓が清代に著した小説『儒林外史』にはっきり表れている。物語の一節は、主人公の范進が生涯かけて科挙の予備試験突破をめざしてきたが、失敗続きであることを伝えている。なにしろ五四歳の范進は、それまでの三四年間で二〇回以上も試験に落ち続けていたのだ。新任の教育長は范進を哀れんで、予備試験を通してやろうと決めた。こうして范進はようやく次の段階の地方試験を受ける資格を得るのだが、家族や親戚の反応は冷たく、依然貧乏暮らしは続いた。范進はくじけずに地方試験を受けに行ったが、家に帰ってくると食糧が尽きて、家族は二、三日何も食べずにいた。范進は家に一羽だけ残っていた鶏をもち出して市場で売り、その金で米を買ってこようと出かけた。留守中に、馬に乗った使者が家を訪れ、地方試験合格の知らせを伝えた。帰宅した范進はすぐに、自分もその一員となったエリートの訪問を受けた。

張氏は［御輿の］椅子を降りて、家に入ってきた。頭には高官の紗帽をかぶり、ひまわり色の礼服と金の留め金のついた帯、黒い靴を身につけている……張氏は召し使いから銀の包みを受け取り、こういった。「貴君に敬意を示すために、わずかではございますが、五〇両の銀をもって参りました。どうかお受け取りください。ところでこのご住居は貴君にはふさわしくありませんな。これから多くの客人をお迎えになるのですから、不都合でしょう。ちょうど東門の脇の大通りに、三棟三間の空き家をもっております……是非進呈させてください」

范進の家には贈り物が殺到し続けた。

その後も大勢の人が范進のところにやってきて、土地やら店やらを贈った。貧しい夫婦は保護を得る見返りに召し使いになった。二、三カ月のうちに、范進は男女の召し使いをもち、もちろん金や米もたっぷり手に入れた……新しい家に引っ越すと、三日三晩の間、酒席と歌劇で客をもてなした。

こうした試験に合格すると、ただ金持ちになれるだけでなく、法を超越することができた。これをよく表しているのが一八世紀の別の小説、曹雪芹（そうせつきん）による『紅楼夢（こうろうむ）』だ。巡撫として赴任したばかりの主人公は、殺人事件の訴訟を担当することになった。だが容疑者は地元の名士で、地域の豪族の名を記した『護官符』に載っているほどの人物だ。主人公は容疑者を目こぼしせざるを得ない。金持ちや、科挙に合格した地元の名士には、法は適用されない。人を殺しても逃げおおせるのだ。

マルクスの命（めい）

こんにち、中国はもう帝国ではない。清帝国は一九一二年に滅び、短期間の共和政を経て、軍閥と独裁的な中国国民党政府による支配が始まった。その後起こった内戦は、一九四九年に毛沢東（もうたくとう）率いる中国共産党が勝利したことで終結した。もはや天命が下されることはない。商鞅の法家主義と儒教の道徳的規律は、共産党のイデオロギーに取って代わられるだろう。過去との訣別である。

だがそうはならなかった。連続性は相違性と同じくらい強力だった。天命に取って代わったのは、マルクスの命である。秦代以降の中国を決定づけていた特徴は、社会に対する国家の圧倒的な支配だった。それは変わらなかった。むしろ、共産党支配下で締めつけはさらに厳しくなった。その理由の一つは、毛沢東が党と国家の存在感を全国的に高めることにこだわったからだ。清国家は専横的ではあったが、国の大部分、とくに地方では不在だった。農民革命の指導者として権力の座に就いた毛沢東は、この状況をただちに変えなくてはと考えた。第一章で見たように、大躍進の頃になると、党組織と党員はどこにでもいた。

帝国時代との連続性を生み出していたのは、専横の本質だった——国家のヒエラルキーを離れたところでは、社会は組織化して政策決定に影響をおよぼすことができなかった。毛は民衆の政治参加の手段を共産党に一本化しようとした。つまり事実上、国家と政治エリートが、市民を一方的に支配し、市民の側は影響をおよぼさないということだ。このことが痛切なまでに明らかになったのは、文化大革命中、下からの批判を奨励する運動がくり返し行なわれながらも、結局は批判者が暴力的に弾圧されたときである。共産主義下では社会の発言権はなかった。

毛沢東の経済に対する姿勢も、それ以前の時代や、またとくに経済活動の厳しい管理と統制という商鞅の青写真との連続性が非常に強いことがわかる。マルクス主義イデオロギーの名の下で農業の集団化がめざしたのは、数千年前に井田法が試みたのと同じことだった。そしてそれは井田法よりはるかに悲惨な帰結を招いた。農業集団化は、大躍進の号令による工業化の推進と相まって大飢饉をもたらし、三六〇〇万人もの命を奪ったのである。

毛沢東と共産党の民間事業に対する姿勢も、商人たちを「狡猾で小ざかしい者たち」呼ばわりした商鞅と変わらなかった。孔子も同様に「君子は正しい道理に敏く、小人は利益に敏い」と述べている。共産党による商人と実業家の扱いは、帝政国家の下でとほぼ変わらず、彼らが党員になることを許されたのは二〇〇一年になってからのことだ。二〇〇七年にはようやく私有財産権を定めた法律が成立し、人々の資産がより確実に保障されるようになった。

道徳的リーダーシップの下での成長

一九七六年の毛沢東の死後、状況は変わった。共産党最上層部の熾烈な権力闘争は、一九七八年に鄧小平が党と国家の実権を握ったことで終結する。鄧は経済の根本的な転換を主導し、その後の中国経済の爆発的成長の基盤を整えた。この転換には過去との断絶が見られるだろうか？

一九七八年以降の中国の経済と政治に新しい要素が多くあることは間違いないし、それらを認識することはきわめて重要だが、特筆すべき連続性があることもまた事実だ。毛沢東体制から鄧小平体制への移行は、国家の経済統制を緩め、市場と民間事業の自由度を高めることによって経済成長を促進した唐から宋への、そして明から清への移行とよく似ている。毛体制から鄧体制への移行においても同様に、経済の転換をもたらしたのは、経済的苦難の下でくすぶっていた社会の自発的な経済活動と、商鞅式の統制をより儒教的な経済方針で置き換えるというエリートの決定の組み合わせだった。前者の例は、一九八〇年代に初めて工業生産の急速な伸びを経験した中国の地域、上海の南に位置する浙江省温州市に見られる。鄧の改革に先立つ一九七七年に、早くも中国共産党機関紙《人民日報》が、「温州には反革命的な復古の警戒すべき例」が見られると報じた。同紙は続けてこう伝えている。

農業集団化は個人農業と化し、闇市場が現れ、集団制企業は破綻して、地下工場や地下の労働市場に取って代わられた。

実際、鄧小平が一九七八年に農業自由化を開始する前から、温州では事実上の農村改革が行なわれていた。一九八六年に温州は農村改革試験区に指定され、「現行の国家の規則や規制、方針」からの自由を与えられた。この頃にはすでに温州の工業生産に占める民間部門の割合は（一九八〇年の一％から）四一％に高まっていた。こうした展開に危険を感じた共産党は、経済問題での共産党の指導力強化を地方幹部に指示し、温州に関するニュース報道と域外からの訪問を制限した。温州で起こっていることを阻止できないのなら、せめてそれが広まらないようにしようというわけだ。また実際に党は阻止を図ろうとした。地方幹部は一九八六年・八七年の「反ブルジョア自由化」運動などを通じて、民間部門の発展を積極的に抑制しようとした。中国共産党が従業員八人以上の私営企業を認めたのは、ようやく一九八八年になってからのことだ。それまでは、非国営部門の生産はすべて「家計」によるものだという虚構を維持していた。共産党が経済のあらゆる側面を統制しようとするのをやめると、起業活動が爆発的な盛り上がりを見せた（経済統制の大半が文化大革命中に破綻していたため、その後の緩和策の一部は避けられなかった）。一九九〇年、温州は独自の輸出加工区を設け、自前の空港を開設した。温州の動きを真に主導していたのは国家ではなく、社会だった。

しかしその後はトップダウンの党幹部の意向が、中国経済の方向性を決めるようになる。鄧小平の構想は、毛沢東の下でよりも道徳的な方法で統率された共産党が、政治権力を掌握し続ける、というものだった。実際、能力主義的な共産党が国家運営に最高の人材を登用しようと努めるさまは、歴代王朝の帝国官僚機構が国内の優秀な人材の採用に心を砕いた様子に驚くほど似ている。この体制が、党の指導の下で、市場経済が繁栄できるだけの自由度を生み出すと考えられた。それはいくつかの点ではめざましい成果を上げた。中国は世界第二の経済大国になり、一九七八年からの年平均八・五％

という驚異的な成長率は、世界の全指導者の羨望の的となっている。

また経済的機会とインセンティブが改善していることも否めない。中国はいまや起業家社会であり、最も成功した中国企業の創業者や経営者には、アリババの創業者馬雲（ジャック・マー）など、地方都市の慎ましやかな家庭の出身者もいる（中国の富豪実業家の上位一〇人中、九人が地方都市の出身で、北京、上海、広州、深圳、重慶、成都の六大都市の出身者は一人しかいない）。実際、このような機会とインセンティブの広がりがなければ、中国が過去四〇年の偉業を成し遂げられたはずがない。だがそれが依然、国家の支援を受け、国家の気まぐれに振り回されがちな、専横的成長であることに変わりはない。また共産党の道徳的リーダーシップが、この先も経済成長を持続させる方向に向かい続けるという保証もない。足枷をはめられない権力が私益のために乱用され、経済成長のポテンシャルが破壊される恐れはつねにあるのだ。私益のために専横的権力が用いられることがどれほどインセンティブを損なうかは、二〇〇四年の北京の秀水市場の閉鎖が示すとおりだ。秀水市場は、政府が貿易と市場の規制を緩和した一九八五年に、自然発生的に始まった青空市場で、北京市内で最も盛況な市場の一つだった。二〇〇四年当時、一日当たりの来場者数は約一万人から二万人、取扱金額は約一二〇〇万ドルにも上った。この年、地元の役人が市場の閉鎖と、新しい屋内空間への移転を決定した。この新しい空間は政界に適切なコネをもつ新興の起業家が建設、所有していた。起業家は新市場での営業権を競売にかけた。四八万ドルという高値での入札もあった。実際、明の皇帝が塩商に対して行なったように、政府は実質的に古い露天商の所有権を没収し、まったく異なる相手に譲渡したも同然だった。利益の一部が地元の役人と分かち合われたと考えても、あながち間違いではないだろう。

政治的要因が経済活動を妨げた最近の事例には、郷鎮企業〔農村の個人・集団によって出資・設立・経営される企業〕もある。郷鎮企業は一九八〇年代のイノベーションであり、原則としては非国有企業だが、地方政府が出資するケースも多かった。この施策が画期的成功を収めた理由として経済学者が好む説明は、制度が不完全な中国では、地方政府の官僚と手を組むことが起業家にとって財産権を保護する手段になった、というものだ。だが郷鎮企業は一九九〇年代半ば以降は業績が悪化し、その後の一〇年間で完全に消滅してしまった。その理由は、より効率的な経済に自然に移行したからなどではなく、中央の政治家が優先することに決めた国有の大企業が、地方の郷鎮企業との競争を望まなかったというのが真相のようだ。郷鎮企業は農村地域に重点を置くよう指導され、信用逼迫に見舞われた。政治的決定によって消滅させられたのだ。これはより一般的な問題の一側面にすぎない――中国ではいまも帝政時代と同様、財産権が政治的恩恵に大きく依存しており、独立した司法制度もなければ、法律を分け隔てなく政治エリートにも適用しようとする試みもいっさい見られない。共産党政局の道徳的リーダーシップや、とくに適切な官僚とのコネがいきなりなくなってしまわないことを願うしかない。そんなわけで、起業家が財産権を維持するには、ちょうど清代の商人がやったのと同じように、政府の一員になって、政府との良好な関係を保つことが得策となる。これを理解すれば、過去二〇年間で共産党員が大幅に増えている理由を説明できる。ジャック・マーを含む多くの有力な実業家が共産党員なのだ。

過去とのもう一つの共通点として、共産党国家はいまも反乱と政治的不安定を懸念している。二〇〇五年に農村部の不満が高まり、反乱や暴動が頻発した際に共産党のとった対応は、農業税の廃止だった――清が一七一三年に丁銀の額を固定化した際も似たような動機が背景にあった。清国家はその結果、公共サービスを提供するための税収を得られないという大問題に陥った。これまでのところ、高度経済成長のおかげで問題は生じず、中国国家は膨大な新しいインフラを建設することができている。だが経済成長が鈍化したらどうなるのか？　共産党は持続的な経済成長と道徳的リーダーシップを、その支配の正当性の根拠としてきた。現在の共産党最高指導者である習近平主席は、前に見た孔子の言葉を引いて、自身を北極星にたとえることを好んでいる。だが状況は変わりうる。とくに、習近平と中国指導部が当然のものとしてきた、人民の敬意が得られなくなるようなことがあればなおさらだ。経済成長と社会改革が政治的不安定の一因と見なされ、経済改革が潜在的な政治的脅威として共産党に敵視されるようになる可能性は、あながち根拠のないことではない。現に、一九八九年の天安門広場での抗議行動のあと、経済改革とそれが誘発した社会変動が民主化運動を招いたと、共産党エリートに批判され、鄧小平の改革開放路線は一時ほとんど中断に追いこまれた。

もちろん、中国がいずれ成長と秩序に関する不安の少ない、より自由で、より安心できる社会に変わると期待することもできる。「近代化論」と呼ばれることのある、社会科学のよく知られた学説では、国は豊かになるにつれ、より自由でより民主的になるとされる。では、そうした転換を中国に期待できるだろうか？ その可能性は低い。二五〇〇年近くにわたって専横の経路を歩み、回廊から遠ざかってきた中国にとっては、どんな方向転換も容易に行くとは考えられず、中国に「歴史の終わり」が速やかに訪れるという望みは幻想にとどまりそうだ（他国から得られる証拠も、近代化論の楽観的な展望を裏づけてはいない）。

もし近代化が無条件に自由をもたらさないというのなら、中国共産党がつくり上げたモデルが、専横に合わせて組織された経済のなかで、活発なイノベーションを実現できる望みはあるだろうか？ 自由がないなかでイノベーションを創出できるのか？ たとえばＡＩなどの分野に資源を集中させれば、イノベーションで優位に立てるだろうか？ 少なくとも、多様で継続的なイノベーションの創出に限っていえば、歴史的証拠を見る限り答えはノーだ。自律的な社会と裾野の広い機会、インセンティブがそろわなければ、成長できないというわけではない。現に中国は急成長を――既存技術に基づく投資と工業化によって牽引(けんいん)された成長ではあるが——遂げている。宋王朝下での中国自身の経験や、ソヴィエト連邦の初期の成功が証明するように、イノベーションや技術進歩が起こらないというわけではない。ソ連は世界最高の数学者や物理学者を輩出しただけでなく、とくに軍事技術や宇宙開発競争など多くの分野で、重要な技術的ブレークスルーを果たした。こんにちの北朝鮮でさえ、商鞅式の経済・社会統制の下で、先進兵器を製造することができている。だがこれらの成功はどれも、狭い領域のなかで解が一意に決まる問題に答えを出すことによって、かつ政府の要請に応えるかたちで（また大半が、他所で成し遂げられた技術進歩の移転・模倣によって）もたらされたものだ。未来の成長に欠かせない、幅広い分野での多様で継続的なイノベーションに必要なのは、既存の問題を解決することではなく、新しい問題を創出することだ。それには自律性と実験が欠かせない。人々に山のような資源（やAI用のデータ）を提供し、しっかり働けとハッパをかけることはできても、命令によって創造性を発揮させることはできない。創造性は継続的なイノベーションに必要不可欠な要素であり、それを得られるか否かは、大勢の人が実験し、独自の方法で思考を重ね、ルールを破り、失敗と成功を重ねていけるかどうかにかかっている。まさしく第五章と第六章で見た、騒々しくも荒っぽく社会的流動性の高い、イタリアの都市国家の人々や産業革命の起業家たちがやっていたことだ。だが自由なくしてどうやってそれを再現できるのだろう？　もし有力者の邪魔をしてしまったらどうなる？　党公認のアイデアとかち合ってしまったら？　ルールを破ってしまったらいったいどうなる？　そんな恐れがあるなら、実験などしない方がましだ。

実際、七〇年前にソ連の計画者が果たせなかったのは、まさにこの種の実験とリスクテイク、ルール破りにもとづくイノベーションであり、中国経済もまだその方法を見出してはいない。特許や大学、新技術に資源をつぎ込み、成功に大きな報酬を与えることはできる（一部のソ連の科学者にとっては、生かしておいてもらえることが報酬だった）。だが本物の実験における厄介で無秩序で御しがたい本質を再現できない限り十分とはいえず、回廊の外のどの社会もいまだそれを実現できていないのだ。

中国の成長が、今後数年間で先細りになるとは考えにくい。だがほかの専横的成長の事例と同様、中国にとっての死活問題は、大規模な実験、イノベーションを始動させることにある。過去のすべての専横的成長の事例と同様、中国がこれに成功する見込みは薄い。

中国式の自由

自由は専横の下では簡単に芽吹かない。こんにちの中国もその例外ではない。香港と台湾は、中国にこれほど近く、中国と同じ文化的背景をもちながら、自由への強い希求をもつ社会を生み出したが、中国は別の方向に進んでしまった。本書を執筆しているいま、中国政府は「社会信用システム」の試験運用を実施している。このシステムでは国民一人ひとりが監視され、行動履歴から算出した社会信用スコアを与えられる。監視対象はオンライン上での行動だが、口絵に載せた北京中心部の天安門広場の写真が示すように、政府は中国全土に二億台の顔認識用監視カメラの設置も進めている。ジョージ・オーウェルはディストピア小説『一九八四年』のなかで、「ビッグ・ブラザーがあなたを見ている」という有名な言葉を残した。この本が刊行された一九四九年当時、これは技術的には夢（または悪夢）でしかなかった。もはやそうではない。社会信用スコアが最高ランクの人は、ホテルや空港などで特別待遇を受けられ、銀行で融資を得やすく、一流大学や最高の仕事に優先的に受け入れられる。宣伝文にはこうある。

る。信用できる者は天下を自由に歩き回れるが、信用できない者は一歩を踏み出すことすら難しくなる。

だが、自由といってもどれくらい自由なのだろう？　スーパーで酒を買おうか――いや、やめた方がいい、スコアが数ポイント下がってしまう。親戚や友人が当局の意に添わないことをしても、あなたのスコアは下がる。誰とデートをするか、結婚するかによってもスコアが上下する。共産党の意に添わないことをすれば、社会から締め出され、旅行もできず、レンタカーやアパートも借りられず、仕事にさえ就けなくなる。このすべてが、まるで檻のようだ。そしてそれをつくっているのは規範ではなく、国家の監視の目なのだ。

社会信用システムの考え方の生々しい実例と、それが自由に与える影響は、数百万人のイスラム系ウイグル人が暮らす、中国西部の新疆（しんきょう）ウイグル自治区に見ることができる。ウイグル人はたえまない差別と抑圧、大量投獄にさらされてきただけでなく、国家の監視技術を使って最も集中的に監視されている。そしていまや家庭内の「ビッグ・ブラザーとシスター」によって、一挙手一投足を見張られる生活に甘んじなくてはならないのだ。社会的監視の第一弾として、二〇一四年に約二〇万人の共産党員が「人々を訪れ、人々に恵みを与え、人々の心を一つにする」ために、新疆に派遣された――もっとも、党員たちは文化大革命中に毛沢東によって農民を啓蒙する目的で農村に送り込まれた都市住民ほどの歓迎しか受けなかったのだが。二〇一六年の第二弾では、「結対認親（一家のように団結しよう）運動」の先陣として一一万台のモニターが新疆に送られ、家族を警察によって投獄されるか殺害されたウイグル人の家庭に設置された。二〇一七年の第三弾では、一〇〇万人の党幹部が家庭に派遣された。毎朝ブラザーとシスターは中国共産党の地域本部の前に集まって歌を歌い、習主席の「新中国」のビジョンについての勉強会に熱心に参加した。

ウイグル人は国家への忠誠を確かめるためにつねに監視されている。中国語をちゃんと話せるだろうか？　礼拝用マットをもっていたり、メッカの方角に向かってひざまずいたりしていないだろうか？　イスラムの挨拶（アッサラーム　アライクム〔あなたの上に平安あれ〕など）が聞こえてきたりしないか？　コーランをもっていないか？　ラマダン（断食月）には何をしているのか？

ほとんどの人にとって、中国式の自由とは、自由がまったくないことなのだ。

（以下下巻）

索　引

＊は地図や主題図のページ数を示す

■い

■う

■か

■き

■く

■け

■こ

■そ

■つ

■て

■と

■な

■に

■ひ

■ふ

■へ

■ほ

■む

■め

■も

■や

■れ

■ろ

■わ

文献の解説と出典

本書の主な議論は多くの研究分野と関連があり、この短い解説内ですべてのアイデアを十分に取り上げることはできない。したがってここでは最も関連性の高い研究の一部に焦点を当てることとし、より幅広い文献についての私たちの考察や、そうした文献と私たちの議論とのつながりと違いについてはAcemoglu and Robinson（2016, 2019）を参照されたい。

最も中心的なこととして、本書は国家と社会とのバランスの重要性に関する私たちのこれまでの研究であるAcemoglu（2005）およびAcemoglu and Robinson（2016, 2017）に基づいている。また制度の役割に関する多くの文献にも基づいている（Acemoglu, Johnson, and Robinson, 2001, 2002, 2005a, b、Acemoglu, Gallego, and Robinson, 2014、North, Wallis, and Weingast, 2009、Besley and Persson, 2011、Acemoglu and Robinson, 2012）。

本書の主眼は国家能力の開発にあり、多くの社会科学者がそれを研究している。私たちの主張はこれらの文献とは重点がまったく異なる。これらの文献は、国家が社会に対して、および暴力に対して統制を構成することが、民主制度および市民社会、政治的権利のさきがけとして重要であることを強調する（たとえばHuntington, 1968、Tilly, 1992、Fukuyama, 2011, 2014など。またBesley and Persson, 2011も参照のこと）。私たちはむしろ、社会の動員および権力をめぐる闘争が、民主的で参加型の制度と有能な国家を開発する上できわめて重要だと論じる。同様に、この視点はAcemoglu and Robinson（2000, 2006）、Therborn（1977）、Rueschemeyer, Stephens, and Stephens（1992）を土台としている。だが本書での私たちの議論はそれよりもずっと幅広い。なぜなら社会と団体の組織化（Tocqueville, 2002およびDahl, 1970に触発された）を考慮に入れているからであり、またこの権力闘争における規範の役割を強調するからであり（Bohannan, 1958およびScott, 2010）、またMigdal（1988, 2001）に触発されて、強すぎる規範が政治的階級と自律的な国家制度の出現を阻むとき「弱い国家」が生まれることを認識しているからであり、また（Tilly, 1995およびAcemoglu, Robinson, and Torvik, 2016が提唱するように）国家制度が

発達するうちに政治的闘争の対象となる問題が変化し、それが潜在的に社会を強化することを組み入れているからでもある。

最後に、私たちの全体的なアプローチはいくつかの重要な学術研究にも影響を受けている。たとえばMann（1986）による国家の専横的権力の定義（国家が社会に説明責任をもたないという点で、私たちの定義に似ている）や、Moore（1966）による多様な政治体制の起源と国家と社会の関係の種類を歴史的な経済・政治状況（たとえば強制労働の存在または不在が社会の連合を左右するなど）と関連づける論文、North and Thomas（1973）の「西洋の台頭」に関する理論、Engerman and Sokoloff（2011）の南北アメリカ大陸における比較発展の歴史的起源に関する研究、Pincus（2011）の名誉革命に関する分析、Bates（1981）のアフリカにおける比較政治経済理論、Flannery and Marcus（2014）による考古学的・民族誌的証拠の統合と複雑な社会の出現に関する報告、Brenner（1976）の封建主義から資本主義への移行期における地主と小作農の力関係の役割の強調など。

序　章

シリアからの証言はすべてPearlman（2017, 175, 178, 213）から引用。

ジョン・ロックの引用はLocke（2003, 101-2,124）にある。

ギルガメシュの抜粋はMitchell（2004, 69-70, 72-74）から取った。

アラブ首長国連邦の2018年男女均等賞はhttps://www.theguardian.com/sport/2019/jan/28/uae-mocked-for-gender-equality-awards-won-entirely-by-menを参照。

イギリスにおける婦人参政権運動と女性の権利拡大、引用した事実はHolton（2003）を参照。

第１章　歴史はどのようにして終わるのか？

フランシス・フクヤマ、ロバート・カプラン、ユヴァル・ノア・ハラリによる対照的な主張はFukuyama（1989）、Kaplan（1994）、Harari（2018）に示されている。引用はFukuyama（1989, 3）とKaplan（1994, 46）から取った。

コンゴ民主共和国の 2005 年憲法の条文は http://www.parliament.am/library/sahmanadrutyunner/kongo.pdf で読むことができる。

コンゴ民主共和国東部の反政府集団についての有用な概説を BBC が提供している。http://www.bbc.com/news/world-africa-20586792.

世界のレイプ首都としてのコンゴについては http://news.bbc.co.uk/2/hi/africa/8650112.stm. を参照。

カプランのラゴスについての記述は Kaplan（1994, 52）からの引用。

ウォーレ・ショインカの引用は Soyinka（2006, 348, 351-54, 356-57）から。

橋の下の死体に関する記述は Cunliffe-Jones（2010, 23）から取った。

ゴミの山に埋もれようとしているラゴスについては、http://news.bbc.co.uk/ 2/hi/africa/281895.stm. を参照のこと。

フィリップ・ペティットの引用は Pettit（1999, 4-5）にあり、その思想の発展については Pettit（2014）を参照のこと。

狩猟採集社会の暴力に関する画期的な論文は Ember（1978）である。ここで言及した研究は Keeley（1996）および Pinker（2011）である。とくに Pinker の Figure 2-3（53）のデータを参照のこと。ゲブシの殺人率については Knauft（1987）を参照。

ホッブズの引用はすべて Hobbes からの直接の引用である（1996、第 13 および 17-19 章：「たえまない恐怖……」89;「かくして次のような事態が生じる……」87;「そのような状況には……」89;「すべての人を……」および「彼ら一人ひとりの……」120）。

アイヒマンについては Arendt（1976, 44-45）からの引用。

ハイデッガーの言葉は Pattison（2000, 33-34）からの引用。

大躍進に関する物語は Yang（2012, 4-5, 18, 21, 24-25）からの引用。ルオ・ホンシャンの言葉は Chinese Human Rights Defenders（2009）を参照。引用は p.5 より。Freedom House（2015）が「黒監獄」と「共同体矯正制度」を報告している。「四清」は http://cmp.hku.hk/2013/10/17/34310/ で考察されている。

クルックシャンクは Cruickshank（1853, 31）から、ボナは Wilks（1975, 667）からの引用。

ラトレーは Rattray（1929, 33）からの引用。ゴイとブワニクワの物語は

Campbell（1933、第18および19章）から。スピルズベリーはHoward（2003, 272）からの引用。Miers and Kopytoff, eds.（1977）は植民地時代以前のアフリカにおける「自由」の性質に関する重要な小論集である。

Ginsburg（2011）は法的観点からパシュトゥーンワーリの紹介と分析を提供している。引用はhttp://khyber.org/の英訳されたパシュトゥーンワーリから取った。

ワイオミング州の初期の歴史のデータはLarson（1990）のpp. 42-47, 233, 275からの引用。Johnson（2008）はジョンソン郡放牧地戦争に関する優れた議論である。

第2章　赤の女王

本章と関係のある古代ギリシア史とアテナイの制度の発達に関する優れた議論は数多くある。私たちがとくに参考にしたのはOber（2015a）、Morris（2010）、Hall（2013）、Osborne（2009）、Powell（2016）、Rhodes（2011）である。政治制度についてはとくにBrock and Hodkinson, eds.（2001）の小論、およびRobinson（2011）を参照。

暗黒時代のギリシア社会の特徴づけはFinley（1954）を参照のこと。テセウスとソロンの生涯についてはPlutarch（1914）の“Theseus”および“Solon”を参照し、引用は関連する章から取った。アテナイの憲法はAristotle（1996）にて列挙・分析されており、同書は本章全体の、たとえばクレイステネスが建設した国家の性質などについての貴重な情報源である。アリストテレスの引用はすべて同書から取った。現存するソロンの法についてはLeão and Rhodes（2016）を参照、ドラコンの殺人法は同書p.20に記載されている。Hall（2013）はソロンの改革の官僚主義的性質に関する優れた議論である。ソロンの土地改革についてはOsborne（2009）を参照。アテナイの政治的発展についての重要な小論としてMorris（1996）、Ober（2005）がある。Forsdyke（2005, 2012）はギリシアの規範とその制度化を分析している。クレイステネスの財政制度についてはOber（2015b）、van Wees（2013）、Fawcett（2016）を参照。アテナイで法がどのように執行されたかについてはLanni（2016）およびGottesman（2014）を参照のこと。

Gjeçov（1989）にカヌンが収録されている。引用は同書のp.162およびp.172から。

アメリカの権利章典は以下に掲載されている。https://www.archives.gov/founding-docs/bill-of-rights/what-does-it-say.

『ザ・フェデラリスト』はすべてインターネット上のhttps://www.congress.gov/resources/display/content/The+Federalist+Papersに掲載されている。

マディソンはFederalist #51からの引用。ここでの憲法に関する議論はHolton（2008）、Breen（2011）、Meier（2011）を参照した。マディソンの「分割統治」の手紙はHolton（2008, 207）からの引用。ジェファーソンはJefferson（1904, 360-62）からの引用。トクヴィルはTocqueville（2002、第1巻第2部第4章、および第2巻第2部第5章）から引用した。

合衆国の南北戦争についてはMcPherson（2003）を参照。南北戦争後の合衆国南部諸州の経済・政治の発展についてはWoodward（1955）およびWright（1986）を参照。

アリスと赤の女王の競走はCarroll（1871, 28-30）からの引用である。

ティヴの古典的な民族誌学的調査はBohannan and Bohannan（1953）である。ルガードの間接統治の考え方を表す最も有名な発言はLugard（1922）を、ルガードの包括的な人物紹介はPerham（1960）を参照。ヨーロッパ諸国による植民地征服当時の西アフリカにおける国家なき社会の出現についてはCurtin（1995）を、基本的な関連内容はOsafo-Kwaako and Robinson（2013）を参照。ルガードの引用はAfigbo（1967, 694）から取った。Afigbo（1972）は任命首長に関する画期的研究である。ボハナンの研究の引用はBohannan（1958, 3, 11）から、アキガの発言はAkiga（1939, 264）から取った。

判読不能性の概念はScott（2010）からの引用。レバノンの宗派主義についての優れた概説はCammett（2014）である。ベイルートのサッカーチームと宗派の関係はReiche（2011）を参照。レバノン議会についてのすばらしいツイートはhttps://www.beirut.com/l/49413を参照。

レバノンの国会開催の頻度についてはhttps://www.yahoo.com/news/lebanons-political-system-sinks-nation-debt-070626499–finance.htmlを参照。ユースティンク運動のフェイスブック記事（ガッサン・ムカイバーの引用も含む）はhttps://www.facebook.com/tol3etre7etkom/posts/1631214497140665?f

ref=nf&pnref=story にある。ユースティンク運動については https://foreignpolicy.com/2015/08/25/theres-something-rotten-in-lebanon-trash-you-stink を参照。

ルート 66 とサンダウン・タウンについては Candacy Taylor（2016）および https://www.theatlantic.com/politics/archive/2016/11/the-roots-of-route-66/506255/ にある「ルート 66 のルーツ」を参照のこと。

ツァオ・ホアの物語は Levin, Dan（2012）"A Chinese Education, for a Price," https://www.nytimes.com/2012/11/22/world/asia/in-china-schools-a-culture-of-bribery-spreads.html からの引用である。

Pei（2016）に官職の売買に関するくわしい情報がある。

中国の GDP 成長の数値の不確実性と誇張の可能性については https://www.cnbc.com/2016/01/19/what-is-chinas-actual-gdp-experts-weigh-in.html および https://www.stlouisfed.org/publications/regional-economist/second-quarter-2017/chinas-economic-data-an-accurate-reflection-or-just-smoke-and-mirrors に概説がある。中国の GDP 統計の正確さに関するビジネス・エコノミストたちによる調査は https://www.wsj.com/articles/wsj-survey-chinas-growth-statements-make-u-s-economists-skeptical-1441980001 を参照。中国の GDP 統計が信頼できないという李克強の発言は https://www.reuters.com/article/us-china-economy-wikileaks/chinas-gdp-is-man-made-unreliable-top-leader-idUSTRE6B527D20101206 を参照のこと。

第 3 章　力への意志

ムハンマドの人生とイスラムに関しては多数の学術文献がある。ムハンマドの生涯をめぐる私たちの議論は Watt（1953, 1956）を参考にしている。これらの論文の要約版は Watt（1961）に公開されている。この時代については、たとえば Hourani（2010）、Lapidus（2014）、Kennedy（2015）など、優れた議論が多い。メディナ憲章は Watt（1961, 94）からの引用。

「強み」の概念については Flannery（1999）を参照。この概念の発展については Flannery and Marcus（2014）を参照。

イサンドルワナの戦いについての記述は Smith-Dorrien（1925、第 1 章 The

Zulu War「ズールー戦争」）からの引用。ズールー国家の台頭についてはEldredge（2014）、Wright and Hamilton（1989）、Morris（1998）を参照のこと。引用はEldredge（2014, 7, 77）から取った。ヘンリー・フリンの手記はFlynn（1986, 71）からの引用。ズールー国家に関する画期的分析はGluckman（1940, 1960）による。シャカと呪術医のシーンはRitter（1985）の第10章に記録されている。

ハワイ諸島における国家形成の研究はKirch（2010, 2012）の画期的研究から始まる。私たちの議論はこれらの研究に影響を受けている。Kamakau（1992）は重要であり、とくにリホリホによる食事のタブーの一掃をめぐる議論を参照。デイヴィッド・マロの引用は彼の著書Malo（1987, 60-61）から取った。タブーを破ることについてはKamakau（1992）で論じられている。ハンディの「タプ（カプ）は、基本的な意味では……」はKuykendall（1965, 8）からの引用。ハンディ（「マナは……」）とケペリノはKirch（2010, 38, 40-41）からの引用。リホリホのタブー破りに関する同時代人による描写はKuykendall（1965, 68）から取った。

グルジアの歴史と政治経済学はWheatley（2005）およびChristopher（2004）を参照。シェワルナゼの台頭をめぐる私たちの議論はDriscoll（2015）を参考にしている。

第4章　回廊の外の経済

コルソンはColson（1974、第3章）からの引用。高地トンガのクランの体系についてはColson（1962）を参照。

コンゴの紛争の概説はTurner（2007）にあり、ニャビオンドの略奪の記述はpp. 135-38からの引用。

トンガの物乞いと貧困についてはColson（1967）を参照。引用はpp. 53-56から取った。

Bohannan and Bohannan（1968）はティヴの経済の成り立ちをめぐる画期的な議論である。引用は同書の第16章から。アキガの物語はAkiga（1939）として発表されている。

前章で引用した文献が、イスラム国家誕生後の基本的な政治史のよい概説を

提供している。引用はIbn Khaldun（2015）およびAl-Muqaddasi（1994）から取った。農業のイノベーションについてはWatson（1983）を参照。イスラム帝国内の交易についてはShatzmiller（2009）およびMichalopoulos, Naghavi, and Prarolo（2018）を参照。中東の経済についてはRodinson（2007）、Kuran（2012）、Blaydes and Chaney（2013）、Pamuk（2014）、Özmucur and Pamuk（2002）、Pamuk（2006）を参照。Pamuk（2006）の提示する実質賃金の経時的データは、中世後期にはすでに中東の実質生活水準が西欧よりも大幅に低かったことを示している。

折れた櫂の法への言及があるハワイ州憲法の1978年の条項はhttp://lrbhawaii.org/con/conart9.htmlで読むことができる。

ハワイの専横的成長をめぐる私たちの議論は前章と同じ文献、とくにPatrick Kirchの研究を参考にしている。「内陸に向かうサメ」のメタファーを用いているのも同文献である。フォーナンダーはKirch（2010, 41）からの引用。カメハメハの国家建設についてはKamakau（1992）を参照。白檀貿易と、この時代にハワイを訪れた人の話についてはKirch and Sahlins（1992）を参照。マシソンとイーリーの引用はKirch and Sahlins（1992、第3、4章）から取った。

「ズールーランドの土地は……」はEldredge（2014, 233）からの引用。グラックマンは前章でも引用したGluckman（1960）から取った。

グルジアの経済成長の分析は前章と同じ文献による。

第5章　善政の寓意

シエナのフレスコ画とその政治的意味、またより一般的なイタリアのコムーネについての学術文献は数多くある。Rubinstein（1958）およびSkinner（1986, 1999）は、シエナのフレスコ画に関する画期的分析である。Wickham（2015）はコムーネとその起源に関する最近のわかりやすい紹介である。ミラノの政治家の悪名をめぐる私たちの議論は同書第2章からの引用。Waley and Dean（2013）はイタリアのコムーネに関するとても有用な紹介であり、Jones（1997）もより難解だが有用な紹介である。Bowsky（1981）およびWaley（1991）はシエナの制度に関する詳細な議論を提供している。

オットー司教はGeary, ed.（2015, 537）からの引用。

ノーヴェの宣誓はWaley（1991、第3章）からの引用。

トゥデラのベンヤミンはWaley and Dean（2013, 11）からの引用。

アッシジの聖フランチェスコの人生についてはThompson（2012）を参照。シャンパーニュの大市についてはEdwards and Ogilvie（2012）を参照。

中世の商業革命についてはLopez（1976）およびEpstein（2009）を参照。Mokyr（1990）およびGies and Gies（1994）は、中世の技術進歩に関する優れた概説である。30大都市の人口データはDeLong and Shleifer（1993）から取った。経済発展の代用指標としての都市化率のデータの根拠と利用についてはAcemoglu, Johnson, and Robinson（2002）を参照。都市化率のデータはBosker, Buringh, and van Zanden（2013）からの引用であり、写本製作と識字率についてはBuringh and van Zanden（2009）を参照。フィレンツェのデータはGoldthwaite（2009）を、より幅広い経済・金融動向についてはFratianni and Spinelli（2006）およびPezzlo（2014）を参照。Mueller（1997）に為替手形の性質に関するくわしい議論がある。

フランチェスコ・ディ・マルコ・ダティーニの生涯はOrigo（1957）に記されている。ダティーニがカナリア諸島でどのようにして金持ちになったかの物語は同書（pp. 3-4）からの引用。商人の社会的起源を代表する物語としての聖ゴドリックの生涯の重要性はPirenne（1952）で強調されている。ここでは聖ゴドリックの同時代人のダラムのレジナルドが著したゴドリックの伝記Reginald of Durham（1918）から引用した。

サポテカについての私たちの解釈はRichard BlantonとGary Feinman、Linda Nicholasの研究を大いに参考にしている。とくにBlanton, Feinman, Kowalewski, and Nicholas（1999）およびBlanton, Kowalewski, Feinman, and Finsten（1993）を参照。Blanton and Fargher（2008）は、多くの前近代の政体のボトムアップの建設をめぐる議論を拡張している。トルティーヤの物語はFlannery and Marcus（1996）による。同文献はサポテカ国家の形成についてやや異なる、それほど一般的でない説明を提供している。

第6章　ヨーロッパのハサミ

ヨーロッパ史についての私たちの見解はCrone（2003）およびHirst（2009）のすばらしい著作に影響を受けている。Hirst（2009）は中世初期にさまざまな要因が独自の方法で合流したことを強調する。私たちはWickham（2016）による集会政治の役割についての分析も大いに参考にした。Reuter（2001）、Barnwell and Mostert, eds.（2003）、Pantos and Semple, eds.（2004）、そしてとくにWickham（2009, 2017）も参照。「コムーネ革命」についてはKümin（2013）による概説と、Blickel（1989, 1998）の影響力のある著作を参照。

Gregory of Tours（1974）は初期のフランク族についての基本的な情報源であり、トゥールでのクローヴィスの戴冠式の記述と断髪の脅迫のシーンも同書から取った（123, 140, 154, 180-81）。Murray（1983）およびTodd（2004）は初期のゲルマン社会に関する歴史研究について論じている。Wood（1994）はメロヴィング朝の概説を提供している。ランスのヒンクマール大司教の関連する記述はHincmar of Reims（1980）に記載されている。集会についてのヒンクマールの記述は同書（222, 226）からの引用。タキトゥスのゲルマンの集会に関する説明はTacitus（1970, 107-112）による。

Eich（2015）はローマの官僚制の発達に関する概説を提供している。Jones（1964）およびヨハネス・リュドゥスの著作について論じているKelly（2005）の第1章も参照のこと。

サリカ法典はDrew（1991）に記載されている。同書から序文（59）と各条文（79-80, 82-83）を引用した。Costambeys, Innes, and MacLean（2011）はカロリング朝の包括的な概説である。Nelson（2003）も参照のこと。ローマとフランク王国が正確にどのような関係にあったのかをめぐって多くの学術論争がある。Wallace-Hadrill（1971, 1982）、Geary（1988）、James（1988）、Murray（1988）、Wolfram（2005）、Wickham（2009, 2016）を参照のこと。

ローマ時代のヨークの崩壊はFleming（2010）で説明されている。同書によるローマ後のヨークに関する説明（p. 28）も参照のこと。アングロ・サクソン時代のイギリスに関してはRoach（2013, 2017）およびMaddicott（2012）を参照。後者はイングランドの政治史についての私たちの解釈に大きな影響を与えた。ラムゼー修道院の修道士バートファースによる記述は、Byrhtferth of

Ramsey（2009）の pp. 73、105、107 から引用。尊者ベーダは Bede（1991）の p. 281 からの引用。アングロ・サクソン史の優れた概説は数多くある。私たちの説明は Stafford（1989）および Williams（1999）をもとにしている。エインシャム大修道院の院長アエルフリクの発言は Williams（2003, 17）からの引用。

初期のイングランドの法典の英訳は Attenborough, ed.（1922）とその続編である Robertson, ed.（1925）に記載されている。引用は Attenborough（1922, 62-93）による。Hudson（2018）は初期イングランドの法律についての優れた議論であり、私たちの解釈に大きな影響を与えた。

1066 年とノルマン侵略を論じる良書は数多くある。たとえば Barlow（1999）を参照。イングランドの封建制については Crick and van Houts, eds.（2011）の、とくにスティーヴン・バクスターの章を参照のこと。

ブロックは Bloch（1964, 141、および第 9、10 章）から引用している。

クラレンドンの陪審裁判法については http://avalon.law.yale.edu/medieval/assizecl.asp を参照。

リチャード・フィッツナイジェルの記述は Hudson（2018, 202）からの引用。

マグナ・カルタの条文はイェール大学のアヴァロンプロジェクトによって再現されている。http://avalon.law.yale.edu/medieval/magframe.asp を参照。Holt（2015）も参照。

近代初期イングランドにおける国家形成についての私たちの解釈と証拠は Braddick（2000）、Hindle（2000）、Pincus（2011）を大いに参考にしている。そのほか Blockmans, Holenstein, and Mathieu, eds.（2009）も参照のこと。Davison, Hitchcock, Keirn, and Shoemaker, eds.（1992）が、ブンブン不平を鳴らすハチの巣というイメージについて論じている。引用は Mandeville（1989）による。マンデヴィルの詩はインターネット上の https://en.wikipedia.org/wiki/The_Fable_of_the_Bees#The_poem から容易に入手可能。

スワローフィールドに関しては、決議の全文が掲載されている Hindle（1999）を参照のこと。訴訟事例は Herrup（1989, 75-76、第 4 章参照のこと）から取った。Goldie（2001）は 18 世紀イギリスで公務に就いていた人数の多さが重要であることを強調する。引用した人数は同論文から取った。

ヨーロッパの議会の起源については Bisson（2009）、およびラングドックに

についてはBisson（1964）を参照。またBissonが編纂したBisson（1973）を参照。ヨーロッパ議会制度史の概説はMarongiu（1968）、Myers（1975）、Graves（2001）を、またスカンジナヴィアについてはHelle（2008）の関連章を参照。ヘッセンの分析はKümin and Würgler（1997）を参照。またGuenée（1985）およびWatts（2009）も参照せよ。

アイスランド史をめぐる私たちの議論はKarlson（2000）およびHelle（2008）の関連章を参考にした。終わりなき血讐についてはMiller（1997）を参照のこと。

Angold（1997）およびTreadgold（1997）は関連するビザンティンの政治史の概説を提供している。プロコピオスはProcopius（2007）からの引用。「中世のドル」はLopez（1951）からの引用。Laiou and Morrisson（2007）は関連する経済史について非常に有用な概説を提供している。

18世紀イギリスの赤の女王をめぐる私たちの議論はTilly（1995）を参照しており、すべての引用は第1章から取った。Brewer（1989）は18世紀のイギリス国家に関する画期的研究である。

女性に関する法の摘要集はEdgar（2005）からの引用。ブラックストンはMontgomery（2006, 13）からの引用。

キャロライン・ノートンの『幼児保護法による母と子の別離の考察』はhttps://catalog.hathitrust.org/Record/008723154にある。ノートンの『――女王への手紙』はhttp://digital.library.upenn.edu/women/norton/alttq/alttq.htmlにある。Wollstonecraft（2009, 103, 107）およびMill（1869、第1章）からも引用した。

イギリス産業革命に関する資料はAcemoglu, Johnson, and Robinson（2005a,b）およびAcemoglu and Robinson（2012）からの引用。Mokyr（1990）は産業革命中の技術的ブレークスルーについての優れた概説を提供している。経度測定に関するすべての引用はSobel（2007、第3、5、7章）による。

第7章　天　命

中国史の英語での優れた研究は数多くあり、最も決定的なものが数巻からな

る *Cambridge History of China* であり、6巻セットの Harvard University Press の中国史も非常に有用である。近代初期と近代については Spence（2012）が優れており、Dardess（2010）は政治史の大半の優れた簡潔な概説、Mote（2000）は帝国国家についての徹底研究である。von Glahn（2016）は帝国国家崩壊までの中国経済史のユニークな最近の概説であり、関連する政治・社会史も含んでいる。

孔子は Confucius（2003, 8, 193）からの引用。孟子は Mengzi（2008）から、荀子は Xunzi（2016）からの引用。

季梁の言葉は Pines（2009, 191）による。子産は Pines（2009, 195）からの引用。

中国の初期国家形成およびその長い歴史についての私たちの解釈は Pines（2009, 2012）を参照している。Pines が翻訳した『商君書』（Shang Yang, 2017）も参照、同書の pp. 79、178、218、229-30、233 から引用している。私たちの解釈は Lewis の三部作 Lewis（2011, 2012a, b）にも影響を受けている。ギリシアの都市国家と春秋時代中国の政体の比較については Lewis（2000）を参照。Bodde and Morris（1967）は中国の法律に関する重要な書物であり、法家主義と儒教の要素の融合、および法の支配の欠如を強調している。また清の法制度の仕組みと、それがこんにちの中国に与えている影響を論じた、画期的研究である Huang（1998）も参照のこと。Perry（2008）は中国の「社会契約」と、それが共産主義時代にまで継続していることについての非常に興味深い解釈を提供している。von Glahn（2016）は井田法を再導入しようとする度重なる試みを追跡している。明代の郯城県については Spence（1978, 6-7）を参照。明の海禁については Dreyer（2006）を参照。明から清への移行は Farmer（1995）および Wakeman（1986）で分析されている。満州族の髪型を拒否した人たちに対する措置と「霊魂泥棒」への中国国家の対応については Kuhn（1990）を参照のこと。

王秀楚の『揚州十日記』の節は Struve ed.（1998, 28-48）からの引用。Rowe（2009）の議論も参照。呉敬梓の『儒林外史』の抜粋は Chen, Cheng, Lestz, and Spence（2014, 54-63）からの引用で、同書は和珅の罪と富についても述べている。Zelin（1984）、von Glahn（2016）、Rowe（2009）は清国家の財政悪化によりインフラなどの公共財の提供が困難になったことを強調している。和

珅の罪はRowe（2009、第6章）にもくわしい。

漢口をめぐる私たちの議論はRowe（1984, 1989）による。またWakeman（1993）の評論にも大きな影響を受けている。Wakeman（1998）も参照のこと。

中国の宗族についての画期的研究はFreedman（1966, 1971）であり、同1966（第3章、またpp. 80-82も参照）から引用した。中国南部の宗族についてはBeattie（2009）およびFaure（2007）を、またWatson（1982）も参照のこと。

中国の相対的な経済成長に関する事実は、経済史家の間で論争にはなっていない。「繁栄の逆転」という考えはAcemoglu, Johnson, and Robinson（2002）による。Wong（1997）およびPomeranz（2001）は中国全土、または少なくとも長江流域などの最も開発が進んだ地域が18世紀に西欧の先進的地域と同様の高い生活水準を享受していたと論じたが、その主張は後続研究によって裏づけられていない。Broadberry, Guan, and Li（2017）は平均的生活水準の指標の経時的推移に関する研究をまとめ、宋中国は中世においては世界最高水準の一人当たり所得を誇っていたが、その後は停滞し、たとえば明代や清代末期には低下するなどの浮き沈みがあったことを示唆する。彼らのデータによれば、中国の一人当たり所得は1800年にはオランダの約3分の1、イギリスの30%に過ぎなかった。長江流域だけをとっても相対的な比較の大勢は変わらない。Bozhong and van Zanden（2012）は1820年代の同地域の平均的な生活水準が同時代のオランダの約半分だったと推定している。ほかの証拠もこれを裏づけている。たとえばAllen, Bassino, Ma, Moll-Murata, and van Zanden（2011）は中国都市部の実質賃金が著しく低かったことを示している。こうした事実はWongおよびPomeranzのより大局的な議論の説得力を失わせる。なぜならWongおよびPomeranzは西欧と中国の経済的乖離が生じた理由として、ヨーロッパに都合よく石炭産出地が位置したことと、ヨーロッパの植民地で土地が容易に入手できたことを挙げているからだ。だが中国でマルサスの罠が生じたことを裏づける証拠はない。たとえば唐から宋への移行期には人口が大幅に増加している。これらの議論はほかの多くの点でも問題がある。たとえばイギリスの工業化の初期段階に用いられた動力は石炭ではなく水力だった。また植民地の豊富な土地と経済成長を結びつけるメカニズムは明らかではない。

宋朝以降の中国の低成長についての私たちの解釈は、一部は従来的な解釈（たとえば明と清初期の反開発的な政策についてはLiu, 2015およびvon Glahn, 2016を参照）であり、Faure（2006）およびBrandt, Ma, and Rawski（2014）の研究に類似している。公共財の供給の貧弱さについて引用した事実はMorse（1920）を参照。これらの研究は近代初期中国における市場の存在と重要性を認識しつつも、経済成長が政治的動機によって阻害されていたことを示す多くの証拠を提供している。Hamilton（2006）の史料も参考にした。またBrenner and Isett（2002）を参照。この研究はWright（1957）などの初期の研究者の伝統を受け継いでいる。鉄道建設への抵抗の事例はWang（2015）から取った。中国の長期的発展に関する学術研究は、ヨーロッパとの文化的違いに焦点を当てたマックス・ヴェーバーの研究と、「アジア的生産様式」という概念を生み出したカール・マルクスの研究（この概念に対する見解はBrook, ed., 1989を参照）から始まった。その後、Wittfogel（1957）などによって中国の「専横的」性格が指摘された。最近でさえ歴史家は帝国を説明するのにこの「専横的」という用語を用いている（たとえばMote, 2000やLiu, 2015）。

中国における資本主義の欠落に関する研究には塩商に焦点を置くものが多い。塩商が官僚に転じた事例はHo（1954）からの引用。曹氏についてはHung（2016）も参照のこと。塩商に関する研究にはZelin（2005）もある。

温州モデルはLiu（1992）によって論じられており、「農業集団化は……」の引用はp. 698から取った。

Huang（2008）が郷鎮企業と北京の秀水市場の事例を示している。農村部の不満と土地税に関する証拠についてはO'Brien and Li（2006）およびO'Brien ed.（2008）を参照。共産党が資本家を受け入れるのに消極的だったことについてはNee and Opper（2012）を参照。

近代化論についてはLipset（1959）を参照のこと。近代化論の反証、つまり豊かになったかもしくは「近代化した」国が自動的に民主的にならないという証拠はAcemoglu, Johnson, Robinson, and Yared（2008, 2009）を参照のこと。「社会信用システム」についてはCarney（2018）を参照。ウイグル人の抑圧についてはHuman Rights Watch（2018）を参照。

図版の出典

全　般

都市の位置：Geonames, https://www.geonames.org/.

近年の行政区域：GADM（Database of Global Administrative Areas）, https://gadm.org/data.html.

河川：Natural Earth, http://www.naturalearthdata.downloads/10m-physical-vectors/10m-rivers-lake-centerlines.

図１　アシャンティ王国：Wilks（1975）. ヨルバランド、ティヴランド：Murdock（1959）.

図２　アテナイのデモス：Osborne（2009）. トリッテュスの境界：Christopoulos（1970）.

図３　Bureau Topographique des Troupes Françaises du Levant（1935）および Central Intelligence Agency（2017）.

図４　サラワト山脈：Radar Topographic Mission / Consortium for Spatial Information（CGIAR-CSI）, http://srtm.csi.cgiar.org.

図５　トンガランドとズールーランド：Murdock（1959）. 1910年の南アフリカの四植民地：Beinart（2001）.

図６　プナ海岸：Evergreen Data Library, https://evergreen.data.socrata.com/Maps-Statistics/Coastlines-split-4326/rcht-xhew

図７　GADM, gadm.org/data.html.

図８　Shepard（1911）.

図９　Falkus and Gillingham（1987）.

図10　Feng（2013）.

図11　Ho（1954）.

口絵クレジット

page 1: AGIP - Rue des Archives / Granger, NYC—All Rights Reserved.

page 2: Holmes Collection, Rare Book and Special Collection Division, Library of Congress
page 3, top: Album / Art Resource, NY; bottom: Paul Bohannan, from *The Tiv: An African People 1949-1953* by Paul Bohannan and Gary Seaman (Ethnographics Press, 2000)
page 4, top: AP Photo/Hassan Ammar; bottom: Dixson Galleries, State Library of New South Wales / Bridgeman Images
page 5, top: Palazzo Pubblico, Siena, Italy / De Agostini Picture Library / A. De Gregorio / Bridgeman Images; bottom: Palazzo Pubblico, Siena, Italy / De Agostini Picture Library / G. Dagli Orti / Bridgeman Images
page 6, top: Photo courtesy Linda Nicholas; bottom: Historic Images / Alamy Stock Photo
page 7, top: Detail of the Bayeux Tapestry—11th Century, with special permission from the City of Bayeux; bottom: Bettmann/Getty Images
page 8, top: David Bliss Photography; bottom: *Xunzi jian shi* 荀子柬釋［*Xunzi,* with selected notes］, edited by Qixiong Liang　梁啓雄 (Shanghai: The Commercial Press 商務印書館 , 1936) , page 100

自由の命運〔上〕
国家、社会、そして狭い回廊

2020年1月25日　初版発行
2024年10月25日　再版発行

＊

著　者　ダロン・アセモグル
　　　　ジェイムズ・A・ロビンソン
訳　者　櫻井祐子
発行者　早川　浩

＊

印刷所　三松堂株式会社
製本所　大口製本印刷株式会社

＊

発行所　株式会社　早川書房
東京都千代田区神田多町2－2
電話　03-3252-3111
振替　00160-3-47799
https://www.hayakawa-online.co.jp
定価はカバーに表示してあります
ISBN978-4-15-209910-5　C0020
Printed and bound in Japan
乱丁・落丁本は小社制作部宛お送り下さい。
送料小社負担にてお取りかえいたします。

ハヤカワ・ノンフィクション

津波の霊たち

――3・11 死と生の物語

Ghosts of the Tsunami

リチャード・ロイド・パリー

濱野大道訳

46判並製

日本記者クラブ賞特別賞&
ラスボーンズ・フォリオ賞受賞

在日二〇年の英国人ジャーナリストが被災地で目にしたものとは？　東日本大震災の発生直後から東北に通い続けた記者は、大川小学校事故の遺族と出会う。取材は相次ぐ「幽霊」の目撃情報といつしか重なり合い――。『黒い迷宮』の著者が津波のもたらした見えざる余波に迫る。

ハヤカワ・ノンフィクション

スクラム

仕事が4倍速くなる〝世界標準〟のチーム戦術

Scrum

ジェフ・サザーランド
石垣賀子訳

46判並製

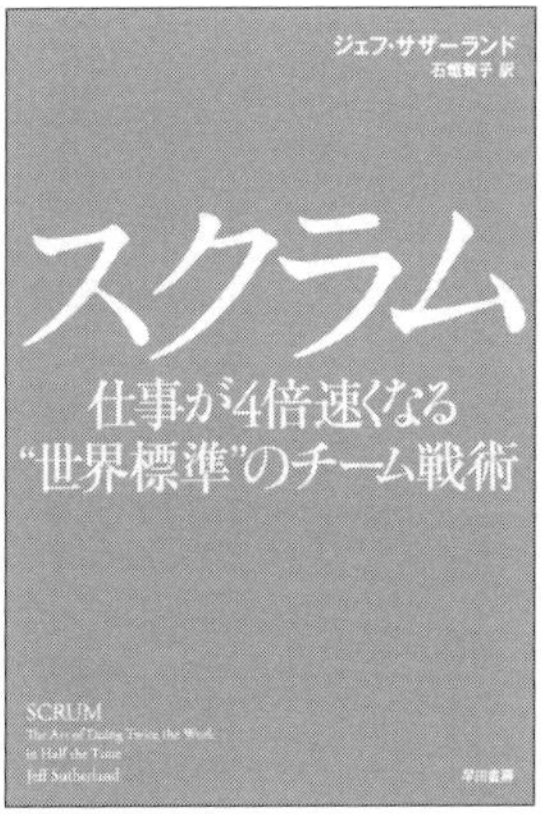

ジェフ・サザーランド
石垣賀子 訳

スクラム
仕事が4倍速くなる
"世界標準"のチーム戦術

SCRUM

最強のプロジェクト管理法「スクラム」生みの親による完全ガイド

世界的に絶大な支持を集め、グーグルやアマゾンも採用するプロジェクト管理法「スクラム」。その生みの親が、最少の時間と労力で最大の成果を出すチームの作り方を伝授する。住宅リフォームから宇宙船の開発まで、スクラムが革命を起こす！

解説／野中郁次郎